Kopfschmerzen und Migräne

Springer
Berlin
Heidelberg
New York
Barcelona
Hong Kong
London
Mailand
Paris
Singapur
Tokio

Hartmut Göbel

Kopfschmerzen und Migräne

Leiden,
die man nicht hinnehmen muß

Springer

Professor Dr. Dipl. Psych. Hartmut Göbel
Neurologisch-verhaltensmedizinische Schmerzklinik
in Kooperation mit der Universität Kiel
Heikendorfer Weg 9–27
24149 Kiel

Mit 102 Abbildungen, davon 3 in Farbe

ISBN 3-540-64610-8
Springer-Verlag Berlin Heidelberg New York
2. aktualisierte und ergänzte Auflage
Die 1. Auflage erschien 1994 unter dem Titel »Kopfschmerzen«
im Springer-Verlag (ISBN 3-540-57897-8)

Redaktion: Ilse Wittig, Heidelberg
Umschlaggestaltung: Bayerl & Ost, Frankfurt,
unter Verwendung einer Illustration von Tony Stone Images
Druck: Druckhaus Beltz, Hemsbach
Bindearbeiten: J. Schäffer GmbH & Co. KG, Grünstadt
SPIN 10679869   67/3134 – 5 4 3 2 1 0 – Gedruckt auf säurefreiem Papier

Inhaltsverzeichnis

X

XVI

Vorwort zur 2. Auflage

Liebe Leserin, lieber Leser! Seit Erscheinen der 1. Auflage dieses Buches haben sich zahlreiche neue Entwicklungen im Bereich der Diagnostik und Behandlung von Kopfschmerzen ergeben. Es wurden neue Studien zur Wirksamkeit von nicht-medikamentösen Therapietechniken und Verhaltensmaßnahmen bei verschiedenen Kopfschmerzerkrankungen publiziert. Zusätzlich wurden in den wissenschaftlichen Labors völlig neue Medikamente entwickelt und für die Patienten nach intensiver Untersuchung allgemein verfügbar gemacht. Auch die Gesundheitspolitik und die Kostenträger haben sich den Problemen der von Kopfschmerzen betroffenen Menschen verstärkt angenommen. Der Deutsche Ärztetag hat im Sommer 1997 eine Zusatzbezeichnung für spezielle Schmerztherapie mit einer definierten Weiterbildung für Ärzte beschlossen. In vielen Bundesländern ist diese geordnete Weiterbildung bereits umgesetzt worden. Die Kostenträger im Gesundheitswesen haben aufmerksam die enormen finanziellen Auswirkungen von Kopfschmerzerkrankungen für das Gesundheitswesen analysiert und Konsequenzen gezogen. In Kiel wurde in Kooperation mit der AOK Schleswig-Holstein und dem Klinikum der Christian-Albrechts-Universität Kiel die neurologisch-verhaltensmedizinische Schmerzklinik gegründet. All diese Maßnahmen haben dazu beigetragen, daß für Kopfschmerzpatienten heute Möglichkeiten zur Verfügung stehen, die noch vor wenigen Jahren völlig undenkbar waren. Zweifelsfrei muß der Behandlung von Kopfschmerzen in der modernen Medizin ein bedeutender Platz eingeräumt werden. Dies äußert sich in der zunehmenden Zahl wissenschaftlicher Veröffentlichungen und der Lehr- und Forschungsaktivitäten an Universitäten. Kopfschmerzerkrankungen weisen mehrere Besonderheiten auf:

- Kopfschmerzen gehören zu den großen Volkskrankheiten (...es ist fast außergewöhnlich, keine Kopfschmerzen zu kennen).
- Kopfschmerzen können in jeder Altersgruppe auftreten und betreffen oft Kinder und junge Menschen.
- Kopfschmerzen können bei mangelnder Beachtung entgleisen und das gesamte soziale und berufliche Leben zerstören.
- Komplikationen einer falschen Kopfschmerztherapie können zu gravierenden Organschäden oder vorzeitigem Tod führen.
- Kopfschmerzen ohne ausreichende, zeitgemäße Therapie verursachen extreme Folgekosten für die Gesellschaft.

Es gibt also sehr wichtige Gründe, die Entwicklungen der modernen Kopfschmerztherapie allen Menschen zugänglich zu machen. Dazu müssen sämtliche medizinischen Berufsgruppen eine gründliche Ausbildung in der Kopfschmerztherapie erhalten. Aber auch die Betroffenen selbst müssen umfassend informiert sein. Ich freue mich über die sehr positive Entwicklung auf diesem Gebiet seit Erscheinen der ersten Auflage dieses Buches. Nur wenn es gelingt, die Kopfschmerztherapie kompetent in die reguläre Ausbildung von Ärzten, Psychologen und Apothekern zu integrieren, können Kopfschmerzleidende Kompetenz und Können erwarten. Das muß weiter Ziel für die nahe Zukunft sein. Dieses Buch ist kein umfassendes Lehrbuch für Kopfschmerztherapie. Ein solches ist mittlerweile unter dem Titel *Die Kopfschmerzen* von mir vorgelegt worden. Als Sachbuch wendet sich der vorliegende Text vor allem als Ratgeber an Betroffene. Ich habe mich bemüht, ein Buch mit Anregungen, praktischen Tips und Tricks zu schreiben.

Nachdem die Erstauflage nach wenigen Monaten vergriffen war und mehrere Nachdrucke erfolgten, soll durch die jetzige umfassende Überarbeitung den Leserinnen und Lesern das aktuelle Wissen über die Behandlung von Migräne und Kopfschmerzen verfügbar gemacht werden. Wer sich in der heutigen Welt der Reizüberflutung, der Hektik und der Mehrfachbelastung noch einen offenen Sinn für die ursprüngliche Natur und die Aufgaben des menschlichen Gehirns bewahrt hat, dem eröffnet sich mit diesem Buch die faszinierende Funktionsweise des menschlichen Nervensystems. Für den an Kopfschmerz Leidenden finden sich vielfältige praktische und oft sehr einfach umzusetzende Möglichkeiten, Migräne und Kopfschmerzen zu verhindern oder zu behandeln.

Kiel, im Sommer 1998
Hartmut Göbel

Vorwort zur 1. Auflage

Wenn die Medizin allzu aufwendige Apparate einsetzt, um die Leiden der Menschen zu ergründen, kann es geschehen, daß vor lauter Achten auf das Außergewöhnliche und das Seltene die Erkrankungen des Alltages übersehen werden. So ist es vielen Generationen vor uns mit ihren Zahnschmerzen ergangen, für die sich die Medizin wegen deren Gewöhnlichkeit nicht zuständig fühlte und man die Betroffenen lieber an den örtlichen Schmied verwies. Auch heute sind hochverdiente Gelehrte, die ihr wissenschaftliches Leben manchen Detailproblemen seltener Erkrankungen widmen, felsenfest und scheinbar wohlbegründet überzeugt, daß man mit einem so alltäglichen Thema wie Kopfschmerz als Hochschulwissenschaftler nichts zu tun haben sollte. In Deutschland gibt es zwar für alle möglichen Spezialaspekte von Erkrankungen Professuren, aber nicht eine einzige für Kopfschmerzforschung. In der Ausbildung von Medizinstudenten wurde das Thema bisher fast vollständig übergangen. Wer das Leiden und das Kranksein durch Kopfschmerz aus eigener Erfahrung oder auch nur aus der seiner Mitmenschen kennt, wird hier mehr an einen Fehlschluß als an ein angemessenes Urteil glauben. So haben mich viele Gründe bewogen, dieses Buch zu schreiben. Kopfschmerzerkrankungen gehören zu den großen

Gesundheitsproblemen unserer Zeit. Kopfschmerzen treten in der Bevölkerung häufiger auf als Erkältungskrankheiten. Es leiden mehr junge Menschen an Kopfschmerzen als ältere Personen. Kopfschmerzerkrankungen können heute sehr genau diagnostiziert werden. Die häufigsten Kopfschmerzleiden sind eigenständige Erkrankungen und können spezifisch behandelt werden. Forschungsergebnisse der letzten Zeit haben faszinierende Fortschritte und neue Einsichten zur Entstehung und Behandlung von Kopfschmerzerkrankungen erbracht. Kopfschmerzen muß heute niemand mehr einfach hinnehmen.

Ich möchte mit diesem Buch dem Leser das Interessante und für einen Naturforscher auch Faszinierende über die Entstehung und Behandlung von Kopfschmerzen übermitteln. Dies soll ohne den Ballast des Trachtens nach Vollständigkeit und ohne die Beschwerung mit Zahlenkolonnen und Belegen erfolgen. Aber auch vereinfachende Oberflächlichkeit und platte Ratschläge sollen vermieden werden. Die Einsicht in die Welt der Kopfschmerzen wird von praktischen Hinweisen zur Selbsthilfe begleitet.

Kiel, im Juni 1994
Hartmut Göbel

Danksagung

Das Buch basiert auf jahrelanger Erfahrung in der Behandlung von Kopfschmerzpatienten an der Klinik für Neurologie der Universität Kiel. Besonderer Dank gilt dem Direktor der Klinik und Pionier der Kopfschmerzforschung Prof. Dr. med. Dieter Soyka. Sein Denken und seine Visionen zum Thema Kopfschmerz sind die Basis für meine eigenen Arbeiten.

Danken möchte ich auch meinen Kolleginnen und Kollegen an der Klinik, die mich bei der alltäglichen Arbeit unterstützen.

Frau Elke Panzer danke ich sehr für die Anfertigung der Karikaturen zum Text. Ihre langjährige Erfahrung als Stationsschwester in der Betreuung von Kopfschmerzpatienten während deren stationären Behandlung und ihre zeichnerische Begabung waren dazu ideale Voraussetzungen.

Dank sei auch an die vier Patienten gesagt, die an Migräne und Kopfschmerz vom Spannungstyp leiden, und den Text »testgelesen« haben. Teile, die für Kopfschmerzen gesorgt haben, wurden geändert oder gestrichen.

Meiner Frau Gerdi danke ich sehr herzlich für ihre liebevollen Hilfen und Anregungen bei der Abfassung des Buches.

Der Bayer AG, Leverkusen, danke ich für ihre freundliche Abdruckgenehmigung der Bilder auf Seite 5 (Künstler: Andreas Medwe), Seite 19 (Künstlerin: Monika Bartholomé), Seite 59 (Künstler: Max Uhlig) sowie Seite 212 (Künstler: Jürgen Klauke).

Dem Verlag sage ich besten Dank für das offene Ohr gegenüber meinen Wünschen.

1 Kopfschmerzen muß man nicht einfach hinnehmen

Forscher haben herausgefunden, daß ein großer Teil der Kopfschmerzpatienten wenig Hoffnung auf Besserung hat: »An meinen Kopfschmerzen ist ja eh nichts zu ändern.« Viele Menschen mühen sich mit einem langen Leidensweg ab, bevor sie einen Arzt aufsuchen. Oftmals wird den Betroffenen mit Vorurteilen von verschiedensten Seiten begegnet. So sind bei Kopfschmerzen und Migräne Sätze wie

- Sie sagen, daß Sie Migräne haben, aber ich kann nichts feststellen!
- Migräne ist nicht heilbar, finden Sie sich damit ab!
- Ihre Halswirbelsäule und Ihr Blutdruck sind in Ordnung, – es muß also doch die Psyche sein?
- Migräne ist nur Kopfweh – Auf Wiedersehen, der Nächste bitte...

leider immer noch zu hören. Diese Aussagen und Kommentare helfen niemandem weiter und sind auch mit dem heutigen Wissen nicht vereinbar.

Das alles sollte mittlerweile aufgrund der Einsichten der modernen Medizin der Vergangenheit angehören. Kopfschmerzen und Migräne muß niemand einfach hinnehmen. Heute kann man von der Medizin mehr erwarten, als sich unsere Großeltern erträumen konnten. Menschen müssen sich nicht mehr damit abfinden, drei Tage mit pochenden Schläfen, Übelkeit und Erbrechen im abgedunkelten Zimmer zu verbringen.

Man muß auch nicht hinnehmen, monate- oder sogar jahrelang täglich mit einem dumpfen Druck im Kopf aufzuwachen, der den ganzen Tagesablauf überdauert und die Aktivitäten behindert.

Es kommt auf Sie alleine an ...

Viel Wissen, Eigenverantwortung und richtiges Verhalten gehören zu den wichtigsten Voraussetzungen für ein gesundes Leben. Wissen, wie man Zähne putzt und das regelmäßige Anwenden dieses Wissens kann Zahnkrankheiten vorbeugen. Das lernt man schon im Kindergarten.

Über die Volkskrankheit Kopfschmerz erfährt man dort und anderswo in der Regel nichts. Für Kopfschmerzerkrankungen gilt das gleiche wie für Zahnerkrankungen. Wissen, welche Bedingungen Kopfschmerzen auslösen und wie man solche Auslöser erkennt, kann Kopfschmerzen ersparen. Die Kenntnis der optimalen Behandlung von Kopfschmerzen erhöht die Wahrscheinlichkeit einer besseren Lebensqualität. Kein Arzt, kein Apotheker und keine Medizin können Ihnen Ihre Verantwortung für Ihren Körper abnehmen und richtiges Verhalten ersetzen. Die Informationen dieses Buches werden Ihnen dabei helfen. Im Buch ist auch Platz zur Dokumentation Ihrer eigenen Kopfschmerzen vorgesehen. Sie können den Text bei Ihrem nächsten Arztbesuch mitbringen und damit Ihr Kopfschmerzproblem verständlicher machen. Niemand kann Ihre Kopfschmerzen besser verstehen und in den Griff bekommen als Sie, denn Sie kennen sich und Ihren Körper am besten. Das Buch soll Ihnen helfen, Ihr eigener Kopfschmerzexperte zu werden.

... aber Sie sind nicht alleine!

Im Jahre 1993 wurde in Deutschland eine große Untersuchung mit dem Ziel durchgeführt, die Häufigkeiten der verschiedenen Kopfschmerzformen festzustellen. Aus 30000 Haushalten wurden 5000 Menschen ausgesucht, die repräsentativ für die Gesamtbevölkerung waren. Die Mitbürger wurden befragt, ob sie an Kopfschmerzen leiden, wie diese Kopfschmerzen aussehen, was über die Kopfschmerzen gedacht wird und wie die Kopfschmerzen behandelt werden. Wie auch in anderen

Abb. 1. Über 70 % der Menschen geben an, zumindest zeitweise während ihres Lebens an Kopfschmerzen zu leiden. Auf die gesamte deutsche Bevölkerung hochgerechnet ergibt sich eine Zahl von 54 Millionen Menschen, die von Kopfschmerzen betroffen sind.

Ländern zeigte sich, daß sehr, sehr viele Menschen, nämlich

███████ 71 % der Befragten

im Laufe ihres Lebens zumindest zeitweise an Kopfschmerzen leiden. Diese Zahl umfaßt alle verschiedenen Arten von Kopfschmerzen (Abb. 1).

In Deutschland leben also über 54 Millionen Menschen, denen es ähnlich geht wie Ihnen!

2 Definition und Ursachen von Schmerzen

Das Ordnungssystem für Kopfschmerzen

Kopfschmerz ist Kopfschmerz – und damit hat sich die Sache!? Zur großen Überraschung vieler Menschen gibt es jedoch möglicherweise mehr Kopfschmerzformen als Schmetterlingsarten! Die moderne Medizin unterscheidet heute über 165 Formen von Kopfschmerzen.

Die Internationale Kopfschmerzgesellschaft hat aus den besten und erfahrensten Kopfschmerzexperten

aus aller Welt eine Arbeitsgruppe gebildet. Diese Arbeitsgruppe hat drei Jahre, von 1985 bis 1988, angestrengt diskutiert, geordnet und geschrieben. Bei dieser aufwendigen Arbeit kam als Ergebnis ein Büchlein von ca. 80 Seiten heraus. Es enthält das Ordnungssystem, mit dem heute Ärzte die vielen Kopfschmerzformen exakt einteilen können.

Durch diese Arbeit ging eine lange Phase der Unsicherheit in der Kopfschmerzdiagnostik zu Ende. Früher glaubten viele Kopfschmerztherapeuten, daß man Kopfschmerzen nicht genau abgrenzen kann – Kopfschmerz sei ja »nur ein subjektives Erlebnis«. Die neue Klassifikation jedoch beschreibt genaue Kriterien, die erfüllt sein müssen, um eine bestimmte Kopfschmerzdiagnose stellen zu können. Später werden diese Kriterien im einzelnen beschrieben. Beziehen sich die Fragen Ihres behandelnden Arztes auf diese Kopfschmerzklassifikation, sehen Sie sofort, daß Ihr Arzt mit den aktuellen Entwicklungen der Wissenschaft Schritt hält.

Die Kopfschmerzen werden nach dieser Klassifikation der Internationalen Kopfschmerzgesellschaft in folgende Haupttypen untergliedert:

Primäre Kopfschmerzen

– Migräne
– Kopfschmerz vom Spannungstyp
– Clusterkopfschmerz
– Andere Kopfschmerzen ohne strukturelle Läsion

Sekundäre oder symptomatische Kopfschmerzen

– Kopfschmerz bei Kopfverletzungen
– Kopfschmerz bei Blutgefäßerkrankungen
– Kopfschmerz bei nichtgefäßbedingten Hirnerkrankungen

- Kopfschmerz bei Substanzwirkung oder -entzug
- Kopfschmerz bei Allgemeininfektion
- Kopfschmerz bei Stoffwechselerkrankungen
- Kopfschmerz bei Erkrankungen von Kopf- oder Gesichtsstrukturen
- Kopfneuralgien und Nervenschmerzen
- Nichtklassifizierbarer Kopfschmerz

Primäre Kopfschmerzen

Bei den *primären Kopfschmerzen* sind die Kopfschmerzen die eigentliche, primäre Erkrankung. Die Suche nach anderen Erkrankungen als Ursache dieser Kopfschmerzen ist hier ergebnislos.

Merke: Primäre Kopfschmerzen sind die Erkrankung selbst. Aus diesem Grunde muß man sich auf die Behandlung der Schmerzkrankheit konzentrieren. Die Hoffnung, daß man nur irgendeine andere Krankheit finden und heilen muß, die die Kopfschmerzen als Symptom auslösen, ist bei den primären Kopfschmerzen nicht realistisch und erfüllt sich nicht. Der erfolgversprechende Weg ist die spezifische Behandlung der Kopfschmerzkrankheit.

Sekundäre Kopfschmerzen

Anders ist die Situation bei den *sekundären oder symptomatischen Kopfschmerzerkrankungen*. Hier finden sich in der ärztlichen Untersuchung Erkrankungen, die als *sekundäre* Folge Kopfschmerzen bedingen.

7

Merke: Sekundäre (= symptomatische) Kopfschmerzen sind Symptom einer zugrundeliegenden
anderen Erkrankung, die sich durch die ärztliche
Untersuchung feststellen läßt.

Bei der Feststellung, um welche Kopfschmerzen es
sich handelt, müssen zunächst immer durch eine ärztliche Untersuchung sekundäre Kopfschmerzen und gege-
benenfalls deren zugrundeliegende Erkrankung ausgeschlossen oder festgestellt werden. Lassen sich solche
zugrundeliegenden Erkrankungen nicht aufdecken, werden die Kopfschmerzen als primäre Kopfschmerzformen
eingestuft.

Eine sichere Kopfschmerzdiagnose benötigt eine
ausführliche ärztliche Befragung nach den Merk-
malen und Abläufen der Kopfschmerzen und eine
anschließende, ausführliche ärztliche Untersuchung. Selbst besonders erfahrene Kopfschmerzexperten benötigen dazu bei der ersten Untersuchung
eines Patienten 30 bis 60 Minuten Zeit. Manchmal
bahnt auch erst die systematische Beobachtung der
Kopfschmerzen und Dokumentation der Kopfschmerzmerkmale über mehrere Wochen den Weg
zur richtigen Diagnose.

Schmerzen als eigenständige Erkrankungen

Für das Verständnis, daß die sogenannten primären Kopfschmerzen eigenständige Erkrankungen sein
können, sind einige generelle Informationen über
Schmerzen notwendig. Primäre Kopfschmerzen, wie die
Migräne und der Kopfschmerz vom Spannungstyp, sind

die häufigsten Schmerzkrankheiten überhaupt. »Kopfschmerz« oder gar »Schmerz« ist aber ein sehr allgemeiner Begriff für eine Vielzahl verschiedenster Phänomene. Zur Gliederung der Ausdrucksmöglichkeiten des Schmerzes ist in erster Linie eine Unterscheidung von

▓ *nicht mit einer Erkrankung* einhergehenden, sog. biologischen und
▓ *mit Erkrankungen* einhergehenden, sog. pathobiologischen Schmerzphänomenen notwendig (die Vorsilbe »patho« stammt aus der griechischen Sprache und ist ein Bestimmungswort mit der Bedeutung Leiden oder Krankheit).

Biologische Schmerzphänomene lassen sich bei fehlender Gewebeverletzung beobachten, während pathobiologische Schmerzphänomene bei Erkrankungen auftreten. Solche Erkrankungen können durch Störungen der Funktion von Körperorganen oder durch Störungen des Aufbaues von Organen entstehen.

▓ Biologischer Schmerz

Die Einwirkung von Sinnesreizen bei gesunden Menschen führen im unteren Reizbereich, d.h. bei Reizen mit schwacher Intensität, zu nichtschmerzhaften Empfindungen, wie z. B. Berührung, Wärme, Lautheit etc. Diese Reize führen normalerweise nicht zu einer Gewebeschädigung. Bei höheren Reizintensitäten entsteht jedoch ein sog. Qualitätssprung in der Empfindung mit Überschreitung der Schmerzschwelle: Die vorher nichtschmerzhafte Empfindung ändert sich in eine schmerzhafte Wahrnehmung. Eine weitere Reizzunahme bewirkt eine entsprechende Zunahme der Schmerzintensität.

Dieser biologische bzw. physiologische Aspekt des Schmerzes trägt einerseits zur Erkennung der Umwelt bei, indem er über *schmerzhafte* Eigenschaften von Erlebnisdingen Aufschluß gibt. So kann z. B. ein Geräusch nicht nur laut, sondern bei übermäßiger Lautstärke auch *schmerzhaft* sein. Eine Rose kann nicht nur ein samtrotes Aussehen haben und angenehm duften, sie kann auch durch ihre Dornen *schmerzhaft sein.* Die Schmerzhaftigkeit ist also zunächst für den Organismus ein Erkenntnisphänomen, ebenso wie die Farbigkeit oder der Geruch.

Andererseits sind schmerzhafte Eigenschaften von Erlebnisdingen sehr häufig auch mit der Gefahr einer Gewebeschädigung verbunden: Man kann sich an den Dornen auch verletzen! Aus dieser Eigenschaft können sogar Verhaltensweisen resultieren. Der biologische Aspekt des Schmerzes kann über Lernmechanismen dazu beitragen, daß der Mensch diese Reize vermeidet.

Laboruntersuchungen haben gezeigt, daß der *biologische Schmerz* durch die Aktivierung von hochschwelligen, dünnen Nervenfasern induziert wird. Diese Nervenfasern benötigen also starke Reize, bevor sie erregt werden. Die Erregung von niedrigschwelligen, dicken Nervenfasern führt dagegen zu nichtschmerzhaften Empfindungen. Es kann somit ein einfaches, zweigleisig organisiertes System in unserem Körper angenommen werden, wobei der eine Teil durch starke Reize aktiviert wird und eine Schmerzempfindung einleitet, während der andere Teil durch niedrige Reize bereits in Funktion gesetzt wird und zu nichtschmerzhaften Empfindungen führt (Abb. 2).

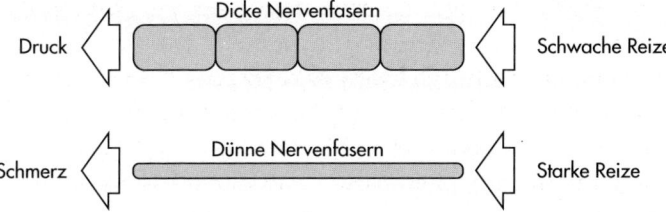

Abb. 2. Zweigleisig organisiertes Wahrnehmungssystem des Körpers für biologischen Schmerz: Dünne Nervenfasern werden durch starke Reize erregt und Schmerz wird verspürt. Dicke Nervenfasern werden bereits durch schwache Reize aktiviert, und es wird Druck erlebt.

Pathologischer Schmerz

Während beim biologischen Schmerz eine klare, zweigleisige und reizintensitätsabhängige Aktivierung von Nervenfasern beobachtet werden kann, trifft dies nicht mehr zu, wenn eine Gewebeverletzung vorliegt. Die Gewebeschädigung führt zur komplexen Phänomenologie des *klinischen Schmerzes*. Wir können vier Eigenschaften unterscheiden, die den klinischen Schmerz als pathologischen Schmerz charakterisieren:

- Normalerweise nichtschmerzhafte Reize werden als schmerzhaft erlebt,
- Schmerzreize bewirken eine übernormal große Schmerzintensität,
- vorübergehende Schmerzreize rufen eine überdauernde Schmerzempfindung hervor und
- Schmerzreize bedingen eine räumliche Ausbreitung von Schmerzen auf Körperregionen, die primär ungeschädigt waren.

11

Entstehung von Schmerzkrankheiten

Überempfindlichkeit von Nerven

Die erkrankungsbedingten Mechanismen, die bei einer Gewebeschädigung zur Schmerzüberempfindlichkeit führen, werden mit einer übermäßigen, vergrößerten Erregbarkeit von Nervenfasern erklärt. Auch durch eine Geweveverletzung kann eine bestimmte Gruppe von Nervenfasern erregt werden, die normalerweise völlig inaktiv ist. Da die aus den verschiedenen Körperorganen zum zentralen Nervensystem aufsteigenden Nerven generell mit dem Wort »Afferenzen« bezeichnet werden, hat man diesen Nerven den Namen »schlafende Afferenzen« gegeben.

Eine weitere Erklärungsmöglichkeit ist, daß im Zentralnervensystem Erregungen mißinterpretiert werden und »irrtümlich« zu einem Schmerzerlebnis führen. Der Schmerz entsteht somit quasi als »Software- oder Datenverarbeitungsfehler« im Gehirn.

Räumliche Ausbreitung von Schmerz

Die räumliche Ausbreitung von Schmerzen auf verschiedene Körperbereiche, die ursprünglich nicht von der Schädigung betroffen waren, kann durch Aktivierung von Reflexen oder durch Ausbreitung von Entzündungsstoffen erklärt werden. Dabei wird die Schmerzinformation von einem Ort zu einem anderen weiter getragen. Wir haben es hier mit einer Art »Kartenhauseffekt« zu tun: Nimmt man an der einen Stelle eine Karte weg, hat das Auswirkungen für das gesamte Bauwerk.

Auch einfache Rechenfehler, wie falsche Summationsvorgänge im Zentralnervensystem, können an der räumlichen Ausbreitung von Schmerzen beteiligt sein. Das Hirn rechnet die Informationen aus dem Körper falsch zusammen, und aufgrund der fehlerhaften Addition wird unserem Bewußtsein ein X für ein U vorgemacht, in diesem Falle ein Schmerzerlebnis anstelle eines nichtschmerzhaften Eindruckes.

Ähnliche Vorgänge sind umgekehrt z.b. im Sexualleben möglich, wobei normalerweise unangenehme und schmerzhafte Reize als lustvoll erlebt werden können. Solche »Rechenfehler« können natürlich in Röntgenbildern oder anderen Untersuchungsverfahren nicht sichtbar gemacht werden.

Zeitliches Andauern von Schmerzen

Für das abnorme, zeitliche Andauern von Schmerzen, also das chronische Bestehen der Schmerzen trotz Abklingen jeglicher Schmerzreizung, wird die Aktivierung von Nervenfasern durch chemische Botenstoffe verantwortlich gemacht. Durch zusätzliche fehlerhafte Verrechnung von Schmerzinformationen können vom Gehirn falsch interpretierte Erregungsmuster erzeugt werden, die den auslösenden Reiz lange überdauern können.

Der Schmerz ist unter diesen Bedingungen als eigenständige Erkrankung entstanden (Abb. 3). Die Suche nach der ursprünglichen Ursache bleibt erfolglos und ist unrealistisch. Die Behandlung muß sich deshalb auch auf die Bedingungen der Schmerzkrankheit beziehen.

Die Vorgänge sind vergleichbar mit einer Bildstörung des Fernsehgerätes aufgrund gestörter Empfangsverhältnisse, z.B. bei einem Gewitter. Der Fernsehtechniker kann noch so genau nach einer Störung im Gerät suchen, er wird keine finden. Ähnlich ist die Situation bei primären Kopfschmerzerkrankungen. Der Aufbau des Gehirns ist regelrecht, aber trotzdem kann eine »Bildstörung« bestehen.

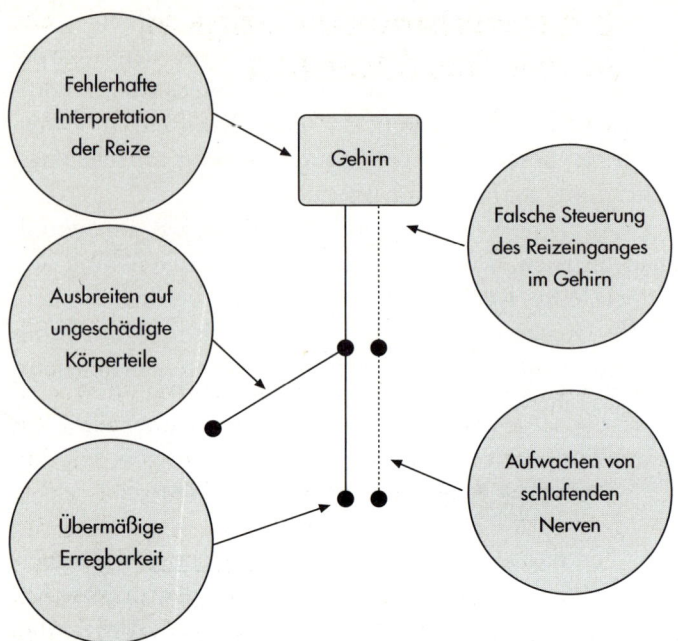

Abb. 3. Wichtige Bedingungen für die Entstehung von Schmerzen als eigenständige Erkrankungen.

Früher war die Meinung weit verbreitet, daß Kopfschmerzen zumeist durch übermäßige Muskelanspannung, durch Störungen der Halswirbelsäule oder durch Zug an Blutgefäßbindegewebe bei Blutdruckstörungen bedingt werden. Neuere Untersuchungen zur Entstehung von Kopfschmerzen zeigen, daß die häufigsten Kopfschmerzen ohne nachweisbare Störung auftreten, also nicht Symptom einer anderen faßbaren Erkrankung, sondern eigenständige Erkrankungen sind.

3 Kopfschmerzhäufigkeit in der Bevölkerung

Kopfschmerzerkrankungen sind so häufig, daß es kaum einen Menschen gibt, der Kopfschmerzen nicht kennt. Das belegen auch neue Untersuchungen zur Epidemiologie von Kopfschmerzen. Im Jahre 1993 wurde aus 30000 deutschen Haushalten eine repräsentative Stichprobe von 5000 Personen ausgewählt. An diese 5000 Personen wurde ein Fragebogen zum eigenständigen Ausfüllen geschickt. Um zuverlässige Antworten zu erhalten, wurden Menschen unter 18 Lebensjahren nicht einbezogen. Die Personen wurden gefragt, ob sie, zumindest gelegentlich, an Kopfschmerzen leiden.

Die Studie bezieht sich somit auf eine durch die Menschen selbst vorgenommene Definition von »an Kopfschmerzen leiden«.

Diese Aussage wurde gewählt, da sie die entscheidende Bedeutung eines Kopfschmerzproblems aus der Sicht des Betroffenen beinhaltet. Der relevante Zeitabschnitt war das gesamte zurückliegende Leben (Lebenszeitprävalenz).

71 % der Befragten gaben an, zumindest zeitweise an Kopfschmerzen zu leiden. Diese Zahl umfaßt alle möglichen Formen von Kopfschmerzerkrankungen. Nur 28,5 % verneinten, an Kopfschmerzen zu leiden.

▨ Die häufigsten Kopfschmerzformen

Bezogen auf alle Befragten erfüllten 27,5 % die Kriterien der *Migräne*. Diese Zahl setzt sich zusammen aus

▨ 11,3 % der Bevölkerung, die die Migränekriterien komplett erfüllen, und aus
▨ 16,2 %, die die Kriterien der Migräne mit jeweils einer Ausnahme aufweisen.

Die Kriterien des *Kopfschmerzes vom Spannungstyp* erfüllten 38,3 % der Befragten. Dabei gaben

▨ 13,3 % die Kriterien vollständig an und bei
▨ 25,0 % fanden sich die Kriterien mit je einer Ausnahme.

Weitere 5,6 % der Menschen gaben an, an Kopfschmerzen zu leiden, erfüllten jedoch nicht die Kriterien der Migräne oder des Kopfschmerzes vom Spannungstyp und wurden entsprechend in die Kategorie »*andere Kopfschmerzen*« eingeteilt.

▨ Der Kopfschmerzeisberg

Die Häufigkeitsverteilung der Kopfschmerzdiagnosen zeigt, daß unter den Menschen, die *angaben, an Kopfschmerzen zu leiden*, bei 53,6 % der Kopfschmerz vom Spannungstyp, bei 38,4 % der Kopfschmerz vom Migränetyp und bei 7,9 % andere Kopfschmerzen bestehen. Man hat es also mit einem richtigen Kopfschmerzeisberg zu tun, wobei zwei Kopfschmerzformen für 92 % aller Kopfschmerzen verantwortlich sind (Abb. 4). Deshalb werden in diesem Buch diese beiden Kopfschmerzformen eingehend berücksichtigt. Die übrigen

16

Kopfschmerztypen bei Menschen, die angeben, an Kopfschmerz zu leiden :

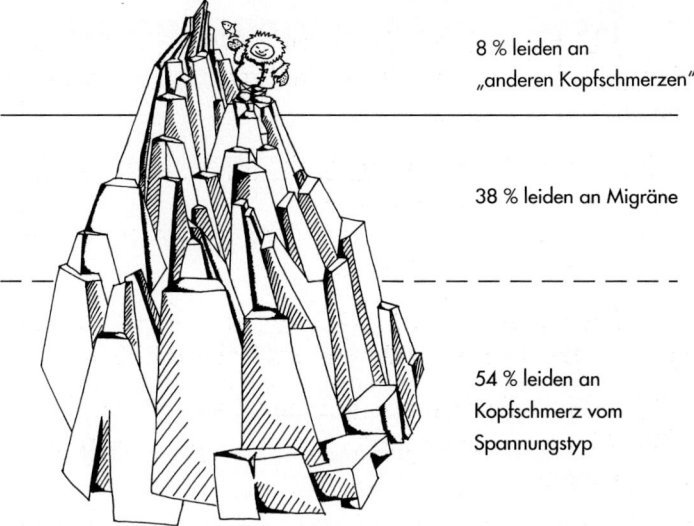

8 % leiden an
„anderen Kopfschmerzen"

38 % leiden an Migräne

54 % leiden an
Kopfschmerz vom
Spannungstyp

Abb. 4. Der Kopfschmerzeisberg: Für 92 % aller Kopfschmerzen sind die Migräne und der Kopfschmerz vom Spannungstyp zuständig.

Kopfschmerzformen sind so speziell und mannigfaltig, daß ausführliche Informationen dazu den Rahmen dieses Buches weit überschreiten würden.

4 Wie wird die richtige Kopfschmerzdiagnose gestellt?

Da die Migräne und der Kopfschmerz vom Spannungstyp einerseits die häufigsten Kopfschmerzerkrankungen sind und andererseits zur Erzielung eines optimalen Therapieerfolgs unterschiedlich behandelt werden müssen, sollte jeder wissen, welche Kopfschmerzform bei ihm besteht. Die Migräne und der Kopfschmerz vom Spannungstyp sind für 92 % aller Kopfschmerzen verantwortlich. Die Wahrscheinlichkeit, an einer der beiden Kopfschmerzformen zu leiden, ist also sehr groß! Es gibt eine sehr einfache Möglichkeit, wie Sie selbst herausfinden können, ob einer der beiden Kopfschmerztypen bei Ihnen besteht: Verwenden Sie den »Kieler Kopfschmerzfragebogen«!

Der Kieler Kopfschmerzfragebogen

Mit dem »Kieler Kopfschmerzfragebogen«, der an der Neurologischen Klinik der Universität Kiel entwikkelt wurde, können Sie selbst herausfinden, ob Ihre Kopfschmerzen dem Kopfschmerz vom Migränetyp oder dem Kopfschmerz vom Spannungstyp entsprechen. Anhand der Beschreibung der Kopfschmerzmerkmale wird mit 26 Fragen und einem Auswertungsbogen Ihr

Kopfschmerz nach den Kriterien der Internationalen Kopfschmerzgesellschaft als »Migräne« oder »Kopfschmerz vom Spannungstyp« eingeordnet. Tritt der Kopfschmerz vom Spannungstyp an weniger als 15 Tagen pro Monat auf, wird er als »episodischer Kopfschmerz vom Spannungstyp« bezeichnet. Besteht er an mindestens 15 Tagen pro Monat, wird er »chronischer Kopfschmerz vom Spannungstyp« genannt.

Natürlich kann der Fragebogen nur das Bild der Kopfschmerztypen beschreiben und unterscheiden. Die endgültige Diagnosestellung erfordert noch eine ärztliche Untersuchung. Zeigen sich dabei keine anderen Er-

Treten bei Ihnen Kopfschmerzen auf, die so oder ähnlich aussehen?

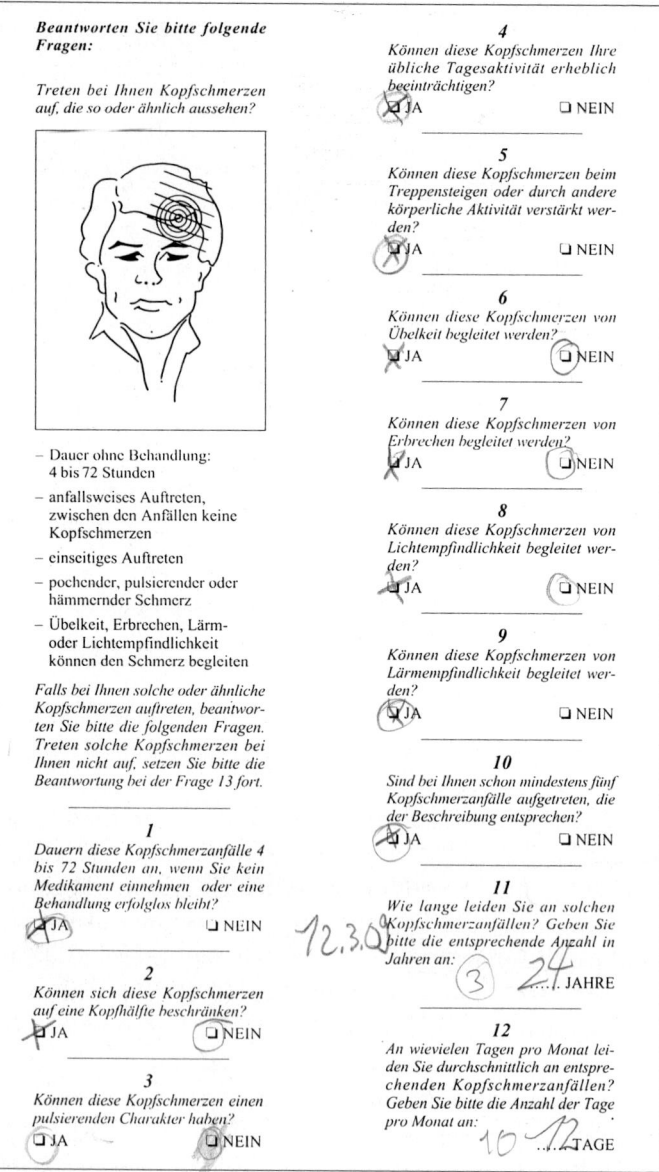

– Dauer ohne Behandlung:
4 bis 72 Stunden

– anfallsweises Auftreten, zwischen den Anfällen keine Kopfschmerzen

– einseitiges Auftreten

– pochender, pulsierender oder hämmernder Schmerz

– Übelkeit, Erbrechen, Lärm- oder Lichtempfindlichkeit können den Schmerz begleiten

Falls bei Ihnen solche oder ähnliche Kopfschmerzen auftreten, beantworten Sie bitte die folgenden Fragen. Treten solche Kopfschmerzen bei Ihnen nicht auf, setzen Sie bitte die Beantwortung bei der Frage 13 fort.

1

Dauern diese Kopfschmerzanfälle 4 bis 72 Stunden an, wenn Sie kein Medikament einnehmen oder eine Behandlung erfolglos bleibt?

☒ JA   ☐ NEIN

2

Können sich diese Kopfschmerzen auf eine Kopfhälfte beschränken?

☒ JA   ☐ NEIN

3

Können diese Kopfschmerzen einen pulsierenden Charakter haben?

☐ JA   ☐ NEIN

4

Können diese Kopfschmerzen Ihre übliche Tagesaktivität erheblich beeinträchtigen?

☒ JA   ☐ NEIN

5

Können diese Kopfschmerzen beim Treppensteigen oder durch andere körperliche Aktivität verstärkt werden?

☒ JA   ☐ NEIN

6

Können diese Kopfschmerzen von Übelkeit begleitet werden?

☒ JA   ☐ NEIN

7

Können diese Kopfschmerzen von Erbrechen begleitet werden?

☒ JA   ☐ NEIN

8

Können diese Kopfschmerzen von Lichtempfindlichkeit begleitet werden?

☒ JA   ☐ NEIN

9

Können diese Kopfschmerzen von Lärmempfindlichkeit begleitet werden?

☒ JA   ☐ NEIN

10

Sind bei Ihnen schon mindestens fünf Kopfschmerzanfälle aufgetreten, die der Beschreibung entsprechen?

☒ JA   ☐ NEIN

11

Wie lange leiden Sie an solchen Kopfschmerzanfällen? Geben Sie bitte die entsprechende Anzahl in Jahren an:

③ 24 JAHRE

12

An wievielen Tagen pro Monat leiden Sie durchschnittlich an entsprechenden Kopfschmerzanfällen? Geben Sie bitte die Anzahl der Tage pro Monat an:

10 12 TAGE

Der Kieler Kopfschmerzfragebogen nach H. Göbel, Kiel.

13

Treten bei Ihnen Kopfschmerzen auf, die man wie folgt beschreiben kann?

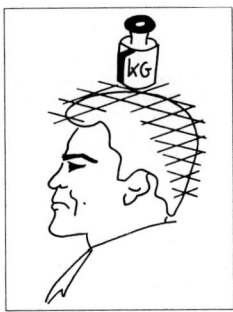

– Dauer ohne Behandlung: 30 Minuten bis 7 Tage
– beidseitiges Auftreten
– kann anfallsweise oder täglich auftreten
– drückender, ziehender, dumpfer Schmerz
– kein Erbrechen oder starke Übelkeit

Falls bei Ihnen solche oder ähnliche Kopfschmerzen auftreten, beantworten Sie bitte die folgenden Fragen. Treten diese Kopfschmerzen bei Ihnen nicht auf, ist die Befragung abgeschlossen.

14

Dauern diese Kopfschmerzen gewöhnlich 30 Minuten bis maximal 7 Tage an, wenn Sie kein Medikament einnehmen oder eine Behandlung erfolglos bleibt?

❑ JA   ❑ NEIN

15

Können diese Kopfschmerzen einen dumpfen, drückenden bis ziehenden Charakter haben?

❑ JA   ❑ NEIN

16

Können Sie trotz dieser Kopfschmerzen Ihrer üblichen Tagesaktivität nachgehen?

❑ JA   ❑ NEIN

17

Können diese Kopfschmerzen bei Ihnen beidseitig auftreten?

❑ JA   ❑ NEIN

18

Bleiben diese Kopfschmerzen durch körperliche Aktivitäten (z. B. Treppensteigen) unbeeinflußt?

❑ JA   ❑ NEIN

19

Können diese Kopfschmerzen von Übelkeit begleitet werden?

❑ JA   ❑ NEIN

20

Können diese Kopfschmerzen von Erbrechen begleitet werden?

❑ JA   ❑ NEIN

21

Können diese Kopfschmerzen von Lichtempfindlichkeit begleitet werden?

❑ JA   ❑ NEIN

22

Können diese Kopfschmerzen von Lärmempfindlichkeit begleitet werden?

❑ JA   ❑ NEIN

23

Sind bei Ihnen schon mindestens zehn Kopfschmerzanfälle aufgetreten, die der angegebenen Beschreibung gleichen?

❑ JA   ❑ NEIN

24

An wievielen Tagen pro Monat leiden Sie durchschnittlich an solchen Kopfschmerzanfällen? Geben Sie bitte die entsprechende Anzahl an:

10 ...... TAGE

25

Leiden Sie schon länger als sechs Monate an solchen Kopfschmerzen?

❑ JA   ❑ NEIN

26

Seit wievielen Jahren leiden Sie an solchen Kopfschmerzen? Geben Sie bitte die entsprechende Zahl an:

3 ...... JAHRE

21

AUSWERTUNG

MIGRÄNE

	Kriterien		erfüllt
Frage 1	ja		Es müssen
Fragen 2 - 5	mindestens zwei ja		alle Kriterien
Fragen 6 - 9	mindestens ein ja		erfüllt sein.
Frage 10	ja		

EPISODISCHER KOPFSCHMERZ VOM SPANNUNGSTYP

	Kriterien	erfüllt	
Frage 14	ja	☑	Es müssen
Fragen 15 - 18	mindestens zwei ja	☑	alle Kriterien
Fragen 19, 20	zwei nein	☑	erfüllt sein.
Fragen 21, 22	mindestens ein nein	☑	
Fragen 23, 24	23 = ja und weniger als	☑	
	15 Kopfschmerztage pro Monat	☐	

CHRONISCHER KOPFSCHMERZ VOM SPANNUNGSTYP

	Kriterien	erfüllt	
Fragen 15 - 18	mindestens zwei ja	☑	Es müssen
Frage 20	nein	☑	alle Kriterien
Fragen 19, 21, 22	mindestens zwei nein	☐	erfüllt sein.
Fragen 24, 25	25 = ja und mindestens	☑	
	15 Kopfschmerztage pro Monat	☐	

krankungen, die die Kopfschmerzen als sekundäre Folge verursachen können, kann die Diagnose der primären Kopfschmerzen »Migräne« oder »Kopfschmerz vom Spannungstyp« gestellt werden.

Sie können nun selbst versuchen, Ihren Kopfschmerztyp anhand dieses Kopfschmerzfragebogens einzuordnen. Sie sollten auf jeden Fall den ausgefüllten Fragebogen bei Ihrem nächsten Arztbesuch mitnehmen, da dieser Ihrem Arzt wichtige Informationen über Ihre Kopfschmerzen geben kann.

Nun liegt Ihr Ergebnis vor. Konnten Sie Ihren Kopfschmerztyp eindeutig zuordnen?

Falls ja,

dann konnten Sie sehen, wie man verschiedene Kopfschmerzformen unterscheiden kann. Es kommt allein darauf an, sich möglichst genau an den Ablauf der vergangenen Kopfschmerzen zu erinnern und die Merkmale dieser Kopfschmerzanfälle zu beschreiben. Das Ergebnis ist jedoch noch keine *Kopfschmerzdiagnose*, sondern nur eine Beschreibung und Einordnung der Kopfschmerzmerkmale. Erst wenn Ihr Arzt einen regelrechten körperlichen Untersuchungsbefund feststellt, darf die entsprechende Diagnose gestellt werden.

Merke: Eine richtige Kopfschmerzdiagnose ist nur durch eine gründliche ärztliche Untersuchung möglich!

Die Unterscheidung der verschiedenen Kopfschmerztypen ist sehr wichtig, da die unterschiedlichen Formen von Kopfschmerzen gezielt behandelt werden können. Informationen dazu können Sie auf den nächsten Seiten lesen.

Falls nein,

falls sich also die Kopfschmerzen nicht eindeutig beschreiben ließen, zeigen Ihre Kopfschmerzen Merkmale, die sich nicht durch den Fragebogen für die Beschreibung der zwei häufigsten Kopfschmerztypen abgrenzen lassen. In diesem Fall kommen sehr viele unterschiedliche Kopfschmerztypen in Frage. Welche Kopfschmerztypen das sind, kann nur durch eine ausführliche ärztliche Untersuchung geklärt werden.

Welcher Arzt ist für Kopfschmerzen zuständig?

In erster Linie werden Patienten mit Kopfschmerzen ihren Hausarzt, der in der Regel praktischer Arzt, Allgemeinarzt oder eventuell auch Internist ist, aufsuchen. Kopfschmerztherapie muß aufgrund der Natur der Leiden oft über Jahre durchgeführt werden. Deshalb sollte eine *wohnortnahe Versorgung* angestrebt werden (Abb. 5).

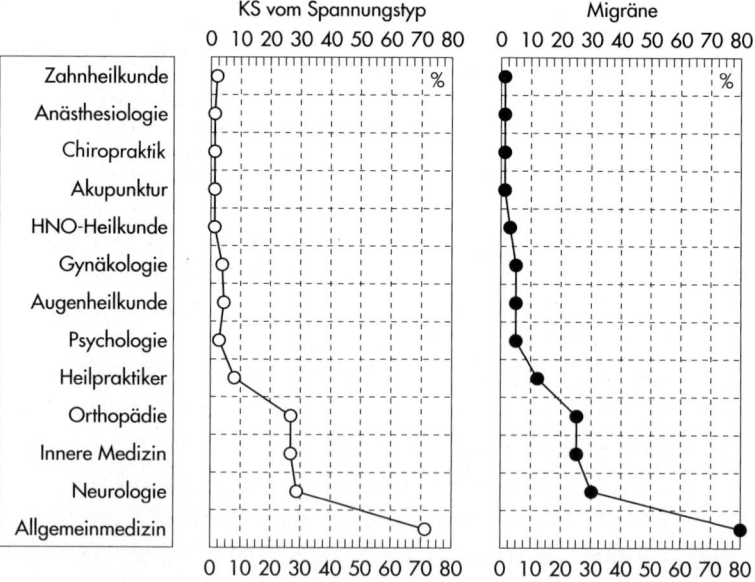

Abb. 5. Kopfschmerzpatienten gehen in erster Linie zum Allgemeinarzt. Als Spezialist wird am häufigsten der Neurologe aufgesucht. Die Abbildung zeigt die Häufigkeit, mit der Patienten zu den aufgeführten Berufsgruppen wegen Migräne oder Kopfschmerz vom Spannungstyp gehen.

Bei den zwei häufigsten Kopfschmerzerkrankungen, der Migräne und dem Kopfschmerz vom Spannungstyp, bestehen Störungen im zentralen Nervensystem.

Immer dann, wenn eine befriedigende Behandlung der Kopfschmerzen nicht primär möglich ist, wenn besondere diagnostische Maßnahmen eingeleitet werden müssen und wenn über besondere Therapieverfahren entschieden werden muß, sollte deshalb bei Kopfschmerzen ein Gespräch und eine Untersuchung bei einem *Neurologen* veranlaßt werden.

Dies ist besonders wichtig, wenn die Kopfschmerzen erst kürzlich aufgetreten sind und wenn das Kopfschmerzablaufmuster und seine Erklärung Schwierigkeiten bereiten. Unbedingt notwendig ist die neurologische Untersuchung, wenn sich Begleitstörungen mit den Kopfschmerzen einstellen, wie z. B. Muskelschwäche, Schwindel, Sprachstörungen, Konzentrationsschwäche und andere Störungen. Bei einer kontinuierlichen Zunahme solcher Begleitstörungen müssen dringend zusätzliche Untersuchungen durchgeführt werden, wie z. B. ein Elektroenzephalogramm oder andere Untersuchungen des Nervensystems.

Schmerzambulanzen und -praxen

Mittlerweile gibt es in Deutschland vereinzelt Schmerzambulanzen, die vorwiegend an größeren Krankenhäusern angesiedelt sind. Auch haben sich in den vergangenen Jahren für die Schmerzbehandlung spezialisierte Ärzte in eigenen Praxen niedergelassen. Je nach medizinischer Disziplin arbeiten diese Ambulanzen oft sehr unterschiedlich und haben sich auch auf die verschiedensten Schmerzerkrankungen spezialisiert. So gibt es Schmerzambulanzen, deren Hauptgebiet die Behandlung von Krebsschmerzen oder die Therapie von Schmerzen des Bewegungsapparates ist. Diese Ambulanzen versuchen interdisziplinär zu arbeiten, das heißt, daß verschiedene medizinische Fachgruppen beteiligt sind.

Neurologische Schmerzambulanzen mit Schwerpunkt Kopfschmerztherapie gibt es erst sehr vereinzelt in Deutschland. Da sie dringend nötig sind, hat die Deutsche Gesellschaft für Neurologie im Jahre 1991 einen Arbeitskreis Schmerztherapie gegründet, um deren Bildung zu fördern und Qualitätskriterien für Schmerzambulanzen aufzustellen.

Kopfschmerzkliniken

Spezialisierte Kopfschmerzkliniken sind in Deutschland allergrößte Mangelware. Bei den wenigen Einrichtungen bestehen teilweise Wartezeiten von über einem Jahr. Informationen zu Kliniken, die sich auf Kopfschmerztherapie spezialisiert haben, finden sich im Anhang.

Wie man Adressen von Kopfschmerzspezialisten findet

Verschiedene Gesellschaften führen Listen, denen Adressen von Kopfschmerzexperten in Deutschland entnommen werden können. (Die Adressen finden sich im Anhang.) Die Listen können angefordert werden und

26

steht auch den Krankenkassen zur Verfügung, bei denen örtliche Adressen erfragt werden können.

Die Arzt-Checkliste

Ob Ihr Arzt sich für Ihre Kopfschmerzen interessiert, sehen Sie daran, ob er sich Zeit nimmt, Ihnen zuhört, Sie ausreden läßt und Ihnen viele Fragen stellt. Es geht um Sie, um Ihre Schmerzen und um Ihre Probleme. Sie haben ein Recht auf adäquate Schmerztherapie!

Kreuzen Sie die Fragen an, die Sie mit »JA« beantworten können:

❑ Informiert sich Ihr Arzt genau über den Ablauf Ihrer Kopfschmerzen?

❑ Untersucht er Sie gründlich?

❑ Läßt er Rückfragen zu?

❑ Erklärt er Ihnen die Untersuchungen?

❑ Berichtet er Ihnen, was er über Ihre Erkrankung denkt?

❑ Erklärt er Ihnen, warum er Ihnen eine bestimmte Therapie vorschlägt und nicht eine andere?

❑ Stellt er mit Ihnen eine Behandlungsstrategie auf?

❑ Informiert er Sie über Nebenwirkungen?

❑ Informiert er Sie über nichtmedikamentöse Behandlungsverfahren?

❑ Gibt er Ihnen einen Kopfschmerzkalender mit?

Sie haben alle Kästchen ankreuzen können? Toll! Sie sollten Ihren Arzt einmal loben!

Die Kopfschmerzsprechstunde

Diagnosen erfordern Informationen

Die wichtigsten Maßnahmen für die Diagnose von Kopfschmerzen sind:

1. Der Patient muß *Informationen* über seine Kopfschmerzen sammeln
2. Die *Informationen* müssen an den Arzt weitergegeben werden.
3. Ihr Arzt muß Interesse an Ihren *Informationen* haben, mit Ihnen sprechen und Sie untersuchen.
4. Patient und Arzt müssen die *Informationen* ständig erneut erheben und überprüfen.

Wie man seinen Arzt verständlich über die Kopfschmerzen informiert

Ohne genaue Information über den Ablauf der Kopfschmerzen kann der Arzt keine genaue Diagnose stellen und auch keine spezifische wirkungsvolle Therapie einleiten. Aus diesem Grund ist die exakte Information über den Ablauf der Kopfschmerzen der entscheidende und wichtigste Schritt in einer erfolgreichen Kopfschmerzbehandlung.

Patienten, die zum Teil lange Jahre an Kopfschmerzen leiden, haben oft ihre eigenen Erklärungen und Vorstellungen über die Ursachen. Oft sind sie schon bei vielen Ärzten gewesen und haben dabei auch verschiedene Informationen über die Kopfschmerzbezeichnung und Kopfschmerzverursachung erhalten. Bei einer unbefriedigenden Therapie wird dann ein neuer Arzt aufgesucht. Bei der ersten Untersuchung kann bei den

Abb. 6. ...Herr Doktor Meier hat gesagt, mein Kopfschmerz kommt von der Halswirbelsäule, Herr Doktor Müller hat herausgefunden, daß meine Hormone nicht in Ordnung sind, außerdem habe ich Amalgamfüllungen in den Zähnen und mein Psychotherapeut meint, es liegt am Ödipuskomplex...

Patienten »Lampenfieber« auftreten, und dann scheuen sie sich, ihre Beobachtungen zu den Kopfschmerzen direkt mitzuteilen. Viele Patienten greifen dann auf die Erklärungen der Vergangenheit zurück. Gesprächseröffnungen, wie z. B.

»Herr Doktor, ich habe Migräne, und die wird von meiner abgenutzten Halswirbelsäule verursacht.«

können dazu führen, daß eine Voreingenommenheit beim Arzt erzeugt wird und mögliche irrtümliche Erklärungsversuche aus der Vergangenheit weitergeführt werden (Abb. 6).

Aus diesem Grunde ist es von besonderer Wichtigkeit, daß man zunächst nur seine eigenen Beobachtungen zum Verlauf der Kopfschmerzform berichtet und ganz neutral eine Beschreibung des Ablaufes der Kopfschmerzen gibt (Abb. 7).

Abb. 7. Versuchen Sie in der Kopfschmerzsprechstunde, zunächst nur Ihre eigenen Beobachtungen zu beschreiben. Interpretieren Sie nicht, und vermischen Sie Ihre Beobachtungen nicht mit der Meinung von anderen Menschen.

Einige Ärzte, die etwas geduldigeren, lassen auch den Patienten ohne Unterbrechung und Kommentar diese Beschreibung der Kopfschmerzen geben. Andere wiederum versuchen, die Kopfschmerzgeschichte zu strukturieren und stellen Zwischenfragen. In aller Regel hängt es jedoch von dem individuellen Patienten ab, wie der Arzt seine Kopfschmerzbefragung durchführt. Manche Patienten können sehr schön eigenständig den Kopfschmerzverlauf beschreiben, andere haben hier Schwierigkeiten. Der Grund dafür: Kopfschmerzattacken werden schnell vergessen!

Wenn die Attacken vorbei sind, sind verschiedene Besonderheiten nur schwer erinnerlich. Dieses ist einer der Gründe, warum sich sehr viele Kopfschmerzpatienten schwertun, in der ärztlichen Untersuchung über ihre Kopfschmerzen ausführlich zu berichten.

30

Weil diese Schwierigkeit generell besteht, ist es sehr sinnvoll, sich vor dem Arztbesuch eine kleine Liste mit Informationen zu dem Ablauf des Kopfschmerzes vorzubereiten.

Ihr Arzt wird sich freuen, wenn Sie ihm eine Kopie für seine eigenen Unterlagen geben. Er braucht dann nämlich nicht bei Ihrem Bericht mitzuschreiben, sondern kann Ihnen ganz aufmerksam zuhören.

Der Kieler Kopfschmerzkalender

Um diesen Bericht besonders mit informativ zu gestalten, sollten Sie einen Kopfschmerzkalender oder ein Kopfschmerztagebuch führen. Dieser Kopfschmerzkalender dient dazu, daß Sie während der Kopfschmerzattacken Ihre Beobachtungen notieren, ohne sich rückerinnern zu müssen. In Abb. 8 finden Sie den Kieler Kopfschmerzkalender, den Sie kopieren und regelmäßig führen sollten. Der Kalender hilft Ihnen, den Ablauf der Kopfschmerzen, die Begleitsymptome, die Dauer der Kopfschmerzen und die damit verbundene Behinderung sehr ausführlich zu dokumentieren. Darüber hinaus sollten Sie auch die therapeutischen Maßnahmen genau notieren, also z.b. nichtmedikamentöse und medikamentöse Therapiemaßnahmen aufschreiben. Wenn Sie sich dann nach 1, 2 oder 3 Monaten des regelmäßigen Ausfüllens dieses Kopfschmerzkalenders rückblickend die Kopfschmerzformen und den Kopfschmerzablauf ansehen, werden Sie keine Schwierigkeiten haben, ihr Kopfschmerzproblem mit Ihrem Arzt strukturiert zu diskutieren. Eine aktuelle Version des Kieler Kopfschmerzkalenders können Sie auch aus dem Internet abrufen (Adresse: www.schmerzklinik.de).

Kalender für Kopfschmerzanfälle

Kopfschmerzanfall	1	2	3	4	5	6	7	8	9	10
Datum										
Schmerzstärke 1=schwach; 2=mittel; 3=stark; 4=sehr stark										
Einseitiger Kopfschmerz	☐	☐	☐	☐	☐	☐	☐	☐	☐	☐
Beidseitiger Kopfschmerz	☐	☐	☐	☐	☐	☐	☐	☐	☐	☐
Pulsierend oder pochend	☐	☐	☐	☐	☐	☐	☐	☐	☐	☐
Drückend, dumpf bis ziehend	☐	☐	☐	☐	☐	☐	☐	☐	☐	☐
Erheblich hinderlich bei üblicher Tätigkeit	☐	☐	☐	☐	☐	☐	☐	☐	☐	☐
Verstärkung bei körperlicher Aktivität	☐	☐	☐	☐	☐	☐	☐	☐	☐	☐
Übelkeit	☐	☐	☐	☐	☐	☐	☐	☐	☐	☐
Erbrechen	☐	☐	☐	☐	☐	☐	☐	☐	☐	☐
Lichtscheu	☐	☐	☐	☐	☐	☐	☐	☐	☐	☐
Lärmscheu	☐	☐	☐	☐	☐	☐	☐	☐	☐	☐
Anfallsdauer (Stunden)										
Arbeits-/Schulausfall (Stunden)										
Reduzierung der Leistungsfähigkeit (Stunden)										
Medikamente oder andere Behandlung (bitte eintragen, ggfs. zusätzliches Blatt verwenden)										

bitte wenden

Wirkung: gut	☐	☐	☐	☐	☐	☐	☐	☐	☐	☐
mäßig	☐	☐	☐	☐	☐	☐	☐	☐	☐	☐
schlecht	☐	☐	☐	☐	☐	☐	☐	☐	☐	☐

Abb. 8. Der Kieler Kopfschmerzkalender.

Wie bei anderen chronischen Erkrankungen muß auch bei Kopfschmerzen eine ständige Verlaufs- und Erfolgskontrolle erfolgen. Das Führen eines Blutdruckkalenders ist bei Menschen, die an hohem Blutdruck leiden, selbstverständlich. Auch bei Kopfschmerz gehört es zum Standard, daß ein Kopfschmerzkalender geführt wird. Bringen Sie ihn zum Arztbesuch regelmäßig mit!

Seien Sie nicht enttäuscht, wenn die Therapie nicht auf Anhieb den gewünschten Erfolg zeigt. Auch der Augenarzt muß etwas probieren, bis das richtige Brillenglas gefunden ist. In der Kopfschmerztherapie ist das genauso, es dauert manchmal aber wesentlich länger, bis die richtige Behandlung gefunden ist. Geben Sie nicht so schnell auf! Ihr Kopfschmerzkalender dokumentiert den Erfolg.

Der Kieler Fragebogen zur Schmerzgeschichte

Zusätzlich finden Sie im Anhang auch einen ausführlichen Kopfschmerzfragebogen, den Kieler Fragebogen zur Schmerzgeschichte. Er wurde spezifisch zur rückblickenden Erfassung der Kopfschmerzgeschichte zusammengestellt. Füllen Sie diesen Fragebogen sorgfäl-

Abb. 9. Kopfschmerzfragebögen und Kopfschmerzkalender sind Voraussetzungen für eine erfolgreiche, moderne Kopfschmerztherapie. Nehmen Sie sich Zeit zum Ausfüllen!

33

tig aus, und machen Sie eine Kopie für Ihren Arzt. Ihr Arzt wird dann in aller Ruhe die einzelnen Punkte mit Ihnen durchsprechen können, eine genaue Vorstellung über Ihren Kopfschmerzablauf bekommen und somit eine sichere Grundlage für eine exakte Diagnose und eine wirkungsvolle Therapie zur Verfügung haben (Abb. 9).

Die systematische Erhebung der Kopfschmerzmerkmale

Um sich über den Kopfschmerzablauf genaue Vorstellungen machen zu können, braucht Ihr Arzt Informationen. Bedenken Sie, daß diese Informationen nicht aus einem Bündel von Arztbriefen kommen können, das möglicherweise aufgrund einer langjährigen Krankengeschichte bereits vorliegt.

Es erscheint sogar sinnvoll, den Arztbriefstapel erst nach dem ersten ausführlichen Gespräch weiterzugeben, da manchmal Vorurteile durch Voruntersuchungen und durch frühere Interpretationen eine unvoreingenommene Erfassung der Kopfschmerzgeschichte behindern könnten.

Folgende Aspekte des Kopfschmerzleidens wird der Arzt mit Ihnen in der Untersuchung besprechen:

Beginn der Kopfschmerzerkrankung. Es ist sehr wichtig zu wissen, wie lange die Kopfschmerzen schon bestehen. Versuchen Sie herauszufinden, wann die Kopfschmerzen erstmalig aufgetreten sind, z. B. im Schulalter oder im frühen Erwachsenenalter. Überlegen Sie sich, in welcher besonderen Lebenssituation Sie damals gewesen sind. Es ist wichtig, darüber nachzudenken, ob die Kopfschmerzen seit Beginn an in der gleichen Verlaufsform auftraten oder aber ob sich im Laufe des Le-

34

Abb. 10. Versuchen Sie genau sich an den zeitlichen Verlauf Ihrer Kopfschmerzen zu erinnern. Wie verhielten sich die Kopfschmerzen in der Kindheit, in der Schulzeit, während der Jugend ...

bens die Kopfschmerzform geändert hat, möglicherweise neue Begleitsymptome entstanden sind oder auch zusätzliche andere Kopfschmerzformen aufgetreten sind (Abb. 10).

Bestehen verschiedene Kopfschmerzformen? Machen Sie sich bewußt, ob Sie nur an einer spezifischen Kopfschmerzform leiden oder ob unterschiedliche Kopfschmerztypen bestehen. Ein Mensch kann zu gleichen oder zu verschiedenen Lebensabschnitten an unterschiedlichen Kopfschmerzformen leiden.

Einer der häufigsten Fehler in der Kopfschmerzbehandlung ist, daß ein Patient einmal im Leben ein besonderes Etikett bekommt, wie z. B. »Migräniker«, und dann für den Rest des Lebens dieses 'Etikett die Therapie bestimmt. Wenn Bezeichnungen wie »Migräniker« verwendet werden, können Sie schon erkennen, daß modernes Wissen zur Kopfschmerzerkrankung nicht adäquat umgesetzt wird. Die moderne Kopfschmerzbehandlung klassifiziert nämlich nicht die Menschen, die an Kopfschmerzen erkrankt sind, sondern es müssen die Kopfschmerzen eingeteilt und spezifisch behandelt werden.

Wenn bei Ihnen verschiedene Kopfschmerzformen vorliegen, versuchen Sie die nachstehenden Fragen jeweils für die einzelnen Formen genau zu beantworten. Auch an diesem Beispiel sehen Sie, wie schwer es sein kann, beim ersten Untersuchungstag in der ärztlichen Sprechstunde ein genaues Bild von den Kopfschmerzen zu vermitteln. Allein an diesen Gesichtspunkten scheitert oftmals eine zufriedenstellende Therapie.

Häufigkeit und Dauer der Kopfschmerzen. Der zeitliche Verlauf hinsichtlich der Häufigkeit und der Dauer der Kopfschmerzattacken ist von ganz besonders großer Bedeutung für die Diagnostik und für die Erfassung des spezifischen Kopfschmerzbildes. Überlegen Sie exakt, an wieviel Tagen pro Monat die Kopfschmerzen bestehen.

Eine weitere wichtige Frage ist, ob ein täglicher Dauerkopfschmerz besteht oder aber ob der Kopfschmerz anfallsweise episodisch auftritt. Falls der Kopfschmerz anfallsweise besteht, versuchen Sie sich genau zu erinnern, wie lange normalerweise eine Attacke andauert.

Natürlich wird ein identischer Attackenverlauf in aller Regel nicht bestehen, aber ein typischer Verlauf ist zumeist exakt von den Patienten in zeitlicher Hinsicht angebbar.

Eine wichtige Information für den Arzt ist auch, ob das zeitliche Muster der Kopfschmerzen immer gleich ist, also ob z. B. regelmäßig eine bis zwei Attacken pro Monat auftreten oder aber ob es zum Beispiel Monate ohne Kopfschmerzen gibt und dann wieder Zeitabschnitte mit gehäuften Attacken bestehen.

- Die tageszeitliche Abhängigkeit. Kopfschmerzen beginnen oft zu bestimmten Tageszeiten. So findet sich die Migräne z. B. häufig am frühen Morgen etwa zwischen 4 Uhr und 7 Uhr. Interessanterweise treten Kopfschmerzen auch zu bestimmten Wochentagen gehäuft auf. Die häufigsten Tage mit Migräne sind der Samstag und der Sonntag. Auch solche Angaben sind für ihren Arzt wichtig.

- Informationen zum genauen Anfallsablauf. Wenn nun das zeitliche Muster der Kopfschmerzen exakt bestimmt ist, wird Ihr Arzt sich jetzt sehr sorgfältig dem genauen Ablauf der einzelnen Kopfschmerzformen und den spezifischen Symptomen und Begleiterscheinungen widmen. Das Gespräch kann jetzt so strukturiert werden, daß Sie zunächst erzählen, was normalerweise am Tag vor der Attacke, was mit Beginn der Attacke, was während der Attacke und schließlich was nach Ablauf der Attacke geschieht.

- Ankündigungszeichen von Kopfschmerzen. Oft geben Patienten an, daß sie schon ein, zwei Tage vor Beginn der Kopfschmerzattacken erahnen, daß eine Kopfschmerzepisode sich ankündigt, ja geradezu »in der Luft liegt«. Solche Ankündigungszeichen können z. B. besondere Stimmungen sein, man ist besonders gereizt, besonders aktiv oder be-

37

sonders agil. Andere Patienten berichten, daß sie einen außergewöhnlichen Appetit entwickeln, daß sie außergewöhnlichen Durst haben oder daß sie am Vorabend noch einmal Hunger nach bestimmten Speisen verspüren. Auch hierzu sollten Sie sich genaue Gedanken machen, da einerseits solche Ankündigungszeichen für bestimmte Kopfschmerzformen diagnostisch verwertbar sind, andererseits können, wenn solche Ankündigungszeichen sehr eng mit der eintretenden Kopfschmerzepisode verknüpft sind, bereits zu diesem Zeitpunkt schon sehr einfache therapeutische Maßnahmen durchgeführt werden, um die folgenden Kopfschmerzen zu vermeiden.

Neurologische Begleitstörungen (Aura). Zu Beginn von Kopfschmerzattacken können besondere körperliche, neurologische Begleitstörungen auftreten, die eine Kopfschmerzphase einleiten. Solche neurologischen Störungen können jedoch auch im weiteren Verlauf des Kopfschmerzes bestehen und in seltenen Fällen sogar überdauernd zurückbleiben. Am häufigsten finden sich neurologische Störungen in Form von einseitigen Sehstörungen. Es können zum Beispiel langsam sich ausbreitende Zick-Zack-Linien, Schlieren oder Schleierbildungen im Gesichtsfeld bestehen. Es können Kribbelempfindungen in Händen oder Beinen oder im Gesicht bestehen, Patienten können über Schwindel, Sprachstörungen oder auch über Lähmungen berichten.

Versuchen Sie sich genau zu erinnern, ob bei Ihnen solche Störungen vorkommen, und machen Sie sich Notizen dazu. Überlegen Sie sich auch, wie lange solche Störungen dauern, wie sie beginnen, d. h. schlagartig oder aber allmählich zunehmend,

38

und versuchen Sie auch, sich zu erinnern, wie diese Störungen wieder abklingen.

░ Merkmale des Kopfschmerzes. Die weiteren Merkmale des Kopfschmerzes sind ebenfalls sehr wichtig und in der Diskussion mit Ihrem Arzt genau anzugeben. Erzählen Sie, an welcher Stelle der Kopfschmerz normalerweise auftritt, wo er beginnt, ob er umherwandert, ob er in bestimmte Kopfareale ausstrahlt. Versuchen Sie, sich zu erinnern, ob der Schmerz immer an der gleichen Stelle lokalisiert ist oder aber bei unterschiedlichen Attacken an unterschiedlichen Kopfstellen auftreten kann.

Neben der Information zur Lokalisation des Schmerzes ist ebenfalls ein sehr wichtiger Gesprächsstoff, wie sich der Schmerz anfühlt. Ist der Schmerz ein pulsierendes, ein hämmerndes, ein po-

Abb. 11. Kopfschmerzen haben sehr unterschiedliche Charaktereigenschaften: hämmernd, ziehend, drückend ...

Abb. 12. Körperliche Aktivität
kann Kopfschmerzen verstärken,
aber auch verbessern.

chendes oder ein dumpf-drückendes Gefühl, das
wie eine Last oder wie ein Ziehen verspürt wird
(Abb. 11)?
Versuchen Sie auch zu beschreiben, ob sich Ihr
Kopfschmerz mit dem Herzschlag verändert oder
aber ob er davon unabhängig ist. Berichten Sie
darüber, ob der Kopfschmerz bei körperlicher Aktivität, z. B. Treppensteigen oder Koffertragen,
sich verschlechtert. Erzählen Sie, ob der Kopfschmerz durch Spazierengehen an der frischen Luft
gelindert wird oder aber ob Spazierengehen während der Kopfschmerzen für Sie völlig illusionär ist
(Abb. 12).
Ein weiterer wichtiger Aspekt in der Diskussion
mit Ihrem Arzt ist, wie stark Sie der Kopfschmerz

persönlich behindert. Sind Sie trotz der Schmerzen in der Lage Ihre normale Aktivität aufrechtzuerhalten? Können Sie Ihrer Arbeit nachgehen? Sind Sie dabei erheblich behindert oder aber nur teilweise in Ihrer Leistungsfähigkeit eingeschränkt?

Begleitsymptome der Kopfschmerzen. Von besonderer Bedeutung für Ihren Arzt ist, ob die Kopfschmerzen mit regelmäßigen Begleitstörungen einhergehen oder nicht. In aller Regel ist der Kopfschmerz nur ein einzelnes Merkmal der Gesamterkrankung, und häufiger sind sogar die Begleitstörungen für die Diagnose und Klassifikation von größerer Bedeutung als der Kopfschmerz selbst. Versuchen Sie, sich daran zu erinnern, ob Ihr Kopfschmerz mit Übelkeit, Erbrechen, Durchfall, Lichtüberempfindlichkeit oder Lärmüberempfindlichkeit einhergeht. Berichten Sie, ob Sie Gerüche intensiver wahrnehmen. Überempfindlichkeit kann einerseits bedeuten, daß z. B. Licht heller oder aber auch Lärm lauter erscheint. Überempfindlichkeit kann jedoch auch bedeuten, daß Sie sich dadurch besonders gereizt fühlen oder daß Licht für ihre Augen schmerzhaft ist. Bestimmte Verhaltensmaßnahmen, wie z. B. das Abdunkeln des Zimmers, sind ebenfalls Hinweise für solche Sinnesüberempfindlichkeiten.

Andere Kopfschmerzformen können z.B. mit ausgeprägten Schlafstörungen einhergehen, mit Appetitstörungen, mit Stuhlgangschwierigkeiten, mit psychosozialem Streß in der Familie oder am Arbeitsplatz. Berichten Sie, ob Sie häufig in schlechter Stimmung sind, möglicherweise viel grübeln, sich große Sorgen machen und depressiv verstimmt sind. Wichtig für Ihren Arzt ist auch, daß er weiß, ob möglicherweise während der Kopfschmerzen

eine ausgeprägte Gesichtsblässe oder eine Gesichts-
rötung vorhanden ist, ob Schwindel besteht, ob
vielleicht die Nasenatmung behindert ist, ein Augenlid hängt, die Augen tränen, Augenrötung vorhanden ist oder aber ob Gesichtsschwitzen besteht.
Wichtig ist, daß Sie ganz neutral alle solche Beobachtungen beschreiben und Ihrem Arzt zur Kenntnis geben.

Auslösefaktoren für Kopfschmerzen. Wenn Sie
regelmäßig ein Kopfschmerztagebuch geführt haben, finden Sie möglicherweise Zusammenhänge
zwischen besonderen Alltagssituationen und dem
Entstehen von Kopfschmerzen. Auslösefaktoren
können nicht als die eigentliche Ursache der Kopfschmerzen angesehen werden, aber sie sind Faktoren, die bei Vorhandensein den Kopfschmerz ins
Rollen bringen können. Ärzte sagen zu Auslösefaktoren auch häufig Trigger-Faktoren.

Die eigentliche Kopfschmerzreaktion entsteht
durch eine besondere Reaktionsbereitschaft im
Nervensystem der Patienten, die durch besondere
Auslösefaktoren auf den Weg gebracht wird. Eine
Trigger-Checkliste finden Sie auf Seite 113.

Verhaltensmaßnahmen bei Kopfschmerzen. Ihr
Arzt interessiert sich sehr dafür, was Sie während
der Kopfschmerzattacken machen. Ob Sie sich ins
Bett legen und den Vorhang zuziehen oder aber ob
Sie lieber im Park spazierengehen; ob Sie im Zimmer unruhig auf und ab laufen oder ob Sie sich in
irgendeiner anderen Weise betätigen.

Es ist wichtig, daß Sie mit Ihrem Arzt besprechen,
was Ihre Kopfschmerzen verschlimmert, z. B.
Kopfbewegungen, Husten oder andere Aktivitäten.
Ihr Arzt will aber auch wissen, was den Kopfschmerz verbessert.

■ Die bisherige Behandlung. Von besonderer Bedeutung ist für Ihren Arzt, daß er genau informiert wird, welche bisherigen Behandlungsmaßnahmen durchgeführt worden sind. Erstellen Sie deswegen unbedingt eine Liste der bisherigen Behandlungsformen.

Bringen Sie alle Medikamente zur ärztlichen Sprechstunde mit, die Sie in der Vergangenheit eingenommen haben.

Neben medikamentösen Behandlungen berichten Sie auch über nichtmedikamentöse Behandlungsverfahren. Solche sind z. B. Entspannungsverfahren, besondere Diätversuche oder Akupunktur. Versuchen Sie, sich daran zu erinnern, in welcher Dosis und für welchen Zeitraum solche Behandlungsverfahren durchgeführt worden sind.

■ Weitere Erkrankungen und andere Medikamente. Berichten Sie ebenfalls sehr ausführlich darüber, welche Vorerkrankungen bei Ihnen bestehen und welche Therapiemaßnahmen bei Ihnen früher und derzeit durchgeführt worden sind. Ihr Arzt muß genau wissen, ob bei Ihnen z. B. ein erhöhter Blutdruck besteht, ob Sie Herzbeschwerden haben, ob bei Ihnen eine Zuckerkrankheit vorliegt oder ob Sie früher einen Unfall erlitten haben.

Viele Medikamente in der Kopfschmerzbehandlung dürfen nicht gegeben werden, wenn eine Schwangerschaft vorliegt. Berichten Sie deshalb ebenfalls, ob bei Ihnen prinzipiell eine Schwangerschaft vorliegen könnte, ob eine Schwangerschaft geplant ist oder ob und insbesondere welche Verhütungsmaßnahmen Sie durchführen.

■ Erkrankungen in der Familie. Ebenfalls von Interesse für Ihren Arzt ist, ob in Ihrer Familie Kopfschmerzerkrankungen bestehen oder ob andere wichtige Erkrankungen aufgetreten sind. Das gilt insbesondere für Ihre eigenen Kinder oder für Ihre Eltern und Geschwister.

■■■■ Information zum Beruf und zu persönlichen Besonderheiten. Kopfschmerzen führen zu besonders ausgeprägten Behinderungen in bestimmten Situationen des Alltages und im Beruf. Berichten Sie deshalb auch darüber, an welcher Arbeitsstelle Sie tätig sind, wie dieser Arbeitsplatz eingerichtet ist, ob Sie z. B. an einem Computer-Bildschirm arbeiten und wie der Computer-Bildschirm aufgestellt ist. Manchmal kann allein das Umstellen des Schreibtisches zu einer drastischen Verminderung der Kopfschmerzhäufigkeit führen.

Berichten Sie, wie Ihre Familie oder Ihr Arbeitgeber über Ihre Kopfschmerzerkrankungen denken. Berichten Sie über Ihre Sorgen am Arbeitsplatz und mögliche familiäre Probleme. Ihr Arzt möchte auch wissen, wie Sie Ihren Tagesablauf in der Arbeit und in der Freizeit gestalten. Können Sie einen möglichst regelmäßigen Tagesablauf ermöglichen oder aber sind besondere Streßsituationen im Alltag nicht zu vermeiden? Berichten Sie darüber, wie Sie mit Koffein, mit Nikotin oder mit Alkohol umgehen. Von besonderer Bedeutung ist auch, wie Ihre persönliche Gefühlswelt sich darstellt. Berichten Sie über Freizeitaktivitäten, über Sportaktivitäten und über Ihre Hobbies.

■■■■ Die körperliche Untersuchung

Der zweite, wichtige Baustein in der Kopfschmerzdiagnose neben der ausführlichen Erhebung der Krankengeschichte ist die körperliche Untersuchung durch den Arzt.

44

In selteneren Fällen können typische Ablaufmuster der Migräne oder des Kopfschmerzes vom Spannungstyp mit anderen Erkrankungen einhergehen. In aller Regel wird bei charakteristischen Symptomen von primären Kopfschmerzen jedoch der körperliche Untersuchungsbefund regelrecht sein. Sowohl für den Arzt als auch insbesondere für den Patienten ist es wichtig, sich davon zu überzeugen, daß der körperliche Befund normal ist. Wenn dies der Fall ist, kann man sich auf die Behandlung der primären Erkrankung, die Kopfschmerzerkrankung, konzentrieren.

In der Regel erfolgt die ärztliche Untersuchung nach folgendem Ablauf:

Der Arzt verschafft sich einen Eindruck über das allgemeine Erscheinungsbild des Patienten, er beobachtet das Gangbild, *wie sich der Patient verhält,* wie er sitzt, wie er steht, wie er sich auf die Untersuchungsliege legt. Im vorangegangenen Gespräch hat er sich bereits einen ausführlichen Eindruck über die psychischen Besonderheiten des Patienten verschaffen können, er hat die Konzentration, die Aufmerksamkeit, das Gedächtnis und das Sprachverhalten beurteilt. Der Arzt wird den Kopf nach lokalen Veränderungen, wie z. B. Infektionen oder Verletzungen, untersuchen. Er wird die Schmerzempfindlichkeit der Kopfmuskulatur durch Druck auf die Muskeln prüfen. Im normalen Untersuchungsablauf schließt sich dann eine Untersuchung der Kopfblutgefäße an; es werden mit dem Stethoskop die Gefäßabschnitte des Halses abgehört. Bestimmte Nervenaustrittspunkte aus dem Schädel werden hinsichtlich einer erhöhten Schmerzempfindlichkeit betastet.

Im Anschluß daran wird die Aufmerksamkeit auf die Beweglichkeit der Halswirbelsäule und der Halsmuskulatur gerichtet (Abb. 13). Die Nervenfunktionen des Kopfes werden dann im einzelnen überprüft. Dazu ge-

Abb. 13. Die Überprüfung der Beweglichkeit der Halswirbelsäule ist Bestandteil der körperlichen Untersuchung.

hören zum Beispiel die Beweglichkeit der Kopfmuskulatur und die Empfindlichkeit der Hautnerven des Kopfes. Mit einem Augenspiegel wird der Arzt dann die Augen und mit einem Ohrenspiegel die Ohren genauer ansehen.

Der weitere Untersuchungsgang schließt die Untersuchung von Muskelfunktionen des Körpers und von Sinnesfunktionen ein. Mit einem Reflexhammer werden die Reflexe überprüft (Abb. 14). Die Koordination der Körperorgane wird getestet, z. B. in Standüberprüfungen oder in Beweglichkeitsprüfungen.

Schließlich wird das Gefäßsystem untersucht, das Herz wird mit einem Stethoskop abgehört und der Blutdruck gemessen. Nach diesem Untersuchungsgang hat sich der Arzt genügend Gewißheit verschafft, ob Hinweise für bestimmte Erkrankungen vorliegen oder nicht. Bestehen solche Hinweise, dann werden weitere diagnostische Tests notwendig werden. Im anderen Falle, wenn also der körperliche Untersuchungsbefund regelrecht ausfällt, besteht für den Arzt keine Veranlassung, weitere Untersuchungen durchzuführen.

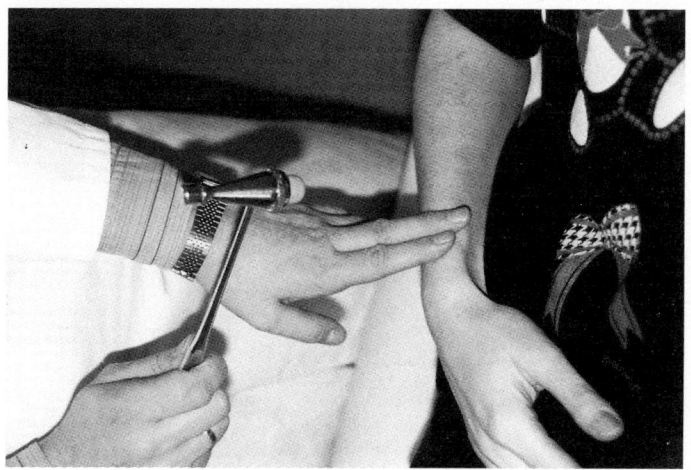

Abb. 14. Auslösung eines Muskelreflexes durch einen Neurologen zur Überprüfung der Nervenfunktionen.

Das ausführliche Gespräch und eine ausführliche körperliche Untersuchung sind Grundvoraussetzungen für eine erfolgreiche Kopfschmerztherapie und für ein Vertrauensverhältnis zwischen Arzt und Patient.

Apparative Zusatzuntersuchungen

Automatische Computeranalyse der Kopfschmerzen

Mittlerweile wurden die Kriterien aller klinisch relevanten Kopfschmerztypen der Kopfschmerzklassifikation der Internationalen Kopfschmerzgesellschaft (IHS) als Basis für ein Computerprogramm herangezogen. Da gerade bei der Migräne und dem Kopfschmerz vom Spannungstyp zuverlässige, für den Einzelfall gültige,

Abb. 15. Eine Computerbefragung ermöglicht eine objektive Analyse der Kopfschmerzmerkmale.

objektive apparative Parameter nicht existieren, ist die genaue Erfassung der Kopfschmerzanamnese und -phänomenologie entscheidend für eine erfolgreiche Therapie (Abb. 15). Das Programm kann über das Internet auf jeden Computer geladen werden (Adresse: www.schmerzklinik.de).

Die Kopfschmerzklassifikation gibt exakte Kriterien für die Kopfschmerztypen an, und es ist somit möglich, das Vorhandensein dieser Kriterien durch eine Computeranalyse überprüfen zu lassen. Die IHS-Klassifikation legt definitiv fest, welche Kriterien vorhanden sein müssen, um eine bestimmte Kopfschmerzdiagnose zu stellen. Zweideutige Parameter wie »oft«, »manchmal«, »gewöhnlich« werden nicht verwendet, so daß eine eindeutige Zuordnung realisiert werden kann.

Zur Computerbefragung nimmt der Patient vor dem Bildschirm Platz, und der Arzt oder ein Praxismitarbeiter startet nach Eingabe der Patientendaten die Analyse. Das Programm fragt den Patienten nach dem Ablauf der Kopfschmerzen und überprüft automatisch,

48

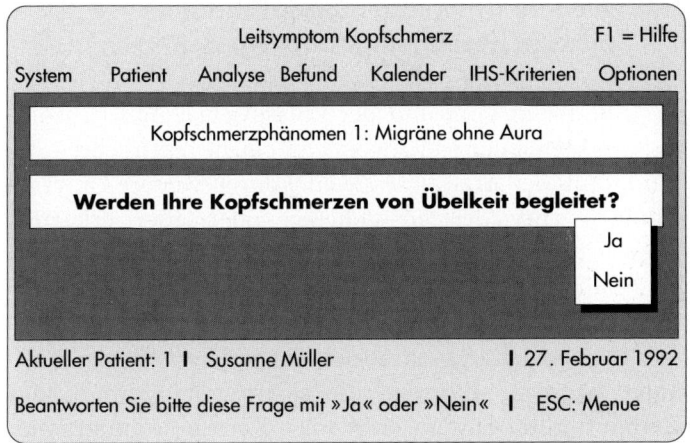

Abb. 16. Beispiel einer Befragung durch den Computer zur Kopfschmerzanalyse.

ob die Merkmale mit den diagnostischen Kriterien der Internationalen Kopfschmerzgesellschaft übereinstimmen (Abb. 16). Das Programm kann auch eine fremdsprachige Befragung durchführen, es gibt mittlerweile eine deutsche, türkische, dänische und englische Version. Dadurch kann auch bei Sprachschwierigkeiten eine sichere Kopfschmerzanalyse ermöglicht werden.

Entscheidender Vorteil dieser automatischen Kopfschmerzbeschreibung ist, daß die Erfassung der Kopfschmerzmerkmale standardisiert erfolgt und die Objektivität gewährleistet ist. Die Kriterien werden immer fehlerfrei analysiert, und Expertenwissen ist jederzeit und prinzipiell an jedem Ort zugänglich. Das Programm ermöglicht eine spezifische Befunderhebung und verbessert damit die Wahrscheinlichkeit einer effektiveren Kopfschmerztherapie.

Weitere Untersuchungsverfahren müssen gezielt eingesetzt werden

Bestehen aufgrund der körperlichen und neurologischen Untersuchung Zweifel an einem regelrechten Befund, muß der Arzt diese Zweifel durch weitere Untersuchungen entweder ausschließen oder aber erhärten. Diese Untersuchungsmethoden sollten nur gezielt, also bei bestimmten Verdachtsmomenten aufgrund der ärztlichen Untersuchung eingesetzt werden.

Untersuchungsverfahren, die in dieser Situation genutzt werden, sind das Elektroenzephalogramm, das Computertomogramm oder das Kernspintomogramm. Diese Untersuchungsmethoden werden in der Regel dazu eingesetzt, um Störungen im Hirn festzustellen. Um Erkrankungen des Herz-Kreislauf-Systems zu erfassen, können ein Elektrokardiogramm (EKG) und eine Doppler-Sonographie durchgeführt werden. Blutuntersuchungen werden zum Ausschluß von Erkrankungen innerer Organe ebenfalls eingesetzt.

Elektroenzephalogramm

Im Elektroenzephalogramm (EEG) kann die elektrische Tätigkeit des Gehirns bestimmt werden.

Störungen der elektrischen Aktivität des Gehirns können bei verschiedenen Gehirnerkrankungen bestehen. Die Durchführung eines Elektroenzephalogramms ist nicht schmerzhaft oder schädlich. Es werden an bestimmten Stellen des Kopfes Elektroden aufgelegt, ein Registriergerät mißt dann die Hirnströme und zeichnet sie auf (Abb. 17). Das Elektroenzephalogramm wird in der Regel von Neurologen abgeleitet und ausgewertet und ist bei primären Kopfschmerzerkrankungen das aus-

50

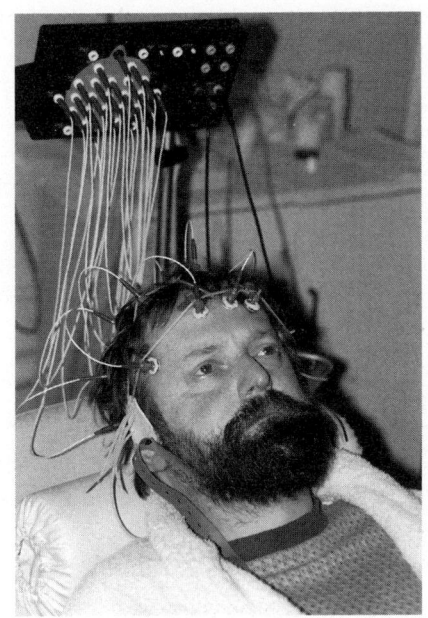

Abb. 17. Bei der EEG-Ableitung werden Elektrodenstifte auf die Kopfhaut gesetzt, um die Gehirnströme zu messen. Der Neurologe kann durch Störungen des Hirnstrombildes verschiedene Erkrankungen des Gehirns feststellen.

sagekräftigste Verfahren. Eine Spezial-EEG-Untersuchung ist die sog. Contingente Negative Variation (CNV), die ebenfalls bei Kopfschmerzerkrankungen sehr aufschlußreich sein kann (s. auch Kap. 5, S. 145).

Computertomogramm

Mit dem Computertomogramm des Gehirns kann ein Bild des Hirnaufbaus in verschiedenen Ebenen gewonnen werden. Dazu muß der Patient auf einer fahrbaren Untersuchungsliege Platz nehmen, und der Kopf wird in einer genauen Position fixiert (Abb. 18). Da die Untersuchungsliege auf einer Schiene fahrbar angeordnet ist, kann der untersuchende Arzt genau die Ebene

51

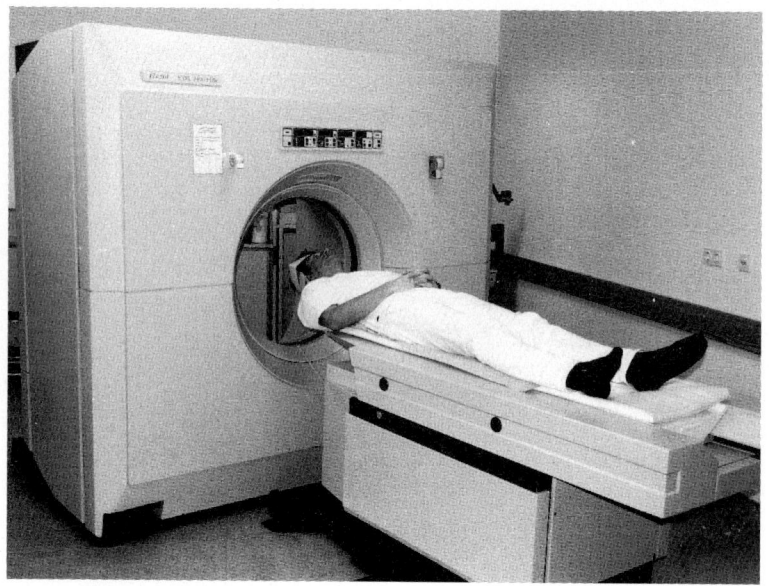

Abb. 18. Anfertigung eines Computertomogramms des Kopfes (CT).

des Gehirns vorgeben, die untersucht werden soll. In der Regel werden mehrere Ebenen (Schichten) des Gehirns erfaßt, um den gesamten Hirnaufbau im Bild darstellen zu können.

Um die Bilder zu erzeugen, werden von einer um den Kopf angeordneten Kreisbahn aus nacheinander feine Röntgenstrahlen durch den Kopf des Patienten geschickt. Der Röntgenstrahl wird durch die verschiedenen Hirngewebe unterschiedlich abgeschwächt. Ein Sensor mißt diese unterschiedlichen Abschwächungen, und ein Computer kann aus diesen Informationen dann auf einem Fernsehbildschirm den Gehirnaufbau in verschiedenen Schichten graphisch darstellen.

Ein Computertomogramm sollte ebenso wie auch andere Röntgenaufnahmen nicht routinemäßig bei Kopfschmerzen durchgeführt werden, sondern nur dann, wenn sich aus dem körperlichen Untersuchungsbefund oder aus der Kopfschmerzgeschichte Hinweise auf bestimmte Hirnerkrankungen zeigen.

Ein wichtiger Grund für den zurückhaltenden Einsatz ist, daß die Erstellung des Computertomogramms mit einer Strahlenbelastung einhergeht. Zum anderen ist ein Computertomogramm ein zeitaufwendiges und kostenintensives Untersuchungsverfahren, das man bei einer sorgfältigen körperlichen klinischen Untersuchung mit regelrechtem Befund vermeiden kann, da es dann keine Zusatzinformationen bringt und nur einen normalen Untersuchungsbefund nochmals bestätigt.

Magnet-Resonanz-Tomographie MRT

Die Magnet-Resonanz-Tomographie oder, wie sie auch bezeichnet wird, die Kernspintomographie (MRT) ist ebenfalls in der Lage sehr genau ein Bild des Hirnaufbaus in verschiedenen Ebenen zu liefern. Im Unterschied zum Computertomogramm werden bei der Magnet-Resonanz-Tomographie keine Röntgenstrahlen eingesetzt.

Das Diagnoseverfahren nutzt ein sehr starkes Magnetfeld sowie pulsförmig eingestrahlte Radiowellen von geringer Intensität. Dadurch werden die wasserhaltigen Bestandteile des Hirngewebes zur sog. Kernspinresonanz angeregt. Die Protonen werden aus ihrer bevorzugten Lage im Magnetfeld, ähnlich wie Kompaßnadeln, ausgerichtet. Bei Abschalten des elektromagnetischen Feldes drehen sich die Protonen (»spin«) wieder in ihre Vorzugslage zurück und senden dabei elektromagnetische

53

Wellen aus. Diese Wellen können von einer Empfängerspule empfangen werden. Je größer die Wasser- oder Protonendichte in einem Gewebe ist, um so größer ist das Signal. Durch Messungen in vielen Richtungen entstehen sehr viele Einzelwerte, die ein Computer graphisch in Grauabstufungen umsetzt. Wasser- und fettreiche Gewebe werden hell dargestellt, wasserstoffarme Gewebe dagegen dunkel. Das Verfahren erlaubt eine sehr kontrastreiche Darstellung von Weichteilen des Kopfes.

Vorteile der Magnet-Resonanz-Tomographie sind, daß die Hirnweichteile besonders genau dargestellt werden und daß darüber hinaus keine Röntgenstrahlenbelastung der Patienten durch die Untersuchung bedingt wird. Allerdings ist die Magnet-Resonanz-Tomographie ebenfalls sehr zeitaufwendig und kostenintensiv und soll deshalb nur gezielt bei nicht regelrechtem körperlichen Untersuchungsbefund eingesetzt werden.

Doppler-Sonographie

Mit der Doppler-Sonographie untersucht der Neurologe die Blutflußgeschwindigkeit in den hirnversorgenden Blutgefäßen. Diese Untersuchung ist möglich für die Gefäße, die außerhalb des Kopfes liegen, aber auch für Gefäße, die innerhalb des Kopfes lokalisiert sind. Während der Untersuchung wird mit einer Sonde versucht, durch ein Ultraschallsignal das Gefäß zu erfassen. Von den in den Gefäßen fließenden Blutkörperchen wird dieses Ultraschallsignal reflektiert, von einem Sensor wiederum gemessen und mit einem Computer dann die Blutflußgeschwindigkeit bestimmt. Der diagnostische Wert von Doppler-sonographischen Untersuchungen bei Kopfschmerzen ist in der Regel gering, und diese

Untersuchung trägt im Vergleich zu anderen Untersuchungsverfahren wenig zur Diagnose von Kopfschmerzen bei.

Elektromyographische Untersuchungen

Der Neurologe kann durch elektromyographische Untersuchungen (EMG) die Steuerung und die Aktivität von Muskeln des Kopfes messen. Eine besonders aussagekräftige Untersuchung besteht darin, die Unterdrükkung der Aktivität der Kaumuskulatur bei Reizung des Gesichtsnerven zu bestimmen (Abb. 19). Dieses Untersuchungsverfahren trägt den etwas komplizierten Namen »exteroceptive Suppression der Aktivität des Musculus temporalis«, abgekürzt ES. Es handelt sich dabei um die Messung eines Reflexes, der auch im Alltag von Bedeu-

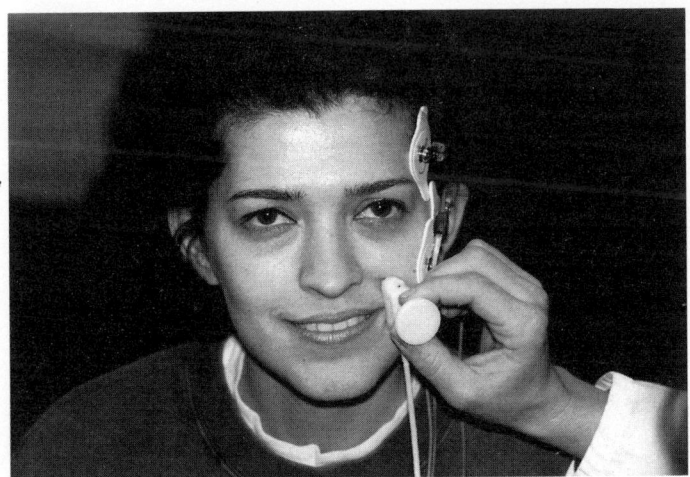

Abb. 19. Elektromyographische Untersuchung zur Bestimmung der Kopfmuskelsteuerung und -aktivität.

tung ist. Immer dann, wenn man sich auf die Lippe beißt oder beim Sprechen oder Kauen die Zunge verletzt werden könnte und ein Schmerzreiz dadurch erzeugt wird, versucht das Hirn sehr schnell, die Kaumuskelaktivität zu blockieren, um eine Verletzung zu vermeiden. Genau dieses kann der Neurologe im Labor direkt messen und dabei Hinweise auf die Nervenfunktion im Gehirn bestimmen. Bei bestimmten Kopfschmerzformen zeigt sich eine Reduktion oder sogar ein Ausfall von Hemmungsphasen im EMG.

Weitere Untersuchungsverfahren

Bei einzelnen Kopfschmerzerkrankungen sind sehr spezifische Untersuchungen durch verschiedenste Spezialisten notwendig. Dazu gehören z. B. der Augenarzt, der Hals-, Nasen-, Ohrenarzt, der Internist, der Kieferchirurg, der Neurochirurg, der Neurologe, der Orthopäde oder der Zahnarzt.

Manchmal ist auch eine Klinikaufnahme erforderlich, um besondere Untersuchungsverfahren durchzuführen. Dazu gehört z. B. die Untersuchung des Nervenwassers (Lumbalpunktion). Dabei wird, ähnlich wie bei einer Blutabnahme, mit einer Nadel am Rücken etwas Nervenwasser (Liquor cerebrospinalis) abgenommen. Die Untersuchung ist in aller Regel harmlos und kann von einem Neurologen leicht durchgeführt werden.

Eine weitere spezielle Untersuchungen ist die Darstellung der Blutgefäße im Gehirn durch eine Angiographie. Solche Untersuchungen sind aber nur sehr speziellen Fällen vorbehalten.

Eine Blutentnahme kann zur Untersuchung verschiedener Organfunktionen erfolgen. Insbesondere werden dabei jedoch in der Regel ein Blutbild, die Nieren- und die Leberfunktion ermittelt sowie die Blutsenkungsgeschwindigkeit zur Bestimmung von Entzündungsreaktionen erfaßt.

Warnsignale gefährlicher Kopfschmerzen

Stetige Aufmerksamkeit bei der Behandlung von Kopfschmerzen erfordert die Erfassung von Hinweisen von ernsten oder gar lebensgefährlichen Erkrankungen, die als Symptom Kopfschmerzen erzeugen.

Besondere Vorsicht ist dann geboten, wenn es sich um eine *erste Kopfschmerzattacke* oder um außergewöhnlich *schwere Kopfschmerzattacken* handelt. Dann ist unbedingt nach Warnanzeichen von symptomatischen Kopfschmerzerkrankungen zu suchen.

- Fieber und Schüttelfrost deuten auf eine infektiöse Grundlage hin, also z. B. auf eine Entzündung durch Bakterien, Viren oder Pilze.
- Nackensteifigkeit, Nacken- oder Rückenschmerz können ebenfalls Anzeichen für Infektionen, im extremen Fall auch Hinweise für Blut oder Eiter im Schädelinnenraum sein.
- Chronische bzw. kontinuierlich zunehmende Muskelschmerzen, Gelenkschmerzen und Müdigkeit können durch Blutgefäß- oder Muskelentzündungen hervorgerufen werden. Betreffen solche Entzündungen auch Gefäße des Kopfes, können sie mit starken Kopfschmerzen einhergehen. Entzündungen im Bereich der Schläfenarterie werden Arteriitis temporalis genannt. Diese Erkrankung tritt insbesondere bei Patienten, die das 50. Lebensjahr überschritten haben, auf.

Warnsymptome für einen erhöhten Druck im Schädelinnenraum sind zunehmende Müdigkeit, Gedächtnis- und Konzentrationsstörungen, allgemeine Erschöpfbarkeit, Schwindel, Übelkeit und Gangschwierigkeiten. Ein erhöhter Hirndruck kann z. B. nach Schädelverletzungen, bei Stoffwechselerkrankungen oder bei Hirntumoren auftreten.

Wie bereits weiter oben beschrieben, gehen Kopfschmerzen zwar für viele Menschen mit einer schlimmen Behinderung einher, sind aber in den wenigsten Fällen lebensbedrohlich. Trotzdem sollten Patienten mit Kopfschmerzen ärztlich untersucht werden.

Bei *Änderungen der Merkmale von Kopfschmerzen,* auch nach sonst gleichförmigem, langjährigem Verlauf, sollte eine sorgfältige Überprüfung der Kopfschmerzdiagnose erfolgen. Immer dann, wenn solche Störungen vorliegen, soll eine besonders eingehende allgemeine und neurologische Untersuchung und ggfs. anschließende apparative Diagnostik eingeleitet werden.

Gefährliche Erkrankungen, die sich hinter Kopfschmerzen verbergen, sind erfreulicherweise die seltene Ausnahme. Außerdem gehen solche Erkrankungen in aller Regel mit Störungen einher, die bei der ärztlichen Untersuchung sehr leicht erkannt werden können. Sind solche Störungen durch eine gründliche neurologische Untersuchung ausgeschlossen, ist die Sorge vor einer lebensbedrohlichen Erkrankung als Ursache der Kopfschmerzen unbegründet.

5 Migräne

Die drei Phasen der Migräne

Die Migräne kündigt sich an: Hinweissymptome

Etwa 30 % der betroffenen Menschen bemerken schon bis zu zwei Tage vor Beginn des Migräneanfalles Hinweissymptome für den kommenden Migräneanfall (Abb. 20). Solche Hinweise sind z. B. Hunger nach be-

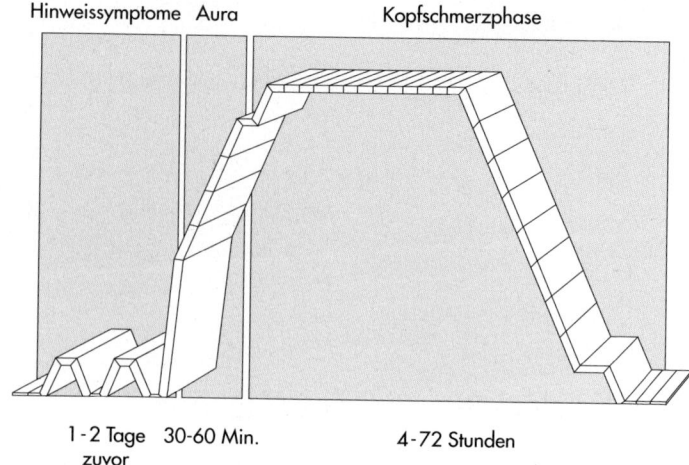

Hinweissymptome Aura   Kopfschmerzphase

1 - 2 Tage   30-60 Min.   4 - 72 Stunden
zuvor

Abb. 20. Der Ablauf der Migräneattacke.

stimmten Speisen, Verstimmung, häufiges Gähnen, verstärkte Aktivität, Müdigkeit oder anderes. Manchmal
werden solche Hinweissymptome als Ursache des Migräneanfalles angeschuldigt. Hat man am Abend vor der
Migräneattacke aufgrund bestimmter Aktivierungen des
Gehirns plötzlich nochmals Hunger nach Süßem und ißt
eine Tafel Schokolade, wird man sich möglicherweise
bei der Suche nach einer Erklärung für die Kopfschmerzen daran erinnern und die Tafel Schokolade als Ursache des Anfalles anschuldigen (Abb. 21). Gleiches gilt z.
B. für eine übermäßige Gereiztheit, die z. B. den Vortag
einer Migräneattacke zum Streß ausarten läßt. In dieser
Situation wird schnell der Streß als Ursache der folgenden Kopfschmerzattacke identifiziert. In beiden Fällen
können jedoch diese Ereignisse schon Symptom der
Kopfschmerzerkrankung sein.

Abb. 21. Oft wird Schokolade als Auslöser für Migräneattacken verantwortlich gemacht. Aber Heißhunger nach Süßem kann bereits ein Symptom der kommenden Migräneattacke sein.

Merke: Hinweissymptome für sich ankündigende Migräneattacken dürfen nicht als *Ursachen* der Migräne interpretiert werden.

Die Vorstufe der Migräneattacke: die Auraphase

Bei ca. 10 % der Menschen beginnt der eigentliche Migräneanfall mit *neurologischen Störungen*. Dieser Zeitabschnitt wird »Aura« genannt. Das Wort Aura kommt aus der lateinischen Sprache und wird in der Medizin i.S. von *Vorstufe* oder *Vorzeichen* eines Anfalles verwendet. Die Auraphase tritt also zeitlich vor der eigentlichen Kopfschmerzphase auf.

Am häufigsten finden sich Störungen in Form von einseitigen Gesichtsfeldausfällen. Im linken oder rechten

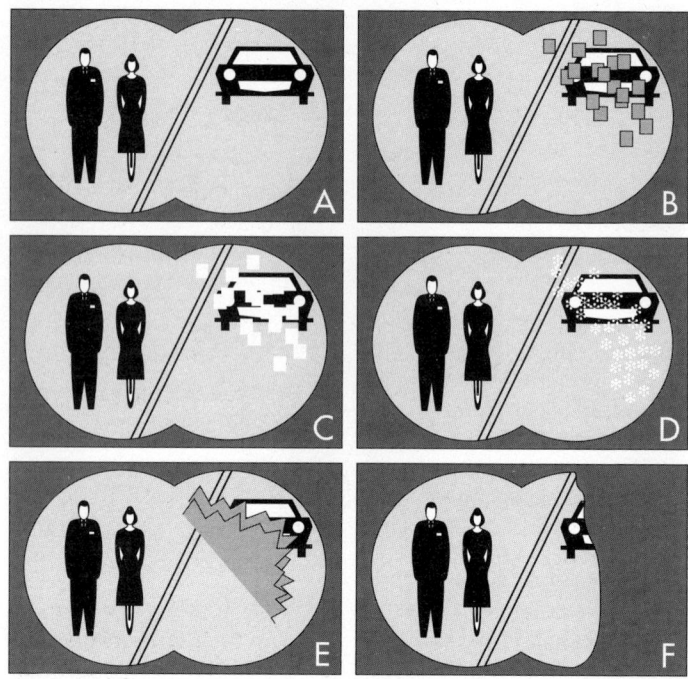

Abb. 22. Beispiele für Störungen des Gesichtsfeldes während einer Migräneaura. Unter Gesichtsfeld versteht man den Ausschnitt der Umwelt, den man mit den Augen sehen kann. **A** Normales Gesichtsfeld. **B** Sog. positives Skotom mit Flecken im Gesichtsfeld, die leuchten oder farbig sein können. **C** Sog. negatives Skotom mit Flecken ohne Seheindruck. **D** Schlieren- und Schleierbildung. **E** Langsam sich ausbreitende Zick-Zacklinien, sog. Fortifikationsspektren. **F** Zunehmende Einschränkung des Gesichtsfeldes (sog. Hemianopsie).

Teil des Gesichtsfeldes können allmählich zunehmend Flimmererscheinungen auftreten. Oft zeigen sich Zickzacklinien, die allmählich an Größe und Ausbreitung zunehmen. Manchmal berichten die Betroffenen, daß diese Zickzacklinien farbige Randzacken ausbilden und flimmern oder flackern. Teilweise finden sich auch Flecken im Gesichtsfeld, in denen man nichts sehen kann. Das Lesen eines Textes ist dann sehr erschwert. Die Gesichtsfeldstörungen können auch in Form von Schleier- oder Schlierenbildung auftreten (Abb. 22).

Das Typische an der Migräne sind nicht der Kopfschmerz, die Übelkeit oder das Erbrechen, sondern die beschriebenen neurologischen Störungen und deren charakteristisches zeitliches Ausbreiten und Abklingen. Dieses Verhalten der Störungen findet sich bei keiner anderen Erkrankung. Gleichzeitig kennzeichnen sie die Migräne als *neurologisches Krankheitsbild*. Die Migräne geht mit einer umschriebenen Störung der Nervenfunktion im Gehirn einher, die sich langsam ausbreitet.

Neurologische Störungen vor Beginn der Migräneattacke müssen nicht nur auf das Gesichtsfeld beschränkt sein. Grundsätzlich kann jedes Krankheitszeichen auftreten, das durch eine umschriebene fehlerhafte Funktion des Gehirnes ausgelöst werden kann. Häufig finden sich Schwindel oder Sprachstörungen. Manche Betroffene geben Kribbelmißempfindungen in bestimmten Körperteilen an. Diese Mißempfindungen breiten sich typischerweise regelmäßig aus, z. B. von den Fingerspitzen ziehen sie hoch zur Schulter. Auch allmählich zunehmende Lähmungserscheinungen von Händen oder Beinen sind vor Beginn der Kopfschmerzattacke möglich. Oft leiden Menschen anfallsweise über Jahre an solchen Störungen, ohne daß es ihnen klar ist, daß es sich dabei um Migräneattacken handelt (Abb. 23).

Teilweise können während eines Migräneanfalls nicht nur ein, sondern mehrere Aurasymptome auftreten. Im typischen Fall treten diese Beschwerden dann nicht gleichzeitig auf, sondern nacheinander.

Abb. 23. Aurasymptome können sehr vielfältig sein. Charakteristisch ist, daß sie sich langsam ausbreiten. Bei diesem Patienten traten zuerst Wortfindungsstörungen ein, anschließend verspürte er ein langsam sich ausbreitendes Kribbeln im linken Oberarm, das sich schließlich bis zu den Fingerspitzen ausdehnt.

Merke: An diesem zeitlichen Ablauf, entweder
– allmählicher Zunahme und Abklingen oder der
– Folge von mehreren Störungen,
kann der Arzt am besten neurologische Fehlfunktionen bei einer Migräne von anderen Erkrankungen abgrenzen.

Die Auraphase dauert in der Regel 30 Minuten bis eine Stunde. Nach spätestens einer Stunde schließt sich die Kopfschmerzphase an. Es gibt jedoch auch gelegentlich Migräneanfälle, bei denen die zeitliche Abfolge anders abläuft. So kann die Aura auch länger als eine Stunde dauern. Die Ärzte bezeichnen diese dann als prolongierte (= verlängerte) Aura. In seltenen Fällen klingen die Aurasymptome nicht ab, und es kommt zu bleibenden Störungen, z. B. bleibt nach dem Migräneanfall ständig ein »blinder Fleck« im Gesichtsfeld zurück. Diese bleibenden Störungen werden als »migränöser Infarkt« bezeichnet. Die Kriterien der Migräneaura und der zeitliche Verlauf werden in der Tabelle 1 zusammenfassend aufgeführt.

Am häufigsten tritt eine Aura in Form von Sehstörungen auf. Üblicherweise zeigt sich die Störung als sog. »Fortifikationsspektrum«. Man versteht darunter eine sternförmige Figur in der Nähe des Blickpunktes, die sich allmählich nach rechts oder links ausdehnt, eine nach außen gebogene Form mit gezackter, flimmernder Randzone annimmt und in ihrem Zentrum einen graduell unterschiedlichen blinden Fleck (sog. Skotom) hinterläßt (Abb. 24).

Tabelle 1. Die Merkmale der Migräneaura.

Hauptmerkmale	Teilkriterien
Mindestens drei der vier Teilkriterien müssen erfüllt sein	1. Mindestens ein Aurasymptom 2. Allmähliche Entwicklung der Störung oder bei mehreren Symptomen folgt eines dem anderen zeitlich nach 3. Kein Symptom dauert länger als 60 Minuten 4. Zeitraum zwischen Aura und Kopfschmerz beträgt max. 60 Minuten
Attackenanzahl	Wenigstens zwei vorangegangene Attacken
Ausschluß symptomatischer Kopfschmerzen	Durch ärztliche Untersuchung

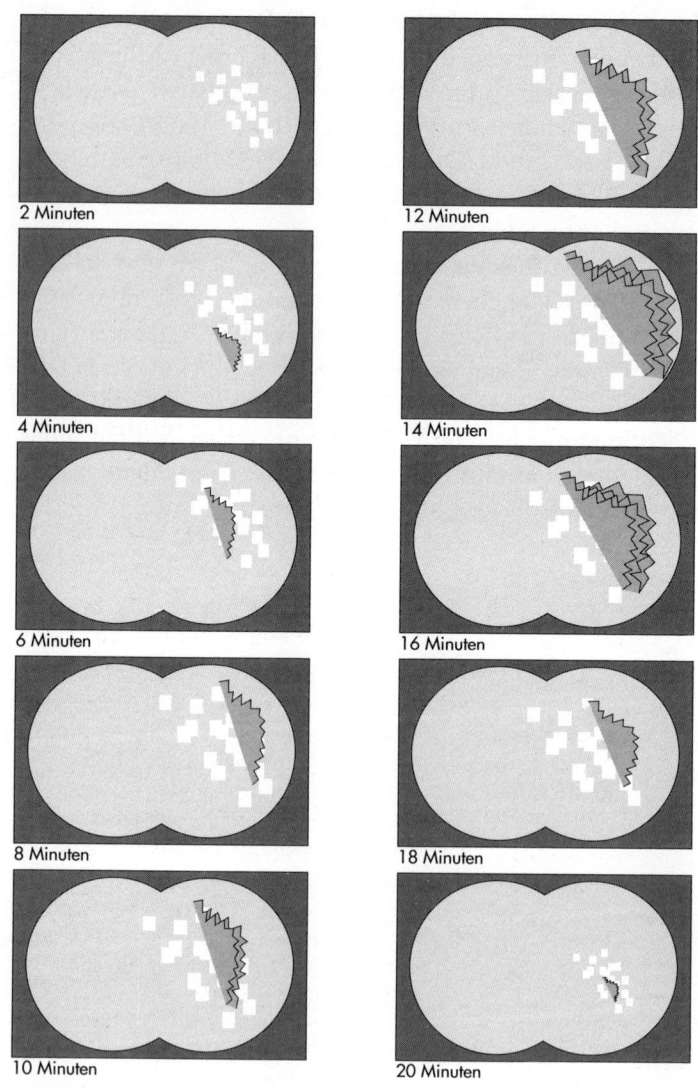

Abb. 24. Kontinuierliches Ausbreiten und Abklingen von Zick-zacklinien (Fortifikationsspektren) und blinden Flecken (Skoto-me) während einer Migräneaura.

Der Begriff Fortifikationsspektrum wurde gewählt, weil die Zickzacklinien dem Grundriß von Festungsanlagen gleichen, wie sie typischerweise in der Renaissance-Zeit gebaut wurden. Da die Kanonenkugel erfunden war, baute man die Festungsmauern nicht mehr als gerade Wand, sondern in Zickzacklinien, um die Wucht der aufprallenden Kanonenkugeln durch die schrägen Mauerwände abzulenken.

In anderen Fällen tritt ein Skotom ohne zusätzliche visuelle Phänomene auf, dessen Beginn zwar oft als akut beschrieben wird, das bei genauer Analyse aber doch eine allmähliche Größenzunahme aufweist.

Nächsthäufiges Aurasymptom sind Sensibilitätsstörungen in Form nadelstichartiger Mißempfindungen, die sich vom Ausgangspunkt allmählich ausdehnen und größere oder kleinere Teile einer ganzen Körperseite und des Gesichtes erfassen können. Im Zentrum dieser Sensibilitätsstörung entwickelt sich ein tauber Bereich, der bisweilen auch als alleiniges Symptom auftreten kann.

Weniger häufige Aurasymptome sind Sprachstörungen, üblicherweise als Schwierigkeit empfunden, Worte richtig auszusprechen (Dysphasie), die sich oft nicht näher einordnen lassen, sowie eine einseitige motorische Schwäche. Gewöhnlich folgen die Symptome in Reihenfolge aufeinander, beginnend mit visuellen Symptomen, dann gefolgt von Sensibilitätsstörungen, Dysphasie und motorischer Schwäche. Aber auch eine umgekehrte Reihenfolge oder eine andere Reihung kommen vor.

Wenn die Patienten Schwierigkeiten bei der Beschreibung ihrer Symptome haben, sollten sie den Zeitablauf und die Symptome aufzeichnen, am besten im Rahmen eines Kopfschmerztagebuches (s. S. 32). Nach einer solchen Beobachtung wird das klinische Bild meist klarer. Übliche Fehler bei der rückblickenden Beschreibung sind ungenaue Angaben über die Seite des

Kopfschmerzes, Angaben über einen plötzlichen statt eines tatsächlich graduellen Beginns der Aurasymptome, Angaben über Störungen nur eines Auges statt tatsächlich gleichseitiger Störungen auf beiden Augen und ungenaue Angaben über die Dauer der Aura.

Die Hauptstufe der Migräne: die Kopfschmerzphase

Die Kopfschmerzphase ist der bekannteste Abschnitt der Migräneattacke. Der Grund dafür ist, daß ca. 90 % der Migräneattacken ohne Auraphase einhergehen. Diese Verlaufsform der Migräne wird als *Migräne ohne Aura* bezeichnet. Die übrigen 10 % der Migräneattacken, bei denen vor Beginn der Kopfschmerzphase neurologische Begleitstörungen auftreten, werden entsprechend *Migräne mit Aura* genannt. Insgesamt unterscheiden die Ärzte 18 verschiedene Unterformen der Migräne. Die Formen, die vom zeitlichen Ablauf unterschieden werden, sind in Abb. 25 dargestellt.

Die Kopfschmerzphase während der Migräne charakterisiert sich durch einen typischerweise einseitig auftretenden Kopfschmerz (Abb. 26). Meistens ist dieser um ein Auge oder im Schläfenbereich lokalisiert. Aber auch jede andere Region und auch beidseitiges Auftreten ist möglich. Der Kopfschmerz kann auch an verschiedenen Stellen nacheinander während der Attacke auftreten.

Das Umherziehen des Kopfschmerzes führte auch zur Namensgebung Migräne. Das Wort stammt aus dem lateinischen »migrare« und bedeutet »umherziehen« oder »wandern« oder sinngemäß, daß der Schmerz sich langsam ausbreitet.

Der Schmerz wird als pulsierend, hämmernd oder pochend verspürt. Jeder Pulsschlag verstärkt den Kopf-

68

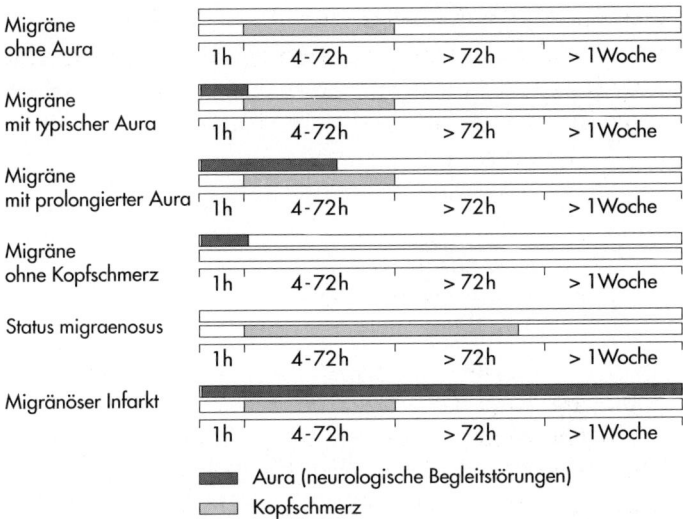

	1h	4-72h	>72h	>1Woche
Migräne ohne Aura				
Migräne mit typischer Aura				
Migräne mit prolongierter Aura				
Migräne ohne Kopfschmerz				
Status migraenosus				
Migränöser Infarkt				

Aura (neurologische Begleitstörungen)
Kopfschmerz

Abb. 25. Zeitliches Ablaufmuster verschiedener Migränetypen.

Abb. 26. Der einseitige Kopfschmerz war Namenspate für die
Bezeichnung Migräne.

schmerz; entsprechend ändert sich die Kopfschmerzintensität wellenförmig.

Der Kopfschmerz während der Migräneattacke
hat eine so starke Intensität, daß Arbeits- oder Freizeitaktivitäten behindert oder komplett unmöglich gemacht

Abb. 27. Migräne-kopfschmerz hat eine so starke Intensität, daß die momentane Tätigkeit unterbrochen werden muß.

werden (Abb. 27). Körperliche Belastungen, wie Treppensteigen oder Koffertragen, verstärken die Kopfschmerzen.

Appetitlosigkeit, Übelkeit oder Erbrechen sind charakteristische Begleitstörungen. Zusätzlich können Reizstörungen anderer Sinnesorgane auftreten, wie z. B. Lärm- oder Lichtüberempfindlichkeit. Besonders unangenehm ist eine ausgeprägte Geruchsüberempfindlichkeit. Die Patienten legen sich typischerweise in ihr Bett, ziehen die Vorhänge zur Verdunklung zu und erbitten Ruhe.

Da die Migräne eine anfallsweise auftretende Erkrankung ist, werden zur Diagnosestellung mindestens bereits fünf abgelaufene Kopfschmerzanfälle gefordert. Diese Anfallswiederholung bestätigt das charakteristische, wiederkehrende Auftreten.

In Tabelle 2 werden die einzelnen Kriterien der Migräne ohne Aura zusammenfassend aufgelistet. Dabei wird deutlich, daß nicht alle der aufgezählten Störungen für die Diagnosestellung erforderlich sind. Es ist ausreichend, wenn eine klar definierte Mindestanzahl von Symptomen besteht.

70

Tabelle 2. Merkmale der Migräne ohne Aura.

Hauptmerkmale	Kriterien
Kopfschmerz-charakteristika (mindestens zwei)	1. Einseitiger Kopfschmerz 2. Pulsierender Charakter 3. Erhebliche Behinderung der Tagesaktivität 4. Verstärkung bei körperlicher Aktivität
Begleitphänomene der Kopfschmerzen (mindestens eines)	1. Übelkeit 2. Erbrechen 3. Lichtüberempfindlichkeit 4. Lärmüberempfindlichkeit
Attackenanzahl	Wenigstens fünf vorangegangene Attacken
Ausschluß symptomatischer Kopfschmerzen	Durch ärztliche Untersuchung

Die Migräneformen

Migräne hat viele Gesichter und viele Ausdrucksformen. Möglicherweise ist dies der Grund, warum Menschen mit Kopfschmerzen mit so vielen Fehldiagnosen und Fehlbehandlungen zu tun haben. Manchmal kann die richtige Diagnose erst nach einer Beobachtung des Verlaufs gestellt werden, wenn sich die Anfälle wiederholen und sich eine deutliche Charakteristik herausbildet.

Bei einer Einteilung der Migräneverlaufsformen in verschiedene diagnostische Schubladen muß man sich vergegenwärtigen, daß jede Kategorisierung eine Verkürzung der wirklichen Abläufe bedeutet. Die Migräne läuft nicht von sich innerhalb bestimmter Grenzen und

Umrisse ab; wir sind es, die diese Linien aufstellen. Der Körper des betroffenen Menschen interessiert sich dafür nicht, sondern produziert Migräneattacken, wie er es für angebracht hält. Die Migräneattacken können hinsichtlich ihrer wesentlichen Merkmale präzise und eindeutig abgegrenzt werden. Sie werden jedoch auch ein extrem großes Umfeld aufweisen, das sich mit zunehmender Entfernung vom Zentrum immer mehr verwischt und vieldeutig wird. Dies ist bei der nachfolgenden Auflistung der verschiedenen Migränetypen zu berücksichtigen. Die Beschreibung folgt der Kopfschmerzklassifikation der Internationalen Kopfschmerzgesellschaft.

1.1 Migräne ohne Aura

Früher verwendete Begriffe: einfache, gewöhnliche, gemeine Migräne, common migraine, Hemikranie
Kurzsteckbrief: Kopfschmerzleiden mit wiederkehrenden Attacken von 4-72 Stunden Dauer. Typische Kopfschmerzcharakteristika sind einseitige Lokalisation, pulsierender Schmerzcharakter, mäßige bis starke Schmerzintensität, Verstärkung durch übliche körperliche Aktivität und Begleiterscheinungen wie Übelkeit, Erbrechen, Lärm- und Lichtüberempfindlichkeit.
Die Migräne ohne Aura kann fast ausschließlich zu einer bestimmten Zeit des Menstruationszyklus auftreten und wird dann als *menstruelle Migräne* bezeichnet. Für eine solche Diagnose wird gefordert, daß 90 % der Attacken in der Zeitspanne zwischen 2 Tagen vor Beginn und dem letzten Tag der Menstruation auftreten.

1.2 Migräne mit Aura

Früher verwendete Begriffe: klassische Migräne, ophthalmische, hemiparaesthetische, hemiplegische oder aphasische Migräne, migraine accompagnée, kompliz-ierte Migräne

Kurzsteckbrief: *Idiopathisches* Kopfschmerzleiden mit Attacken, bei denen eindeutig durch Störungen in der Hirnrinde oder im Hirnstamm ausgelöste neurologische Symptome auftreten, die sich allmählich über 5–20 Minuten hinweg entwickeln und weniger als 60 Minuten anhalten. Kopfschmerz, Übelkeit und/oder Photophobie schließen sich üblicherweise direkt an die neurologischen Aurasymptome an oder folgen ihnen nach einer Pause von weniger als 1 Stunde. Die Kopfschmerzphase dauert gewöhnlich 4-72 Stunden, sie kann aber auch vollständig fehlen (s. 1.2.5).

1.2.1 Migräne mit typischer Aura

Früher verwendete Begriffe: ophthalmische, hemiparaes-thetische, hemiparetische, hemiplegische oder aphasische Migräne, migraine accompagnée

Kurzsteckbrief: Migräne mit einer Aura in Form einseitiger Sehstörungen, halbseitigen Empfindungsstörungen, Halbseitenlähmungen oder Sprachstörungen oder einer Kombination solcher Symptome. Allmähliche Entwicklung, Dauer von weniger als einer Stunde und komplette Rückbildung charakterisieren die Aura, die mit Kopfschmerz verbunden ist.

1.2.2 Migräne mit prolongierter Aura

Früher verwendete Begriffe: Komplizierte Migräne, hemiplegische Migräne

Kurzsteckbrief: Migräne mit einem oder mehreren Aurasymptomen, die länger als 60 Minuten und weniger als 1 Woche dauern. Bildgebende Verfahren ergeben keinen pathologischen Befund.

1.2.3 Familiäre hemiplegische Migräne

Kurzsteckbrief: Migräne mit einer Halbseitenlähmung (= Hemiparese) im Rahmen der Aura. Wenigstens ein Verwandter ersten Grades leidet an übereinstimmenden Attacken. Diese Migräneform hat wahrscheinlich dieselbe Enstehungsbedingung wie die Migräne mit typischer Aura. Der Grund für eine Abgrenzung ist der, daß es Familien gibt, in denen absolut übereinstimmende und z.T. lang anhaltende Attacken vorkommen. Bei den meisten Patienten treten hemiplegische Attacken vermischt mit wesentlich häufigeren Attacken einer Migräne ohne Hemiparese auf.

1.2.4 Basilarismigräne

Früher verwendete Begriffe: Basilarisarterien-Migräne, Bickerstaff's Migräne, Synkopale Migräne

Kurzsteckbrief: Migräne mit mehreren Aurasymptomen, die sich eindeutig auf Funktionsstörungen im Hirnstamm oder in beiden Hirnrindenbereichen zurückführen lassen. Solche Störungen sind z. B. Sprachstörungen, Schwindel, Ohrgeräusche, Hörminderung, Doppeltsehen, Gangstörungen, beidseitige Mißempfindungen, beidseitige Lähmungen und auch Bewußtlosigkeit. Am häufigsten sieht man Basilarisattacken bei Patienten im jüngeren Erwachsenenalter.

1.2.5 Migräneaura ohne Kopfschmerz

Früher verwendete Begriffe: Migräneäquivalente, acephalgische Migräne

Kurzsteckbrief: Migräneaura ohne Verbindung mit Kopfschmerz. Bei der Migräne mit Aura kann es vorkommen, daß der Kopfschmerz gelegentlich fehlt. Besonders wenn die Patienten älter werden, kann der Kopfschmerz völlig verschwinden, während die Auraanfälle bestehen bleiben. Weniger üblich ist es, daß eine

Migräne ausschließlich mit Anfällen von Aura ohne Kopfschmerz auftritt.

1.2.6 Migräne mit akutem Aurabeginn

Kurzsteckbrief: Migräne mit Aurasymptomen, die sich in weniger als fünf Minuten voll entwickeln.

1.3 Ophtalmoplegische Migräne

Kurzsteckbrief: Wiederholte Kopfschmerzattacken in Verbindung mit der Lähmung eines oder mehrerer die Augenmuskulatur versorgender Hirnnerven. Ob die ophthalmoplegische Migräne tatsächlich etwas mit der Migräne zu tun hat, ist unsicher, denn der Kopfschmerz dauert oft eine Woche oder länger. Dieser Migränetyp ist extrem selten.

1.4 Retinale Migräne

Kurzsteckbrief: Wiederholte Anfälle von einäugiger Erblindung von weniger als 1 Stunde Dauer in Verbindung mit Kopfschmerz. Ursächliche Augenerkrankungen oder Gefäßprozesse müssen ausgeschlossen sein.

1.5 Periodische Syndrome in der Kindheit als mögliche Vorläufer oder Begleiterscheinungen einer Migräne

Früher verwendete Begriffe: Migräneäquivalente

1.5.1 Gutartiger paroxysmaler Schwindel in der Kindheit

Kurzsteckbrief: Diese wahrscheinlich durch unterschiedliche Ursachen ausgelöste Erkrankung ist durch kurze Schwindelattacken bei ansonsten gesunden Kindern charakterisiert.

1.5.2 Alternierende Hemiplegie in der Kindheit

Kurzsteckbrief: Wechselseitig auftretende Attacken von Halbseitenlähmung bei Kindern in Verbindung mit anderen kurzdauernden Symptomen und psychischer Beeinträchtigung.

1.6 Migränekomplikationen

1.6.1 Status migraenosus

Kurzsteckbrief: Migräneattacke mit einer Kopfschmerzphase, die trotz Behandlung länger als 72 Stunden dauert. Zwischenzeitlich können kopfschmerzfreie Intervalle von weniger als 4 Stunden Dauer vorhanden sein, nicht eingerechnet Schlaf.

1.6.2 Migränöser Infarkt

Früher übliche Begriffe: Komplizierte Migräne

Kurzsteckbrief: Ein oder mehrere Aurasymptome sind nicht innerhalb von 7 Tagen voll zurückgebildet und/oder mit einem Hirninfarkt verknüpft. Ein erhöhtes Schlaganfallrisiko ist für Migränepatienten nicht belegt, vielmehr weisen Studien den Schlaganfall als eine eher seltene Komplikation der Migräne aus.

1.7 Migränöse Störungen, die nicht die obigen Kriterien erfüllen

Kurzsteckbrief: Kopfschmerzattacken, die dem Formenkreis der Migräne zugerechnet werden, aber nicht vollständig die diagnostischen Kriterien der oben angeführten Migräneformen erfüllen.

Gleichzeitiges Bestehen mehrerer Kopfschmerzformen

Migräne und andere Kopfschmerzformen können gleichzeitig bei ein und demselben Patienten vorkommen. Während des Lebens können sich auch zu unterschiedlichen Zeitpunkten verschiedene Kopfschmerzformen abwechseln. Früher ist hierfür die Diagnose »Kombinationskopfschmerz« verwendet worden, aber dieser Begriff ist nie genauer definiert worden, und viele Ärzte verstanden darunter etwas anderes.

Bei Menschen, die an Kopfschmerzen leiden, findet sich oft ein kontinuierliches Spektrum, das von der klar abgrenzbaren Migräne (Abb. 28) über die Migräne mit mäßigen Anteilen von Kopfschmerzen vom Spannungstyp, gleichgewichtiges Vorkommen beider Kopfschmerzformen (Abb. 29), Überwiegen von Kopfschmerz vom Spannungstyp bis zu klar abgrenzbarem Kopfschmerz vom Spannungstyp reicht.

Das Konzept des Kombinationskopfschmerzes ist mit den heutigen Vorstellungen nicht vereinbar und es erscheint unmöglich, eine bestimmte Gruppe von Patienten abzugrenzen, auf die diese Diagnose eines Kombinationskopfschmerzes präzise zutreffen würde. Vielmehr müssen nicht die Patienten diagnostiziert werden, sondern die unterschiedlichen Kopfschmerzformen exakt abgegrenzt werden. Die individuelle Gewichtung der beiden Diagnosen kann über die jeweiligen Kopfschmerztage pro Monat genau beschrieben werden.

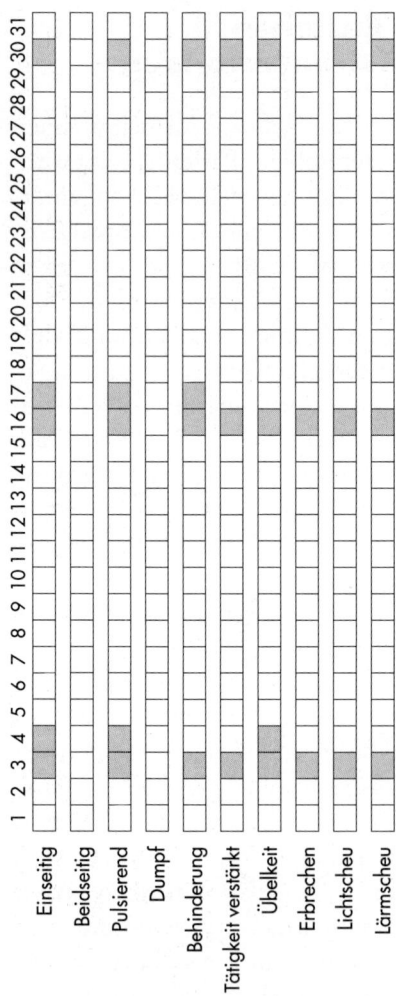

Abb. 28. Der Kieler Kopfschmerzkalender wurde während eines Monats regelmäßig ausgefüllt. Oben sind die Monatstage angegeben, seitlich die Kopfschmerzmerkmale. Es lassen sich deutlich drei Migräneattacken erkennen.

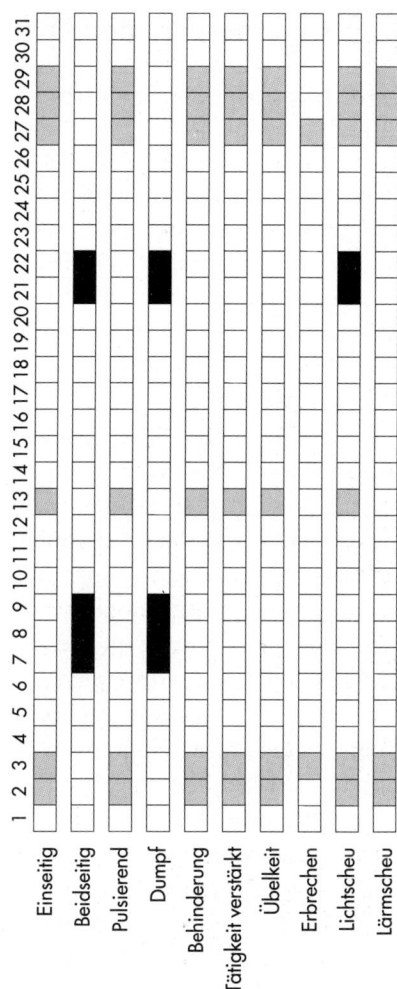

Abb. 29. Der Kieler Kopfschmerzkalender wurde während eines Monats regelmäßig ausgefüllt. Oben sind die Monatstage angegeben, seitlich die Kopfschmerzmerkmale. Bei dieser Patientin lassen sich am 2.–3., 13, und 27.–29. Migräneattacken erkennen, während vom 7.–9. und 21.–22. andere Kopfschmerzen bestehen, nämlich Kopfschmerz vom Spannungstyp.

Migräne in der Öffentlichkeit

Migräne ist eine uralte Erkrankung

Migräne ist keine Erkrankung des modernen Zeitgenossen. Migräne gibt es wahrscheinlich bereits schon so lange, wie es Menschen gibt. Die erste Beschreibung eines Migräneanfalles befindet sich auf einer ägyptischen Papyrusrolle, die im Jahre 2000 vor Christi Geburt beschrieben wurde. Nicht anders als heute trat dieser »antike Migräneanfall« mit einseitigen Sehstörungen und pulsierenden, pochenden Kopfschmerzen auf (Abb. 30).

Auch in der Bibel scheint ein Migräneanfall in der Apostelgeschichte 9:1-9 beschrieben. Als Saulus nach Damaskus zog, sah er Lichterscheinungen. Dies könnte Ausdruck einer visuellen Migräneaura sein. Saulus war anschließend drei Tage krank und konnte nichts essen und trinken, hatte also möglicherweise Übelkeit und Erbrechen. Auch konnte er in dieser Zeit nichts sehen. Grund dafür könnte eine prolongierte visuelle Migräneaura gewesen sein. An anderer Stelle der Apostelgeschichte beschreibt der nach seiner Bekehrung nunmehr zum Paulus gewandelte Saulus seine Krankheit als »Dorn im Fleisch« (Korintherbrief 12:6-10), ein sehr eindeutiger Hinweis auf Schmerzen in Verbindung mit der Krankheit. Paulus bittet Gott, ihn von seiner Erkrankung zu befreien. Gott verweigert ihm seine Bitte mit der Begründung, daß gerade diese Schwäche seine Stärke bedinge.

Prominente mit Migräne

Viele Menschen scheuen sich davor, über ihre Migräneerkrankung zu berichten. Sie haben Angst davor, daß man sie als unzuverlässig, als wenig belastbar oder

Abb. 30. Migräne gibt es wahrscheinlich schon so lange wie Menschen auf der Erde leben. Die Abbildung zeigt, wie möglicherweise die Aufzeichnungen des Leibarztes eines ägyptischen Pharaos über einen rechtsseitigen Kopfschmerzanfall mit Zickzacklinien im Gesichtsfeld ausgesehen haben könnte.

empfindlich einstuft. Wenn das so wäre, würden 27 % der deutschen Bevölkerung in diese Kategorien gehören.

Oft ist es jedoch gerade umgekehrt. Patienten mit Migräne strengen sich besonders an, um ihre Behinderung zu überwinden. Sie versuchen, die anfallsbedingten Ausfallzeiten wieder wett zu machen. Die Betroffenen verhalten sich nicht anders als andere Behinderte auch.

Trotz ihrer Behinderung haben viele Migränepatienten in ihrem Leben Großartiges geleistet. Einige davon haben sich auch zu ihrem Leiden bekannt. Migräne ist eine ganz normale, neurologische Erkrankung, derer man sich nicht zu schämen braucht. Prominente, die an Migräne leiden oder litten, sind z. B.

Ihre Königliche Hoheit Queen Elizabeth II, Königin von
England
Karl Marx
Charles Darwin
11 % der Abgeordneten des Deutschen Bundestages
(Befragung durch Kieler Kopfschmerzfragebogen)
Hildegard von Bingen
Lewis Caroll
Sigmund Freud
Wilhelm Busch
Friedrich Nietzsche
Madame Pompadour
Marie Curie
Thomas Jefferson
Alfred Nobel.

Vorurteile gegen Migräne

Wer einen Schaden hat, braucht auf den Spott
nicht lange zu warten. Menschen mit Behinderungen
werden häufig mit Vorurteilen und Ablehnung bedacht.
Auch in der Literatur gibt es dafür viele Beispiele. Zu-
weilen gilt Migräne auch heute noch als Ausrede. Migränepatienten sollen sich »nicht so anstellen«, sind Sen-
sibelchen, Hypochonder, möchten sich vor Aufgaben,
Arbeit und Pflichten drücken. Erich Kästner beschreibt
dieses Vorurteil sehr trefflich in seinem Buch »Pünkt-
chen und Anton«:

> »Nach dem Mittagessen kriegte Frau Direktor Pogge Mi-
> gräne. Migräne sind Kopfschmerzen, auch wenn man gar
> keine hat«.

Im wissenschaftlichen Sinn ist der Satz nicht falsch:
Migräne kann mit Kopfschmerzen einhergehen, im Falle
der *Migräneaura ohne Kopfschmerz* (s. oben) tatsächlich
auch ohne Kopfschmerzen. Sieht man von dieser Spitzfin-

digkeit jedoch ab, dann kommt zum Ausdruck, daß die Krankheit vorgetäuscht wird, um Belastungssituationen aus dem Weg zu gehen. Migräne ist manchmal leider immer noch, wie so viele andere Behinderungen auch, mit einem sozialen Makel, dem Makel des »Aussätzigen«, dem Makel des »Schwachen« assoziiert.

Ist das tatsächlich auch heute noch so? Leider ja: Anläßlich einer Fernsehsendung im Jahre 1994 über Migräne suchte ein bekannter Talkmaster prominente Schauspieler für eine Talkshow, von denen er wußte, daß sie an Migräne leiden. Keiner der Betroffenen hat sich zur Teilnahme bereit erklärt. Die Angst, danach als unzuverlässig und gering belastbar eingestuft zu werden, war zu groß. Die Behinderung sollte verheimlicht bleiben.

Gründe der Vorurteile

Die Behinderung durch Migräne ist für Nichtbetroffene schwer nachvollziehbar. Im Röntgenbild finden sich keine Auffälligkeiten, Blutwerte und andere Untersuchungsbefunde sind regelrecht. Migränepatienten können keine Legitimation ihrer Behinderung vorweisen, haben keine Binde oder keinen Gips zu tragen. Zwischen den Anfällen scheinen die Kranken zudem kerngesund. Der Kopfschmerzanfall scheint aus dem nichts heraus und willkürlich zu entstehen. Wie soll man da den Kranken eine Behinderung abnehmen?

Wie Migränepatienten ihre Behinderung beschreiben

Niemand kann besser zum Ausdruck bringen, was Migräne und Kopfschmerzen für einen Menschen bedeuten können, als die Betroffenen selbst. Nachfolgend sollen deshalb einige Menschen zu Wort kommen, die über ihre Kopfschmerzen berichten:

...seit Jahren hoffe ich, daß Ärzte mir bei meinen Kopfschmerzen helfen können. Ich bin jetzt 54 Jahre alt, führe eine harmonische Ehe und bin in einem zufriedenstellenden Arbeitsverhältnis.
Seit meinem 10. Lebensjahr bis heute treten Kopfschmerzen auf. Die Schmerzanfälle wurden mit zunehmendem Alter intensiver, der Schmerz wird härter und pochender. Meistens tritt der Schmerz halbseitig links am Kopf auf. Immer ist der Hinterkopf, der Haaransatz, die Stirn und die Schläfe einbezogen, manchmal auch der Schulteransatz und der gesamte Kopf. Die Attacken treten speziell am Wochenende auf. Ich muß dann das gesamte Wochenende im Bett liegen, ziehe die Vorhänge zu, und ich kann vor lauter Elend zwei Tage nichts essen. Überwiegend beginnen die Kopfschmerzen morgens zwischen 3 Uhr und 5 Uhr, egal, ob ich arbeite oder Urlaub habe, egal ob ich viel oder wenig arbeiten muß, egal ob ich regelmäßig oder unregelmäßig esse, egal, ob es regnet, ob die Sonne scheint, ob es kalt, ob es warm ist oder das Wetter wechselt. Ich meide generell Alkohol, Zigaretten, Gewürze, Wein und Schokolade. Ich esse gern Süßes, wie Kompott, Obst, Kuchen, manchmal brauche ich sogar Süßes. Wenn ich mich übergebe, fühle ich mich etwas wohler, jedoch ist der Schmerz nicht weg. Seit dem 10. Lebensjahr nehme ich Medikamente. EEG und Computertomographie haben die Ursache nicht aufdecken können. Krankengymnastik und Massagen haben kurzfristig etwas gebessert, Akupunktur blieb ohne Wirkung. Die Kopfschmerzattacken dauern selten nur 24 Stunden, meistens bestehen sie 48 Stunden und immer häufiger bis zu 72 Stunden. Die Attacken nehmen zu, es treten jetzt ca. einmal pro Woche solche Schmerzen auf. Immer wieder muß ich wegen meiner Kopfschmerzen krankgeschrieben werden, im letzten Jahr sogar einmal für 6 Monate, weil die Attacken so häufig auftraten, daß es nicht mehr anders weiter ging. Eine vierwöchige Kur mit Spritzen, Krankengymnastik, Moorpackungen und Entspannungstherapie war wohltuend, aber der Kopfschmerz tritt weiter auf, die Ursache konnte nicht ermittelt werden.

84

Warum muß ich mit diesen Wahnsinnskopfschmerzattakken leben? Gibt es keinen Ausweg? Was kann ich tun, wohin kann ich mich wenden? Ich bin sehr verzweifelt. So kann und will ich nicht mehr weiterleben...

Dieser Auszug aus einem Brief einer Patientin ist keine besondere Ausnahme, sondern Alltag.

Die bildliche Darstellung von Migräneattacken kann niemand besser realisieren als die betroffenen Menschen selbst. In Abb. 31 hat eine Patientin gemalt, was Migräne für sie persönlich bedeutet und wie die Anfälle erlebt werden: grausam. .

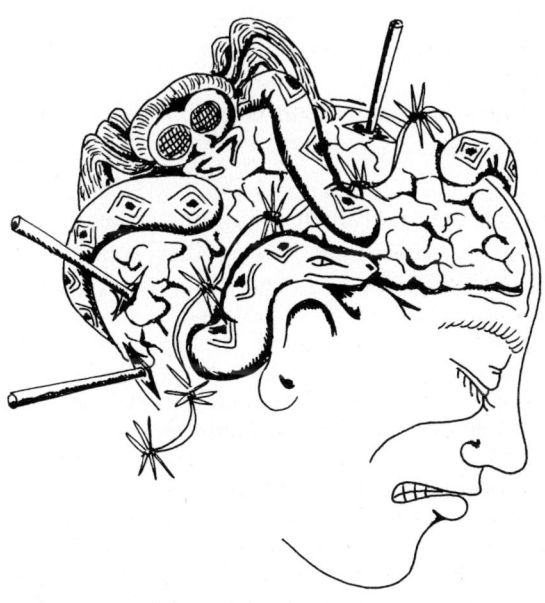

Abb. 31. Qual und Leid während einer Migräneattacke.

Migräne in der Bevölkerung

Migräne gehört zu den häufigsten chronischen Erkrankungen überhaupt. 11,3 % der Bevölkerung erleiden während ihres Lebens Kopfschmerzanfälle, die die Migränekriterien komplett erfüllen (Abb. 32).

Die Kopfschmerzanfälle von weiteren 16,2 % der deutschen Bevölkerung weisen die Migränekriterien mit einer Ausnahme auf. Auch diese Kopfschmerzen sind nach der internationalen Klassifikation als Migräne zu bezeichnen.

Faßt man diese beiden Gruppen zusammen, ergibt sich, daß 27,5 % der Deutschen im Laufe ihres Lebens Migräneanfälle erleiden.

Zusammenhang zwischen Geschlecht und Migräne

Ist Migräne eine Frauenerkrankung? Nein! Die vorhergehenden Ausführungen haben dies schon verdeutlicht. Merkwürdigerweise ist die Annahme, daß Mi-

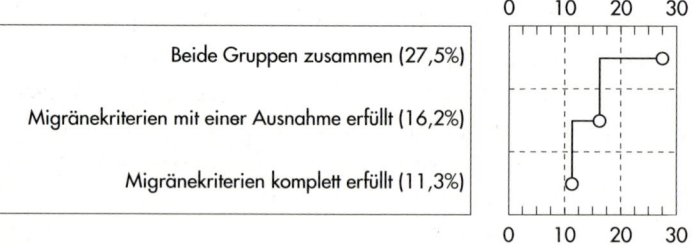

Abb. 32. Häufigkeit der Menschen in der deutschen Bevölkerung, die während ihres Lebens Migräneattacken erleiden. Die Zahlen sind einer Untersuchung an 5000 repräsentativ ausgewählten Bundesbürgern entnommen.

gräne eine Frauenkrankheit ist, immer noch sehr verbreitet. Einige Frauen sehen tatsächlich auch den Frauenarzt als primären Ansprechpartner für die verschiedenen Arten von Kopfschmerzen an.

In Deutschland ist die Geschlechtsverteilung der Migräne sehr gut bekannt. Ca. 32 % der Frauen und 22 % der Männer leiden im Laufe ihres Lebens an Migräneattacken. Das bedeutet, daß zwar deutlich mehr Frauen als Männer über Migräne klagen, daß aber diese Erkrankung keineswegs nur auf die Frauen beschränkt bleibt.

Tageszeitliche Bindung von Migräneattacken

Es ist bekannt, daß das Schmerzwahrnehmungssystem von Frauen eine größere Empfindlichkeit aufweist als das von Männern. Gibt man Frauen und Männern die gleichen experimentellen Schmerzreize im Labor, werden diese von den Frauen ca. doppelt so schmerzhaft erlebt wie von den Männern. Auch findet sich eine deutliche Abhängigkeit der Schmerzempfindlichkeit von der Tageszeit: In der Nacht und am frühen Morgen werden die Schmerzen wesentlich intensiver erlebt als am Tage. Dieser Verlauf der Schmerzempfindlichkeit, die sog. zirkadiane Rhythmik, ist bei Männern und Frauen identisch. Möglicherweise ist dieser Aspekt des Schmerzwahrnehmungsapparates des Menschen ein Grund dafür, warum Kopfschmerzanfälle besonders häufig am frühen Morgen beginnen (Abb. 33).

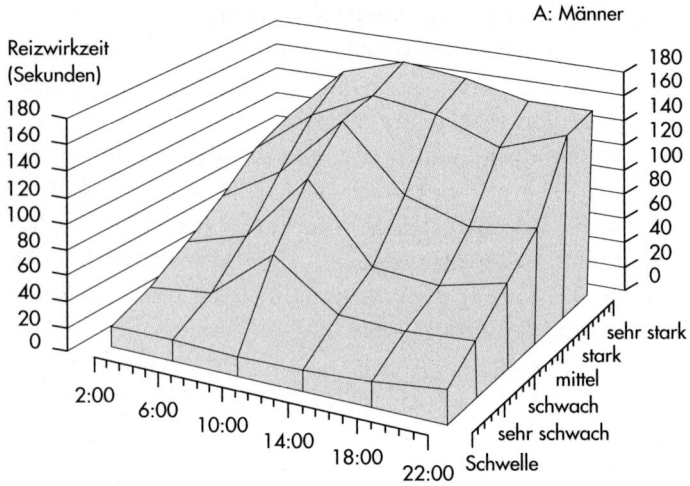

A: Männer

Reizwirkzeit (Sekunden)

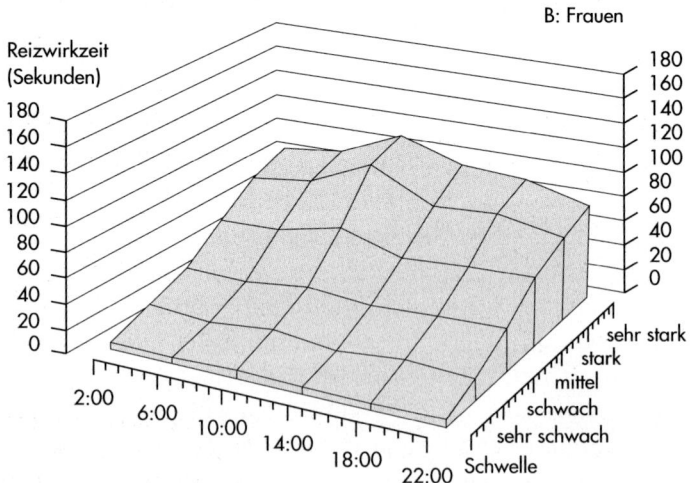

B: Frauen

Reizwirkzeit (Sekunden)

![] Beginn der Migräneerkrankung in der Lebensspanne

Am häufigsten beginnt die Erkankung zwischen dem 15. und 25. Lebensjahr. Neue Untersuchungen zeigen, daß das Lebensalter des erstmaligen Auftretens der Migräne sich nicht zwischen Jungen und Mädchen unterscheidet. Gleiches gilt auch für das Auftreten der Migräne im Alter. Im Gegensatz zu der früheren Meinung zeigen aktuelle Studien, daß die Häufigkeit der Migräne im Alter weder zu noch abnimmt. Nach dem vierzigsten Lebensjahr ist das Neuauftreten einer Migräneerkrankung sehr selten.

![] Auftretenshäufigkeit von Migräneattacken

Im Mittel berichten die Patienten, daß die Migräne an ca. drei Tagen im Monat besteht. Über ein ganzes Jahr gerechnet bestehen also ca. 36 Tage mit Migränekopfschmerzen. 66 % der Migränepatienten geben an, an ein bis zwei Tagen pro Monat an Migräneattacken zu leiden. Die mittlere Attackenhäufigkeit der Migräne beträgt 2,82 Tage pro Monat bzw. 34 Tage pro Jahr.

Nur 2 % der Betroffenen gibt Attacken an 15 bis 20 Tagen pro Monat an.

◀ **Abb. 33.** Die Schmerzempfindlichkeit für verschiedene Schmerzintensitäten bei Männern und Frauen im Tagesverlauf. Bei freiwilligen Versuchspersonen wurde im Labor experimentell Kopfschmerz erzeugt und die Schmerzempfindlichkeit gemessen. Zur Auslösung gleicher Schmerzempfindungen sind bei Frauen niedrigere Reize erforderlich als bei Männern. Die Empfindlichkeit im Tagesverlauf unterscheidet sich dagegen nicht zwischen Frauen und Männern: In der Nacht und am frühen Morgen ist die Schmerzempfindlichkeit am größten, gegen Mittag ist sie am geringsten.

Intensität

Die Schmerzintensität bei Migräne ist bei über 60 % der Patienten stark und bei 36 % mittelstark ausgeprägt. Migränekopfschmerzen sind deutlich stärker als die vieler anderer Kopfschmerzformen.

Alter

Die Migräne zeigt in den verschiedenen Altersgruppen ein unterschiedlich hohes Vorkommen mit weniger häufigem Auftreten in den höheren Altersgruppen. Für die Gesamtgruppe der Kopfschmerzen vom Migränetyp findet sich in der Altersgruppe bis einschließlich 36 Jahre eine Häufigkeit von 30 %, in der Altersgruppe ab 36 bis 55 Jahre von 27 % und in der Altergruppe älter als 56 Jahre von 21 %.

Schulbildung

Die Häufigkeit der Migräne unterscheidet sich nicht zwischen Menschen mit Hauptschulabschluß oder höherer Schulbildung.

Bundesländer und Migräne

Die Bevölkerungen der einzelnen Bundesländer Deutschlands weisen keine bedeutenden Unterschiede in der Häufigkeit der Migräne auf. Es gibt auch keinen nennenswerten Unterschied der Migräneprävalenz in Abhängigkeit von der Größe des Wohnortes oder Bundeslandes.

Migräne im internationalen Vergleich

Die Häufigkeit der Migräne in Deutschland, 32 % bei Frauen und 22 % bei Männern, liegt im oberen Bereich vergleichbarer Zahlen anderer Länder. Die internationalen Zahlen umspannen Häufigkeiten von 5 % bis 19 % bei Männern und 11 % bis 35 % bei Frauen.

Eine Übersicht zur Häufigkeit der Migräne in Mitteleuropa gibt Abb. 34.

Die relativ hohe Auftretenshäufigkeit der Migräne in Deutschland erklärt sich durch die Einbeziehung aller Migräneformen (s. S. 71f.). Außerdem ist das Auftreten während der gesamten Lebensspanne und nicht nur

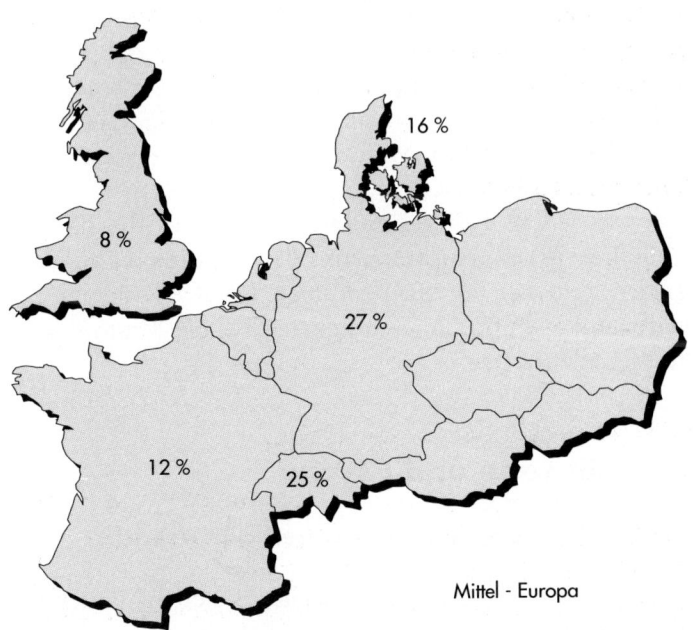

Abb. 34. Migränehäufigkeit in einzelnen Ländern Mitteleuropas.

während eines willkürlich definierten Lebensabschnitts berücksichtigt. Schließlich sind sämtliche Schweregrade von Kopfschmerzformen einbezogen, und es sind nicht nur die schwer betroffenen Patienten berücksichtigt.

Nach Studienergebnissen anderer Länder sollen Frauen zwei- bis viermal häufiger an Migräne leiden als Männer.

Paradox ist, daß die Migräne bei älteren Menschen weniger häufig gefunden wird als bei jüngeren Menschen. Da die gesamte Lebensspanne berücksichtigt wird, sollte man eigentlich erwarten, daß mit zunehmendem Alter häufiger über das Auftreten von Migräneattacken berichtet werden kann. Das Gegenteil ist jedoch der Fall. Wahrscheinlich entsteht dieses Paradoxon dadurch, daß man Migräneattacken in früheren Jahren mit zunehmendem Alter einfach vergißt. Entsprechendes Verhalten zeigt sich ebenfalls in vergleichbaren Studien anderer Länder. Allerdings fand die Kopfschmerzforscherin Birte Rassmussen in Dänemark keine bedeutsamen Änderungen der Migränehäufigkeit bei verschiedenen Altersgruppen.

In jedem Fall zeigen die Daten, daß die häufige Annahme eines »Ausbrennens« der Migräne im höheren Lebensalter nur für einen geringen Teil der Patienten zutrifft und auch im höheren Lebensalter die Migräne sehr häufig anzutreffen ist.

Migräne und Psyche

Eine Migränepersönlichkeit gibt es nicht

Verständnislose Mitmenschen sehen in Patienten, die über Migräne klagen, manchmal »hysterische« Personen, die sich nicht so empfindlich anstellen sollten.

Diese Meinung ist jedoch so falsch wie die Vorstellung, daß die Erde eine Scheibe ist. Früher wurde auch immer wieder eine spezifische Persönlichkeit als Voraussetzung für die Entstehung einer Migräne diskutiert. Man schrieb diesem Menschentyp Ordentlichkeit, Pünktlichkeit, Genauigkeit, Pflichtbewußtsein und andere, meist etwas zwanghaft gefärbte Eigenschaften zu.

Diese Theorien entstammen alten psychologischen Überlegungen, die heute jedoch eindeutig überholt sind. Anfang dieses Jahrhunderts glaubte man, daß vorgegebene oder definierte Merkmale, wie z. B. die Intelligenz, die Persönlichkeit oder auch die Rasse, das gesamte weitere Leben gesetzmäßig bestimmen sollten. Solche Vorstellungen haben schon früher z. B. den Sklavenhandel legitimiert. Aber auch vor wenigen Jahrzehnten noch wurden auf der Basis solcher Vorstellungen fürchterliche politische Entscheidungen gegen verschiedenste Bevölkerungsgruppen getroffen. Der Begriff der »Migränepersönlichkeit« hat seinen Ursprung in diesem Denken. Große Untersuchungen zeigen, daß überdauernde Persönlichkeitsfaktoren nicht mit dem Auftreten von Migräneattacken in Verbindung zu bringen sind.

Merke: Migränepatienten weisen die gesamte Breite der Ausprägungsmöglichkeiten von Persönlichkeitsfaktoren auf wie andere Menschen auch. Eine spezifische Migränepersönlichkeit gibt es nicht!

Was die Psyche bewirken kann

Psychologische Vorgänge spielen bei Migräne die gleiche Rolle wie sonst auch:

Die Psyche ist bei allen Lebensvorgängen beteiligt und läßt sich nicht von körperlichen Vorgängen abtrennen.

Ein Beispiel soll dies verdeutlichen. Daß die Hautentzündung nach einem zu langen Sonnenbad, also ein Sonnenbrand, ein ausschließlich körperlicher Vorgang ist, wird wahrscheinlich von den meisten Menschen akzeptiert. Aber ist er das wirklich? Damit ein Sonnenbrand entsteht, ist zumeist ein komplexes Verhalten erforderlich, das z. B. so aussehen kann:

Man hat viel gearbeitet und ist erschöpft. Also fährt man in den Urlaub. Urlaub am Strand in der Sonne ist besonders gut im sozialen Umfeld angesehen. Man möchte attraktiv sein. In den Medien wird gebräunte Haut als wünschenswert herausgestellt. Weil man alles besonders schnell realisieren will, legt man sich in die pralle Sonne und wendet keine Sonnencreme an. Der Sonnenbrand ist vorprogrammiert.

Bei all diesen Verhaltensweisen sind komplexe psychische Mechanismen beteiligt. Faktoren wie soziale Kompetenz, Selbstwertgefühl, Sexualität, Partnerverhalten, Lernen am Modell, Selbstsicherheit sind nur einige der Bedingungen. Diese Faktoren und deren Zusammenwirken sind im genannten Beispiel unentbehrlich für das Entstehen des Sonnenbrandes.

Ist der Sonnenbrand jedoch entstanden, laufen die Entzündungsvorgänge in der Haut nach festem Muster ab. Der Heilungsverlauf wird selbstverständlich erneut wieder durch viele Verhaltensweisen beeinflußt. Ähnliche Beispiele lassen sich in mehr oder weniger ausgeprägter Form für alle Erkrankungen aufführen. Oft sind die *Verhaltensfaktoren* nicht auf den ersten Blick zu erkennen, sie sind aber generell bei jeder Erkrankung beteiligt, sei es bei einem Autounfall mit schweren Verletzungen, einem Herzinfarkt, Zahnschmerzen durch Karies oder anderen Krankheiten.

Auch bei der Migräne können solche Mechanismen eine wichtige Rolle bei der Auslösung und Unterhaltung von Migräneattacken spielen. Man muß sich jedoch davor hüten, die Migräne als eine psychische Erkrankung einzuordnen: Die Migräne ist genauso wenig eine *psychische Erkrankung* wie ein Knochenbruch nach einem Autounfall, der durch Zeitdruck aufgrund einer Überbewertung der Wichtigkeit eines Termines und zu schnelles Fahren ausgelöst wurde.

Rolle der Vererbung

Aufgrund der großen Häufigkeit der Migräne ist es nicht erstaunlich, daß in manchen Familien mehrere Personen an Migräne leiden. Schon im 19. Jahrhundert ging man deshalb davon aus, daß Migräne vererbt werde. Es wurde eine große Reihe von Untersuchungen durchgeführt, um diese Hypothese zu untermauern. Die Ergebnisse dieser Studien unterscheiden sich jedoch sehr. Das hängt damit zusammen, daß früher die Migräne nicht eindeutig definiert war. Andere Gründe sind, daß unterschiedliche Altersgruppen untersucht wurden oder bestimmte Personenkreise (ambulant, stationär etc.) in die Studien eingeschlossen wurden.

Bei Betrachtung der Studien scheint sich abzuzeichnen, daß Ehepartner und Kinder von Migränepatienten eine größere Wahrscheinlichkeit für Migräne aufweisen als andere Menschen. Dieses Fazit legt nahe, daß Vererbungsfaktoren eine geringe Rolle spielen und möglicherweise Lernfaktoren mehr im Vordergrund stehen.

Sicher kann man derzeit nur sagen, daß das X-Chromosom nichts mit der Vererbung der Migräne zu tun hat. Über das X-Chromosom wird das weibliche Geschlecht bestimmt, über das Y-Chromosom das männliche. Da in allen Studien eine Weitergabe der Migräne vom Vater auf den Sohn beobachtet werden konnte, kann das X-Chromosom als Bedingung ausgeschlossen werden. Davon abgesehen sind bisher nahezu alle möglichen Vererbungswege vorgeschlagen worden.

Einige Forscher gehen davon aus, daß Migräne polygenetisch vererbt wird, also die Informationen mehrerer Gene zusammen kommen müssen. Außerdem sollen sich die Informationen aufgrund unterschiedlicher Einflußfaktoren verschieden stark auswirken können. Sicher ist, daß es eine familiäre Häufung der Migräne gibt. Aber genauso sicher ist, daß es Menschen gibt, deren Verwandte nicht an Migräne leiden.

Eine familiäre Häufung einer Erkrankung bedeutet nicht ohne weiteres, daß die Erkrankung angeboren sein muß. Familienmitglieder haben meist die gleiche Umwelt, die gleiche Erziehung und andere ähnliche Bedingungen.

Auch Zwillingsuntersuchungen konnten keinen Beweis für irgendeine bestimmte Vererbungsform erbringen.

■ Ob und auf welche Weise Migräne vererbt wird, weiß niemand ganz genau.

■ Sicher ist nur, daß viele Migräneexperten eine Rolle der Vererbung für die Migräne aufgrund der familiären Häufung *vermuten*.

Behinderung, Arbeitsausfall und Freizeitverlust durch Migräne

Nahezu alle Betroffenen geben eine schwere (37 %) oder sehr schwere (58 %) Behinderung durch ihre Migräne an (Abb. 35). 96 % berichten über eine Reduktion ihrer Arbeitsproduktivität von unterschiedlichem Ausmaß. Während der Migräneattacken sind 14 % der Betroffenen sogar an das Bett gebunden (Abb. 36). 6 % müssen sich regelmäßig, 25 % gelegentlich wegen ihrer Migräneattacken krankschreiben lassen. Arbeitsunfähigkeit besteht im Mittel an 17 Tagen pro Jahr, und die normale Freizeitaktivität wird an weiteren 17 Tagen pro Jahr unmöglich gemacht (Abb. 37 und 38).

Wird von den Patienten angegeben, daß Kopfschmerzattacken an bestimmten Wochentagen be-

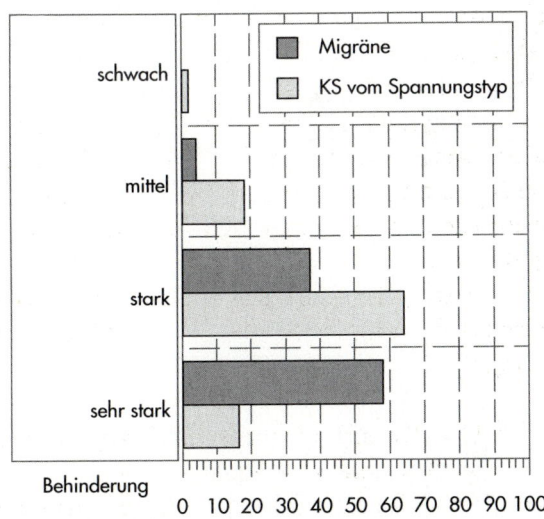

Abb. 35. Patienten wurden befragt, wie stark sie durch ihre Kopfschmerzen behindert sind.

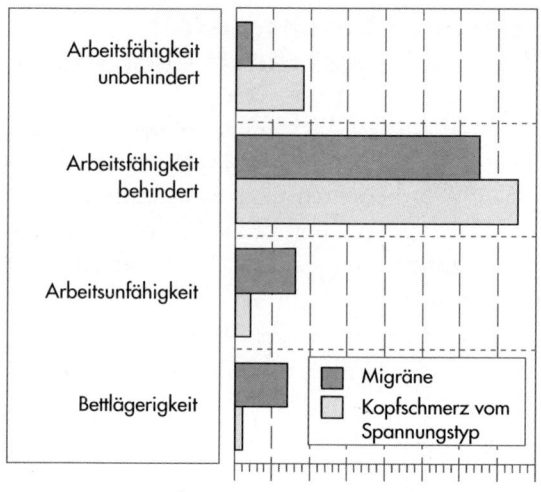

0 10 20 30 40 50 60 70 80

Abb. 36. Patienten wurden befragt, wie stark ihre Arbeitsfähigkeit durch die Kopfschmerzen reduziert ist. .

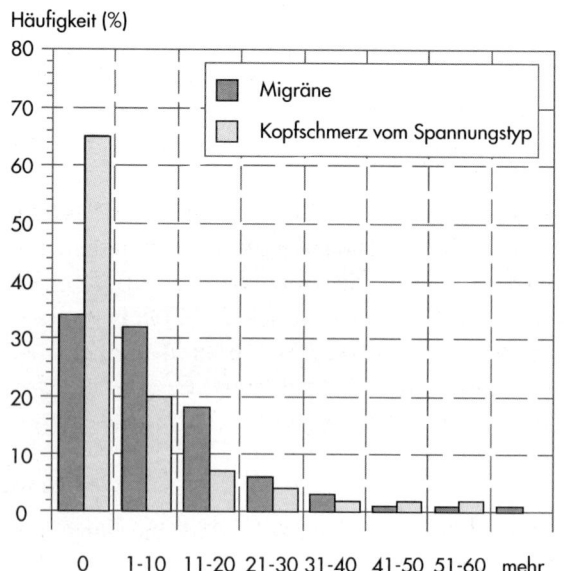

98

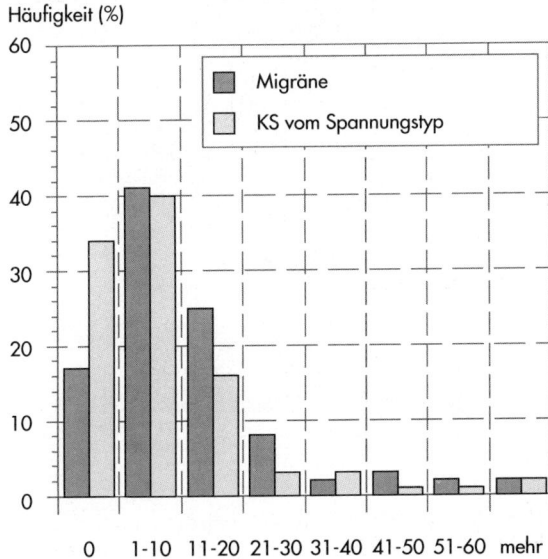

Abb. 38. Tage pro Jahr, an denen es kopfschmerzbedingt unmöglich ist, Freizeitaktivitäten nachzugehen.

vorzugt erscheinen, dann wird für Migräneattacken der Samstag am häufigsten genannt, was zu einer erheblichen Behinderung des sozialen Lebens und der Freizeit führt (Abb. 39).

Die meisten Menschen verlassen die Arbeitsstätte nicht wegen ihrer Kopfschmerzen und verursachen somit keine unmittelbaren direkten Kosten für das Gesundheitswesen. In Anbetracht des erheblichen Ausmaßes der kopfschmerzinduzierten Behinderungen ist jedoch die Produktivität stark reduziert. Es ergeben sich somit erhebliche indirekte Kosten durch die Kopfschmerzerkrankungen.

◄ **Abb. 37.** Tage mit kopfschmerzbediger Arbeitsunfähigkeit pro Jahr.

99

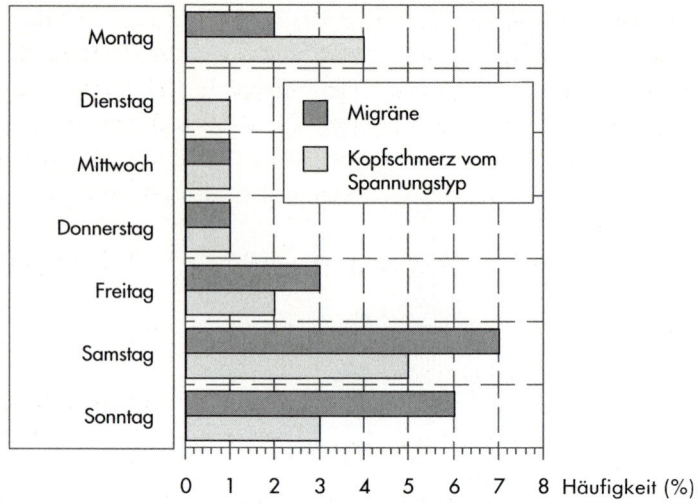

Abb. 39. Patienten wurden befragt, an welchen Wochentagen ihre Kopfschmerzen am häufigsten auftreten.

Patienten mit primären Kopfschmerzen haben durch ihre Erkrankungen sowohl in der Freizeit als auch während der Arbeitszeit einen erheblichen Leidens- und Behinderungsdruck. Das Vorurteil, daß Migräne als Ausrede für Arbeitsunwillen benutzt wird, ist unhaltbar.

Behinderung zwischen den Migräneattacken

Migräne ist mehr als Kopfschmerz, der vorübergeht. Migräne ist vielmehr eine ständig wiederkehrende, gemeine Erkrankung, die zu einer extremen Einschränkung der Lebensqualität führt und eine ernsthafte Behinderung darstellt.

Dies zeigt sich bei einem Vergleich der Lebensqualität von Menschen, die an Migräne oder anderen Erkrankungen leiden. Die amerikanische Wissenschaftlerin Jane Osterhaus hat im Jahre 1992 die Dimensionen der Lebensqualität mit einem Fragebogen bei Menschen, die an Migräne, und bei Menschen, die an anderen Erkrankungen leiden, standardisiert erfaßt. Folgende Dimensionen der Lebensqualität wurden dabei analysiert:

- Körperliche Aktivität: die Fähigkeit, sich körperlich zu betätigen
- Alltagsaktivität: die Fähigkeit, die Tätigkeiten des Alltags zu regeln
- Soziale Aktivität: die Fähigkeit, Freundschaften, Familienleben und andere soziale Beziehungen aufrechtzuhalten
- Psychische Gesundheit: Ausmaß der Stimmung und der Befindlichkeit
- Gesundheitswahrnehmung: das allgemeine Gesundheitsgefühl
- Schmerz: das Vorhandensein von Schmerzen

Menschen ohne chronische Erkrankungen kann man als Vergleichsgruppe mit »normaler Lebensqualität« heranziehen. In Abb. 40 ist diese normale Lebensqualität auf die Ausprägung 0 standardisiert. Negative Zahlen belegen eine Verminderung der Lebensqualität. Menschen, die an Migräne leiden, wichen deutlich bei allen Dimensionen von der gesunden Vergleisgruppe ab, und zwar auch dann, wenn gar keine aktuelle Attacke vorliegt.

Um die Bedeutung der Behinderung besser einordnen zu können, wurden auch Erhebungen bei anderen Patienten mit chronischen Erkrankungen durchgeführt. Dazu wurden Patienten mit Zuckerkrankheit (Diabetes mellitus) und anfallsartigen Schmerzen hinter dem Brustbein bei Erkrankung der Herzkranzgefäße (Angina pectoris) herangezogen. Obwohl es sich hier um »aner-

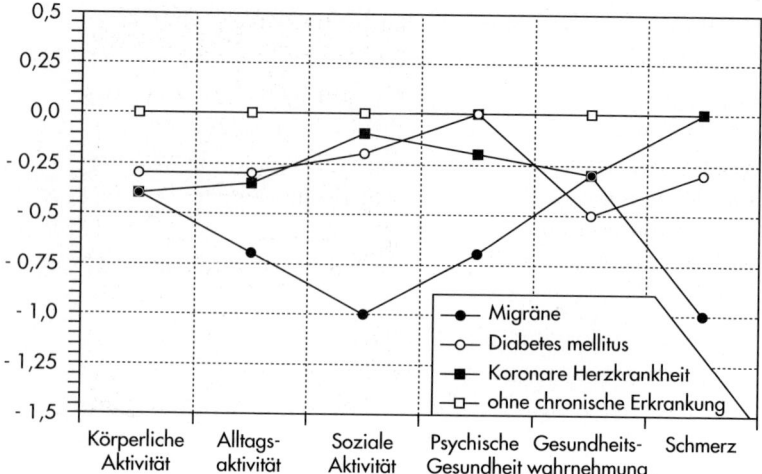

Abb. 40. Verminderung der Lebensqualität zwischen den Migräneanfällen bei Menschen, die an Migräne oder anderen chronischen Erkrankungen leiden. Migräne behindert besonders die Alltagsaktivitäten, die sozialen Beziehungen und das psychische Befinden.

kannte« schwerwiegende Erkrankungen handelt, zeigen diese Patienten eine deutlich geringere Reduktion ihrer Lebensqualität. Das Ausmaß des Leidens »Migräne« im Vergleich zu anderen Erkrankungen wird hier besonders prägnant. Patienten mit Migräne sind besonders in ihrer Alltagsaktivität, in ihrer sozialen Aktivität und durch den Schmerz behindert.

Diese Behinderungen beziehen sich nicht nur auf die Zeiten während einer akuten Attacke, sondern auch auf die anfallsfreie Zeiträume. Auch während der Zeit ohne Kopfschmerzen müssen viele Migränepatienten ihr Leben nach der Migräne ausrichten (Abb. 41). Sie leben in Angst vor der nächsten Attacke. Sie planen keine Aktivitäten am Wochenende. Sie verabreden sich nicht zu einem abendlichen Treffen, weil Sie wissen, daß mit gro-

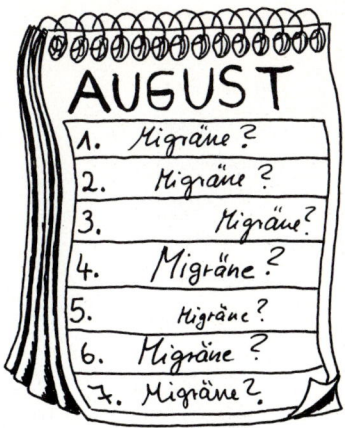

Abb. 41. Viele Menschen mit Migräne leben mit der Angst vor der nächsten Attacke. Eine langfristige Planung von sozialen Aktivitäten ist erschwert, weil die Betroffenen immer in der Furcht leben, von der Migräne einen Strich durch die Rechnung gemacht zu bekommen...

ßer Wahrscheinlichkeit die nächste Attacke vorprogrammiert ist und alles verhindert.

Behinderung während der Migräneattacke

Die Behinderung durch die Migräne während der Attacke selbst umfaßt den gesamten betroffenen Menschen und dessen Befindlichkeit. Migräne betrifft keinesfalls nur neurologische Begleitstörungen, den Schmerz, Übelkeit oder Erbrechen. Die Migräne hat den gesamten Menschen im Griff.

Vergleicht man die verschiedenen Merkmale der aktuellen Befindlichkeit bei Betroffenen während der kopfschmerzfreien Pause zwischen den Attacken mit der Zeit während der Migräneattacke, wird deutlich, daß der betroffene Mensch in seiner gesamten Erlebniswelt leidet (Abb. 42). Nahezu alle Ausprägungen der verschiedenen Befindlichkeitsmerkmale sind bedeutsam von der normalen Ausprägung hin zu sehr unangenehmen Bereichen verändert.

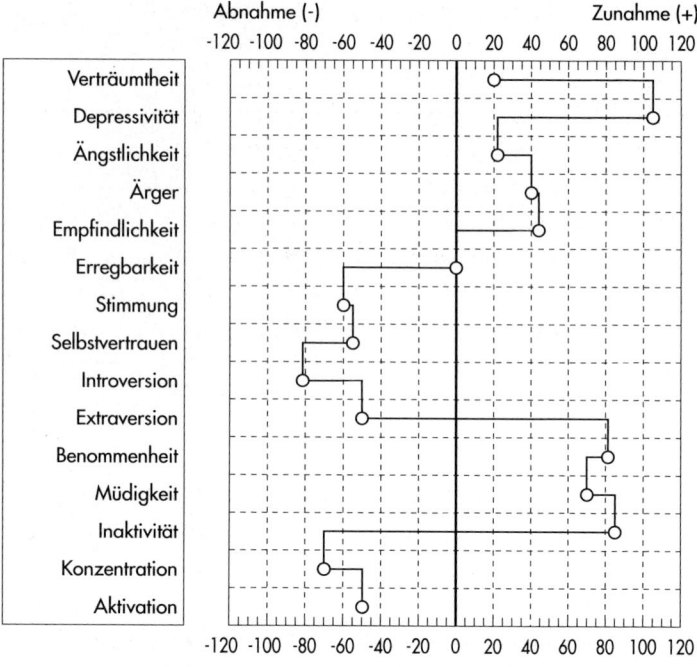

Abb. 42. Behinderung während der Migräneattacke. Aufgezeichnet sind die Abweichungen (in %) der Befindlichkeit vom Normalzustand während der kopfschmerzfreien Zeit.

Was die Betroffenen über Migräne wissen

Bei der Wahl der Therapieform, der Aufnahme von Informationen, der Arztwahl und dem Verhalten im Zusammenhang mit der Kopfschmerzerkrankung spielen die Konzepte und die Bezeichnungen der Patienten für ihre Kopfschmerzen eine entscheidende Rolle. Falsche Bezeichnungen können Patienten abhalten, eine adäquate Therapie zu suchen und auch zu einer fehlerhaften Kommunikation im Arzt-Patienten-Gespräch führen.

Die Namensgebung der Kopfschmerzen durch die Betroffenen selbst kann in fünf Gruppen eingeteilt werden:

■ ursachenorientierte Klassifikation
■ eine symptomorientierte Klassifikation
■ eine nach Erkrankungen orientierte Klassifikation
■ eine nach der Lokalisation orientierte Klassifikation
■ eine durch allgemeine Bezeichnungen gekennzeichnete Klassifikation.

Nur 27 % der Migränepatienten bezeichnen ihre Kopfschmerzen als Migräne, obwohl die Kriterien der Migräne bei allen Patienten erfüllt sind. Am häufigsten werden die Kopfschmerzen als »Druckkopfschmerz«, »Streßkopfschmerz«, »Wetterkopfschmerz«, »Menstruationskopfschmerz« oder »psychischer Kopfschmerz« bezeichnet. 48 % der Patienten haben überhaupt keine Vorstellung darüber, wie sie die Kopfschmerzen speziell benennen sollten.

50 % der Betroffenen nehmen eine körperliche Erkrankung als Ursache ihrer Kopfschmerzen an (Abb. 43). Am häufigsten wird eine Störung der Halswirbelsäule oder der Nackenmuskulatur angeschuldigt (75 %), gefolgt von Erkrankungen des Kreislaufes (25 %) oder des Hormonstoffwechsels (11 %).

In der Bevölkerung ist spezifisches Wissen über Kopfschmerz extrem unterentwickelt (Abb. 44). Wenn überhaupt, werden Informationen nur zufällig zugänglich (Abb. 45). Moderne Konzepte zur Behandlung und Verursachung von Kopfschmerzen sind weitgehend unbekannt. Nur ein Drittel der Patienten mit Migräne sind in der Lage, ihre Kopfschmerzerkrankung richtig zu benennen. Daher muß angenommen werden, daß Kopf-

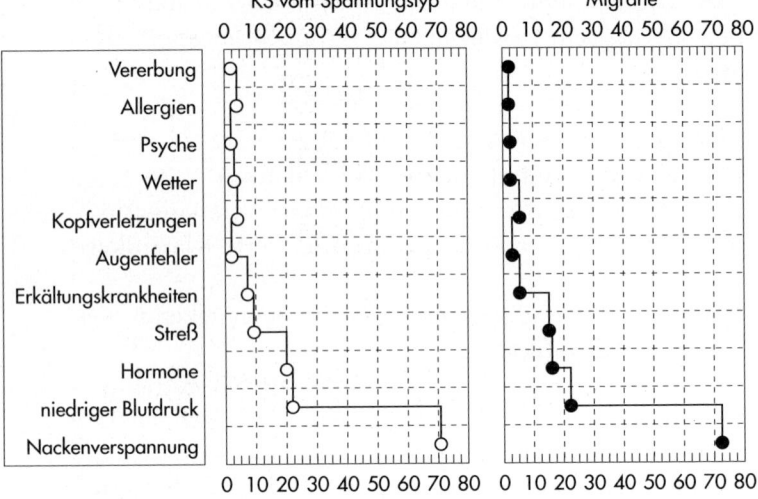

Abb. 43. Patienten wurden befragt, welche Ursache sie selbst für ihre Kopfschmerzen annehmen.

Abb. 44. Zum Thema Kopfschmerzen gibt es keine öffentliche Gesundheitserziehung. Das Wissen der Betroffenen ist gering, es besteht »Kopfschmerz-Analphabetismus« in der Bevölkerung.

schmerzpatienten derzeit in der Regel keine spezifischen Therapiemöglichkeiten und Verhaltensweisen realisieren können, um ihren Kopfschmerzen mit gesicherten Maßnahmen entgegentreten zu können.

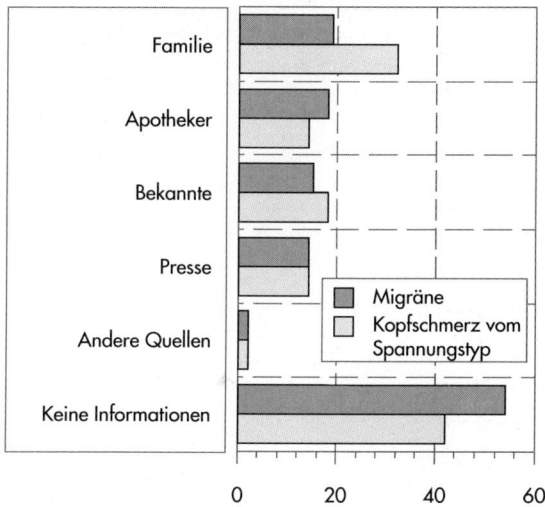

Abb. 45. Wie sich Kopfschmerzpatienten über Behandlungsmöglichkeiten informieren.

Migräne und Arztkonsultation

Nur wenige gehen zum Arzt

Ein großer Teil der Menschen, die an primären Kopfschmerzen leiden, nimmt trotz erheblicher Behinderung ärztliche Behandlung nicht in Anspruch. Wie die betroffenen Patienten ihre Kopfschmerzerkrankungen behandeln, welche medikamentösen und nichtmedikamentösen Behandlungsverfahren eingesetzt werden und welche Kenntnisse die Patienten zu den Behandlungsverfahren haben, ist deshalb von besonderer Bedeutung.

38 % der Migränepatienten geben an, bisher *noch nie* wegen Kopfschmerzen ärztlich behandelt worden zu sein. Jedoch suchen mit zunehmendem Alter die Patienten den Arzt eher auf (Abb. 46).

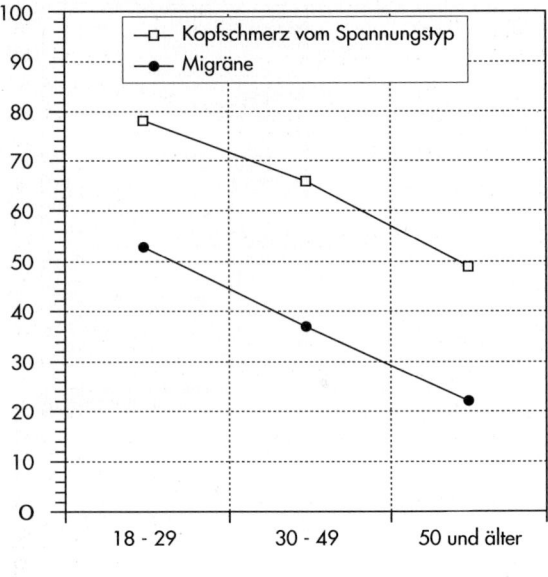

100
90   —□— Kopfschmerz vom Spannungstyp
80   —●— Migräne
70
60
50
40
30
20
10
0
        18 - 29   30 - 49   50 und älter

Altersgruppen

Abb. 46. Prozentualer Anteil der Menschen, die an Migräne oder Kopfschmerz vom Spannungstyp leiden und bisher noch nie deswegen beim Arzt waren.

Die folgenden Gründe, nicht zum Arzt zu gehen, werden am häufigsten angegeben: 51 % nehmen Kopfschmerzen hin, 41 % behandeln sich selbst und 15 % gehen davon aus, daß Ärzte bei Kopfschmerzen eh nicht helfen können.

Welche Diagnose Ärzte den Migränepatienten mitteilen

Ärzte, zu denen Migränepatienten gehen, sind in den meisten Fällen Allgemeinärzte (80 %), gefolgt von Neurologen (29 %), Internisten (26 %) und Orthopä-

108

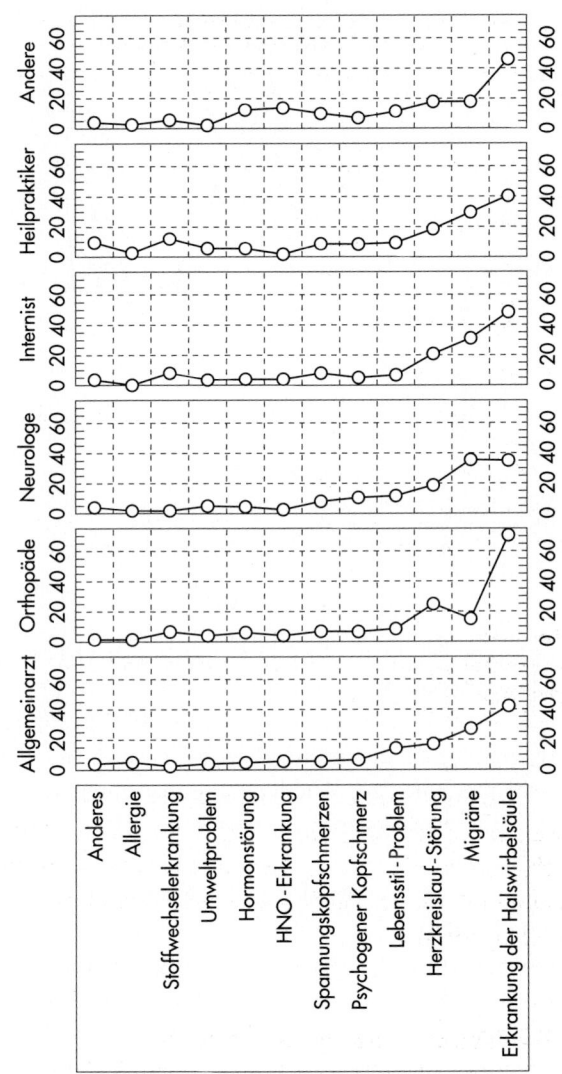

Abb. 47. Welche Diagnose von welchen Ärzten Patienten mitgeteilt wurde, die an Migräne leiden.

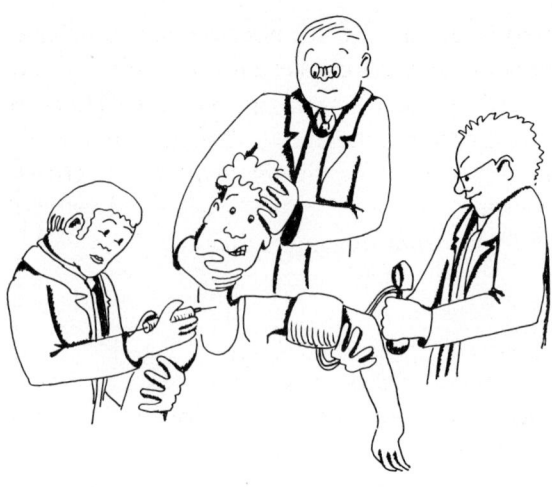

Abb. 48. Die unterschiedlichen Konzepte verschiedener ärztlicher Fachgruppen zur Migräne.

den (26 %). Obwohl alle Patienten die Kriterien der Migräne erfüllten, wurde bei nur 26 % von den behandelnden Ärzten die Diagnose Migräne gestellt. Meistens wurde ihnen gesagt, daß eine Erkrankung der Halswirbelsäule vorliege. Wie sich die verschiedenen Diagnosen auf die Fachdisziplinen verteilen, ist in Abb. 47 dargestellt.

Ärzte verschiedener Fachgruppen haben größtenteils fundamental unterschiedliche Konzepte zur Klassifikation und Diagnostik von Kopfschmerzen.

In Folge dieser unterschiedlichen Ansichten werden unspezifische Behandlungsverfahren eingesetzt: Augenärzte verschreiben am ehesten eine Brille, Orthopäden versuchen die Halswirbelsäule »einzurenken«, Internisten behandeln den Blutdruck, Anästhesisten geben Betäubungsspritzen, Frauenärzte versuchen Hormone etc. (Abb. 48).

110

Das Vertrauen in die Kompetenz der medizinischen Versorgung wird durch die teilweise völlig unterschiedlichen Erklärungen, Klassifikationen und Therapien von Kopfschmerzen seitens der Patienten reduziert. Dies ist sicher ein wichtiger Grund, warum ein großer Teil der Patienten auf den Arztbesuch verzichtet und sich anderweitig Informationen einholt.

Entstehung der Migräne

Unterscheidung von Auslösefaktoren und Ursachen

Um die Entstehung von Migräneanfällen zu verstehen, muß man zwei Faktoren streng unterscheiden, nämlich

- die Auslöser von Migräneanfällen
- die Ursachen von Migräneanfällen

Bei Menschen, die mit einer *Fähigkeit ausgestattet sind* (Ursache), Migräneattacken zu bekommen, können *viele verschiedene Faktoren* (Auslöser) einen Kopfschmerzanfall in Gang bringen.

Lassen Sie uns nochmals das Beispiel des Sonnenbrandes bemühen, um dies zu verdeutlichen: Legen sich zwei Menschen an den Strand in die Sonne, ist das Entstehen eines Sonnenbrandes nicht allein von der Sonne abhängig. Menschen mit heller Haut werden sehr schnell einen Sonnenbrand entwickeln. Bei Menschen mit sehr dunkler Haut dagegen entsteht überhaupt kein Sonnenbrand. Hier wird deutlich, daß die *Fähigkeit*, mit einem Sonnenbrand zu reagieren, in der angeborenen geringen Konzentration von Hautfarbstoffen als *eigentli-*

che Ursache begründet ist. Die Sonneneinstrahlung selbst dient nur als *Auslöser* und kann bei Vorliegen der Ursache bei Menschen mit heller Haut zur Krankheit führen, bei den anderen Menschen mit dunkler Haut nicht.

Nach heutiger Auffassung kann als *Ursache* der Migräne eine angeborene, besondere Empfindlichkeit für plötzliche Änderungen im Nervensystem aufgefaßt werden.

Diese Bedingung muß vorliegen, damit Menschen mit Migräneattacken reagieren können. Plötzliche Änderungen im Nervensystem können sehr vielfältig ablaufen und durch mannigfaltige Auslöser bedingt werden.

Auslösende Änderungen sind z. B.:

- äußere Reize, wie Licht, Lärm oder Gerüche
- Wetteränderungen (Föhn, Hitze usw.)
- außergewöhnliche körperliche Belastungen (Erschöpfung, Hungern usw.)
- außergewöhnliche psychische Belastungen (Streß, Freude, Trauer usw.)
- Änderungen des üblichen Tagesablaufes (Auslassen von Mahlzeiten, zuviel oder zuwenig Schlaf)
- Hormonveränderungen (Menstruation)
- Änderung der normalen Nahrungszufuhr (Alkohol, Kaffee, Käse, Gewürze usw.).

Ist man sich dieser Auslöser bewußt, kann man versuchen, sie zu vermeiden (Abb. 49). In einigen Fällen geht das sehr leicht, z. B. indem man keinen Alkohol trinkt oder regelmäßig ißt. In anderen Fällen ist es aber nur sehr schwer oder überhaupt nicht möglich, z. B. bei Wetterwechsel oder Prüfungsstreß. Aber halt! – Manchmal lassen sich auch Dinge im Leben ändern, die auf den ersten Blick völlig unveränderbar erscheinen.

112

Abb. 49. Auslösefaktoren können individuell sehr unterschiedlich sein. Bei diesem Zeitgenossen sind Streß und unregelmäßige Nahrungsaufnahme im Spiel...

Als optimale Behandlungsmethode gilt deshalb, persönliche Auslösefaktoren zu finden und möglichst zu vermeiden. Da man nur Dinge finden kann, nach denen man sucht, ist nachfolgend eine Auslöser-Identifizierungsliste für Sie abgedruckt. Kreuzen Sie an, welche Auslöser bei Ihnen eine Rolle spielen könnten. Ein Migränetagebuch (s. S. 32) kann Ihnen bei der weiteren erfolgreichen Suche nach Ihren Migräneauslösern sehr behilflich sein.

▨ Checkliste für Kopfschmerzauslöser

Bei vielen Menschen, die eine angeborene Reaktionsbereitschaft für Migräne haben, können nicht nur ein, sondern auch mehrere Auslösefaktoren wirksam sein. Wirken mehrere zusammen, z. B. Streß, Schlafmangel und Alkohol, ist die Wahrscheinlichkeit für Migräneattacken sehr hoch. Nahrungsmittel oder Hormonumstellungen sind als Auslösefaktoren während der Menstruation besonders bekannt. Es gibt jedoch sehr viel mehr Auslösefaktoren. Einige können Sie hier fin-

113

den. Sind darunter auch welche bei Ihnen wirksam?
Kreuzen Sie an:

❏ Streß	❏ Auslassen von
❏ Angst	Mahlzeiten
❏ Sorgen	❏ Wetterumschwung
❏ Traurigkeit	❏ Klimawechsel
❏ Depression	❏ Föhnwind
❏ Rührung	❏ helles Licht
❏ Schock	❏ Überanstrengung
❏ Erregung	der Augen
❏ Überanstrengung	❏ Heißes Baden
❏ körperliche	oder Duschen
Erschöpfung	❏ Lärm
❏ geistige Erschöpfung	❏ intensive Gerüche
❏ plötzliche	❏ Nahrungsmittel
Änderungen	❏ Gewürze
❏ Wochenende	❏ Medikamente
❏ spätes Zubett-	❏ Alkohol
gehen	❏ Achten auf die
❏ langes Schlafen	schlanke Linie
❏ Urlaubsbeginn	❏ Menstruation
oder -ende	❏ Blutdruck-
❏ Reisen	änderungen
❏	❏ Tragen schwerer
❏	Gewichte
❏	❏ ....

Überlegen Sie, wie Sie Ihre Auslöser »unschädlich«
machen können: Nehmen Sie ein Blatt Papier und
schreiben Sie Strategien auf. Versuchen Sie es am besten
jetzt gleich...

114

Was im Körper bei Migräneanfällen geschieht

Historische Migränetheorien

Da die Migräne keine moderne Erkrankung ist, sondern seit frühester Zeit besteht, haben sich auch unsere Vorfahren intensive Gedanken zur Entstehung der Kopfschmerzen gemacht. Der Kopfschmerz wurde als Werk böswilliger Wesen angesehen oder schlechter Energieflüsse, die im Schädel ihr Unwesen treiben. Die Behandlung erfolgte entsprechend durch Geisterbeschwörung, Exorzismus oder noch drastischer durch Bohrung eines Loches in den Kopf (sog. Schädeltrepanation) zur Befreiung der Geister.

Die Ansichten über die Migränepathophysiologie (Pathophysiologie ist die Lehre von der Entstehung von Krankheiten und den Krankheitsabläufen) änderten sich dann viele Jahrhunderte nicht. Im Jahre 1664 publizierte T. Willis die Annahme, daß Blutstauung und Erweiterung von Blutgefäßen den Migränekopfschmerz verursachen würden. Dies kann als erste Formulierung der *vaskulären Migränetheorie* (vasa [lat.] Gefäß, gemeint sind die Blutgefäße) angesehen werden. H. Airy (1870) nahm bereits an, daß die Migräneaura durch Durchblutungsstörungen im Gehirn zustande komme.

Die Ursache der Blutflußänderungen führte E. Liveing (1873) auf übermäßige Entladungen von Nerven im Gehirn zurück. Die verantwortlichen Nerven lokalisierte er im Thalamus, eine Region des Gehirns, die besonders mit Gefühlen und Affekten in Verbindung gebracht wird. Mit dieser Überlegung war erstmals die *neurogene Migränetheorie* formuliert.

Diese historischen Migränekonzepte beruhten jedoch ausschließlich auf Spekulation am Schreibpult

115

und waren durch experimentelle Befunde aufgrund wissenschaftlicher Untersuchungen im Labor nicht belegt.

■■ Reaktionen von Blutgefäßen

Erste umfassende experimentelle Untersuchungen zur Entstehung der Migränesymptomatik wurden von Graham und Wolff (1938) publiziert, also erst im zweiten Drittel des 20. Jahrhunderts. An einigen ausgewählten Migränepatienten untersuchten die beiden Forscher das Pulswellenverhalten in Blutgefäßen des Kopfes. Sie fanden in ihren Untersuchungen, daß die Kopfschmerzintensität nach Gabe von Ergotamin abklang und parallel dazu die Stärke der Pulsationen in der Schläfenarterie sich verkleinerte (Abb. 50).

Da auch das Zusammendrücken der Schläfenarterie mit der Hand zu einer Kopfschmerzbesserung führte, lag die Annahme nahe, daß eine Gefäßerweiterung (Vasodilatation) die Kopfschmerzursache sei.

An ausgesuchten Patienten wurde auch demonstriert, daß bereits drei Tage vor Beginn der Migräneattacke die Pulsationsamplitude der oberflächlichen Schläfenarterie (Arteria temporalis superficialis) größer ist und die Arterie stärkere Veränderungen ihres Durchmessers aufweist.

Zur Erklärung der neurologischen Symptome bei der Migräne mit Aura wurde eine Verengung von Blutgefäßen innerhalb des Gehirns angenommen, welche zu einer mangelnden Blutversorgung von bestimmten Hirnbereichen führen sollte.

Die Ergebnisse der Arbeitsgruppe um Wolff sind teilweise aufgrund technischer Einschränkungen der eingesetzten Meßverfahren und statistischer Probleme nach

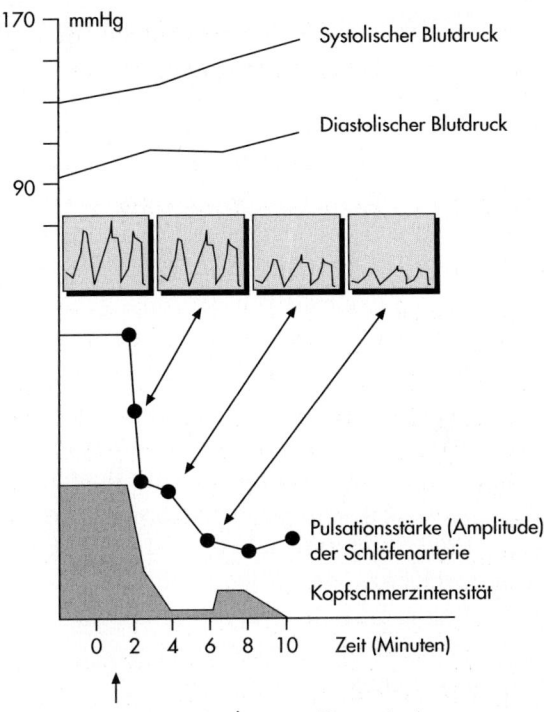

Abb. 50. Das Untersuchungsergebnis der Migränewissenschaftler Graham und Wolff aus dem Jahre 1938. Bei Gabe von Ergotamin konnten sie eine deutliche Abnahme der Pulsationen an der Schläfenarterie feststellen, während der Kopfschmerz verschwand. Dies war der Beginn der Annahme, daß Migräne durch eine Gefäßerweiterung entstehe und die Migränemedikamente gefäßverengend wirken müßten.

heutigen Kriterien vorsichtig zu interpretieren. Wolff hat jedoch erstmalig gezeigt, daß Kopfschmerzmechanismen experimentell im Labor untersucht werden können und damit eine besondere wissenschaftliche Pionierleistung erbracht.

117

Vermittlung der Gefäßreaktionen

Im Bereich der schmerzhaften und erweiterten Blutgefäße kann während der Migräneattacke häufig eine Rötung und Schwellung beobachtet werden. Diese Merkmale sind Zeichen einer lokalen Entzündung, und man hat nach Stoffen gesucht, die diese Entzündung auslösen. Ostfeld und seine Mitarbeiter identifizierten 1957 einen Eiweißstoff in der Flüssigkeit um die entzündeten Gefäße. Diesen Stoff machten sie für die gesteigerte Schmerzempfindlichkeit verantwortlich.

Einer der wichtigsten Meilensteine in der Erforschung der Migräne ist eine Beobachtung des italienischen Migräneforschers Sicuteri aus dem Jahr 1961. Er fand, daß die 5-Hydroxyindolessigsäure (5-HIES), ein Abbaustoff des Serotonins (chemisch: 5-Hydroxytryptophan, Abkürzung: 5-HT), während der Migräneattacke verstärkt im Urin ausgeschieden wird.

Dieser Befund konnte mehrfach von anderen Forschern bestätigt werden. Serotonin ist im Körper zum größten Teil in den Blutplättchen, den Thrombozyten, gespeichert. Der Name »Serotonin« sagt, daß dieser Stoff in der Lage ist, die Blutgefäße zu verengen. Die Serotoninkonzentration der Blutplättchen steigt vor der Migräneattacke bei den meisten Patienten über den normalen Wert an und sinkt während der Kopfschmerzphase unter diesen ab. In weiteren Studien konnte dies mehrfach bestätigt werden und dabei ein Abfall des Serotonins zwischen 15 % bis 52 % ermittelt werden. Als Ursache der Serotoninfreisetzung aus den Thrombozyten wurde ein Serotoninfreisetzungsfaktor angenommen. Dieser Faktor konnte jedoch bis heute nicht gefunden werden. Die Existenz eines solchen Frei-setzungsfaktors wurde jedoch von anderen Forschern bezweifelt.

Einen weiteren Hinweis auf die Rolle von Sero-tonin in der Migräneentstehung gibt uns Reserpin, ein älteres Medikament, das früher oft zur Senkung von Bluthochdruck eingesetzt wurde: Es kann sowohl den Plasmaspiegel des Serotonin senken als auch typische Migräneattacken auslösen. Die Gabe von Serotonin in das Gefäßsystem mit einer Spritze kann sowohl den durch Reserpin verursachten Kopfschmerz als auch den spontan aufgetretenen Migränekopfschmerz beenden.

Die vaskuläre Theorie der Migräne

Serotonin kann Blutgefäße verengen und die Wir-kung von Entzündungsstoffen verstärken. Nach der sog. *humoral-vaskulären Theorie* (d. h. Blutstoff-Blutgefäß-Theorie) der Migräne wird zu Beginn im Migräneanfall aus den Blutplättchen Serotonin freigesetzt. Die zirkulie-renden Stoffe führen dann zu einer Verengung der klei-nen Blutgefäße im Gehirn und verursachen damit die neurologischen Symptome in der Auraphase. Das freige-setzte Serotonin wird jetzt schnell abgebaut, deshalb be-steht kurzfristig ein Serotoninmangel, der eine schmerz-hafte Gefäßerweiterung zur Konsequenz haben soll (Abb. 51).

Nach der vaskulären Theorie ist die Migräne eine Erkrankung der Blutplättchen.

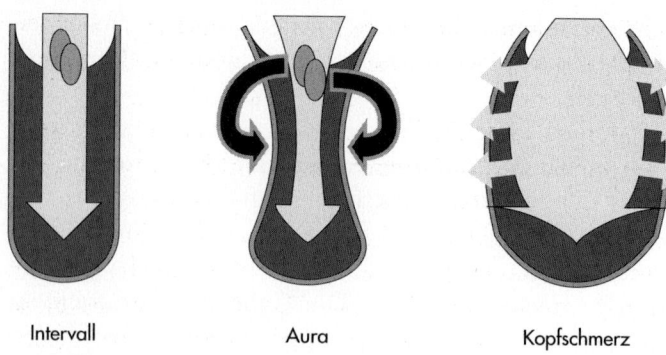

Intervall   Aura   Kopfschmerz

Abb. 51. Die vaskuläre Theorie der Migräne.

Widersprüche in der Gefäßtheorie

Aus mehreren Gründen ist es unwahrscheinlich, daß das im Blut zirkulierende Serotonin als *primäre Ursache* der Migräne angesehen werden kann. So ist der Anstieg von Serotonin im Blut während der Migräneattacke zu klein, um die entsprechenden Gefäßreaktionen zu erklären. Darüber hinaus sind die Serotoninkonzentrationen im Blut nicht mit der Ausprägung der Aura- bzw. der Kopfschmerzsymptomatik in Zusammenhang zu bringen. Man würde erwarten, daß die Aura um so stärker ausgeprägt ist, je höher die Serotoninkonzentration ansteigt. Umgekehrt sollte der Kopfschmerz um so schlimmer sein, je größer der Mangel an Serotonin ist. Diese Zusammenhänge bestehen jedoch nicht. Auch können die Serotoninkonzentrationen noch mehrere Tage nach Abklingen der Kopfschmerzphase unterhalb des Normbereiches liegen, obwohl dann keine Kopfschmerzen mehr bestehen.

Eine allgemeine Erhöhung der Serotoninkonzentration kann nicht erklären, warum es zur typischen umschriebenen (= fokalen) Aurasymptomatik kommt, da das Serotonin an allen Gefäßen wirkt und entsprechend eine allgemeine Symptomatik die Folge sein sollte.

Gleiches gilt für den halbseitigen oder umschriebenen Migränekopfschmerz, der ebenfalls nicht mit einer allgemeinen Serotoninfreisetzung zu erklären ist.

Es ist denkbar, daß nicht die absolute Höhe des Serotoninspiegels, sondern die plötzliche relative Konzentrationsänderung zu Beginn der Migräneattacke bei deren Auslösung entscheidend ist. Ein Beleg gegen diese Annahme ist eine bestimmte Krebserkrankung, bei der der Tumor plötzlich in großen Mengen Serotonin in den Kreislauf freigibt, das sog. Karzinoidsyndrom. Kopfschmerz ist dabei kein typisches Symptom.

Untersuchungen des Blutflusses im Gehirn

Die Ergebnisse der Arbeitsgruppe um den Schmerzforscher Wolff konnten teilweise in späteren Studien nicht bestätigt werden. So berichteten Blau und Dexter im Jahre 1981, daß sich bei nur 21 von 47 Migränepatienten der Kopfschmerz bei Zusammendrücken der Blutgefäße an der Außenseite des Schädels besserte und die Mehrzahl über eine Zunahme der Kopfschmerzintensität bei Husten oder Pressen klagte. Husten und Pressen erhöht den Druck im Körperinnern, deshalb wurde nunmehr angenommen, daß der Migräneschmerz doch im Gehirn selbst entstehen soll.

Aus weiteren Untersuchungen bei Patienten mit einseitigem Migränekopfschmerz, bei denen systematisch verschiedene Blutgefäße des Kopfes durch Druck verengt wurden, zeigte sich, daß bei einem Drittel der Patienten ein Ursprung des Kopfschmerzes an den Schläfenarterien zu verzeichnen war, daß bei einem weiteren Drittel der Kopfschmerz hauptsächlich durch Gefäße innerhalb des Schädels ausgelöst wurde und beim letzten Drittel überhaupt keine Beeinflussung des Kopfschmerzes durch Gefäßeinwirkungen festzustellen war.

Es wird somit deutlich, daß das Kopfschmerzgeschehen nicht notwendigerweise mit einer Erweiterung der Schläfenarterie einhergeht, vielmehr Reaktionen von Gefäßen außerhalb und innerhalb des Schädels und fehlende Gefäßreaktionen in gleicher Häufigkeit festzustellen sind.

Die Änderungen von *räumlichen Gefäßeigenschaften*, d. h. Weit- oder Engstellung, erscheinen somit sekundär und können die Entstehung des Migränekopfschmerzes nicht erklären.

Direkte Messung der Hirndurchblutung

Hauptsächlich in den Jahren zwischen 1980 und 1990 versuchte man, nicht nur die Durchmesser von Blutgefäßen des Kopfes bei Migräne zu bestimmen, sondern vielmehr die Durchblutung des Gehirns direkt zu ermitteln. Dies wurde durch moderne Computertechnik möglich. Die Ergebnisse solcher Untersuchungen haben vielen Annahmen der früheren Jahre die Grundlage entzogen.

In das Kreislaufsystem kann z. B. radioaktiv markiertes Edelgas, wie z. B. das Xenon^{133}, aufgenommen werden. Mit mehreren Empfängern kann dann die räumliche Verteilung des Gases zu verschiedenen Zeitabschnitten im Gehirn gemessen und damit direkt auf die Durchblutung in verschiedenen Regionen des Gehirns geschlossen werden. Die sog. Single-Photon-Emissionscomputertomographie (SPECT) erlaubt eine noch genauere Darstellung der Hirndurchblutung.

In neueren Untersuchungen (1981) konnten der Kopenhagener Migräneforscher Jes Olesen und seine Mitarbeiter bei Patienten mit *Migräne mit Aura* beobachten, daß während der Auraphase eine Mangeldurchblutung im hinteren Hirnbereich besteht, die erst allmählich mit der Kopfschmerzphase abklingt. Mit der Ausbreitung der Mangeldurchblutung nimmt gleichzeitig die Aurasymptomatik zu. Das ist interessant, denn die Hirnrinde im Bereich des Hinterkopfes ist für das Sehen zuständig.

Die Ausbreitungsgeschwindigkeit entsprach dabei der Ausbreitungsgeschwindigkeit von visuellen Zickzacklinien im Gesichtsfeld (Fortifikationsspektren) während der Migräneattacke.

Zusätzlich konnten schnelle Zu- und Abnahmen (Oszillationen) des Blutflusses in der Auraphase beob-

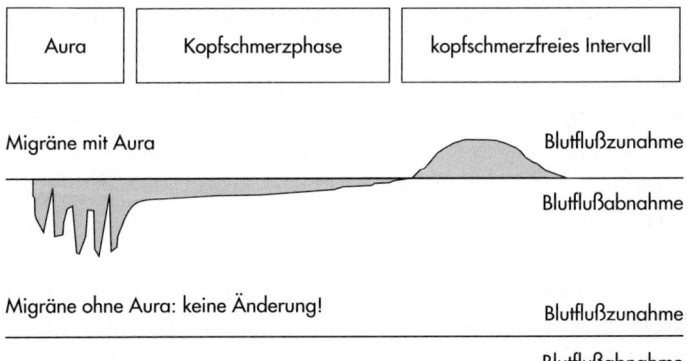

Abb. 52. Veränderung der Hirndurchblutung während verschiedener Migränephasen und Migränetypen. Bei der Migräne mit Aura zeigt sich während der Auraphase eine deutliche Reduktion der regionalen Durchblutung des Gehirns. Die Migräne-Kopfschmerzen lassen sich jedoch mit Durchblutungsänderungen nicht erklären, bei der Migräne ohne Aura sind keine Änderungen der Hirndurchblutung festzustellen.

achtet werden, wobei die Durchblutung zwischen normalen und erniedrigten Werten schwankt (Abb. 52).

Die Forscher erklären mit diesen Beobachtungen das seltene Auftreten von Schlaganfällen während einer Migräneaura. Normalerweise entsteht nämlich ein *Schlaganfall* (Hirninfarkt) durch eine umschriebene Mangeldurchblutung des Gehirns.

Durchblutungsänderungen erklären nicht Migränekopfschmerzen

Die Gegenüberstellung der verschiedenen Befunde in Abb. 52 verdeutlicht aber, daß ein fester Zusammenhang zwischen der Aura, also den neurologischen Begleitstörungen während der Migräneattacke, und der regionalen Minderdurchblutung im Gehirn besteht.

Dagegen sind Untersuchungen des Blutflusses nicht in der Lage einen bedeutsamen Zusammenhang zwischen *Kopfschmerz* und Blutflußänderungen im Gehirn aufzuzeigen, unabhängig davon, ob die *Migräne mit oder ohne Aura* einhergeht. Die Ergebnisse unterstreichen eindeutig, daß Migränekopfschmerzen unabhängig von Änderungen des Blutflusses auftreten.

Kopfschmerzen können bei erhöhter, bei normaler und bei erniedrigter regionaler Hirndurchblutung bestehen.

Der Kopfschmerz während der Migräneattacke ist nach modernen wissenschaftlichen Untersuchungen *nicht* mit Durchblutungsänderungen im Gehirn zu erklären.

Elektrische Störung der Gehirnrinde

Der Wissenschaftler Leaõ beobachtete im Jahre 1944 bei Versuchen an Hirnen von Katzen, daß eine Verletzung der Hirnrinde zu einer Unterdrückung deren elektrischer Aktivität führt. Diese Unterdrückung breitet sich langsam über die Hirnrinde aus, weshalb sie mit dem englischen Begriff »spreading depression« bezeichnet wurde (Abb. 53). Auch die spreading depression geht mit einer örtlichen Mangeldurchblutung des Gehirns einher. Nach diesen Befunden soll eine sich langsam ausbreitende elektrische Störung zu einer Veränderung der regionalen Hirndurchblutung führen. Es wurde angenommen, daß solche Störungen für die Migräneaura verantwortlich sein könnten.

Nun hatten die Migräneforscher neuen Stoff für Streit. Die Diskussionen folgten dem Motto: »Was war zuerst, das Huhn oder das Ei?« Es mußte die Frage geklärt werden, ob zunächst eine Mangeldurchblutung im Hirn besteht, die die Unterdrückung der elektrischen

Abb. 53. Die »spreading depression« ist eine sich langsam über die Hirnrinde ausbreitende Störung der Nervenfunktion. Kann sie erklären, warum das typische Migränesymptom die langsame Ausbreitung von neurologischen Störungen ist, wie z. B. sich über den Arm langsam ausdehnende Kribbelmißempfindungen?

Aktivität zur Folge hat, oder umgekehrt. Die Diskussionen wurden sehr lebhaft geführt. Die Vertreter der sog. vaskulären Migränetheorie sahen eine Bestätigung ihrer Annahmen in dem Umstand, daß die Durchblutungsstörung zu einer Veränderung der elektrischen Aktivität führe. Die Anhänger der sog. neurogenen Migränetheorie behaupteten natürlich das Gegenteil.

Andere Forscher haben sich auf solche Diskussionen nicht eingelassen. Ein Grund dafür ist, daß die »spreading depression« bisher nur bei Tieren, nicht aber bei Menschen beobachtet werden konnte.

Entstehung der veränderten Gefäßschmerzempfindlichkeit

Migränekopfschmerz ist typischerweise pulsierend, pochend und hämmernd. Er verstärkt sich mit jedem Pulsschlag an die Gefäßwände. Eine wesentliche Frage zur Klärung der Entstehung von Migränekopfschmerzen ist somit, weshalb es zu der erhöhten Schmerzempfindlichkeit der Blutgefäße im Kopf kommt.

Entzündung – Reaktion des Körpers auf Schaden

Entzündungsvorgänge sind aus dem Alltag gut bekannt. Sie treten auf bei Verletzungen, bei Infektionen und anderen Schädigungen des Körpers. Der Körper setzt die Entzündung bei äußerlichen oder innerlichen Schädigungen mit dem Zweck ein, den Schaden zu beseitigen, zu inaktivieren oder die Schadensauswirkungen zu reparieren.

In der Medizin werden Entzündungsvorgänge mit der Endigung »-itis« bezeichnet, also z. B. die Hautentzündung als Dermatitits oder die Gefäßentzündung als Vaskulitis.

Die Entzündungen laufen in einer gesetzmäßigen Reihenfolge ab. Sie beginnen mit einer kurzen Gefäßverengung und mit einer kurzen Mangeldurchblutung. Darauf folgen die klassischen Entzündungszeichen:

- *Rötung* aufgrund einer Gefäßerweiterung
- *Wärme* durch beschleunigte Stoffwechselvorgänge
- *Schwellung* durch Austritt von eiweißreicher Flüssigkeit aus den Gefäßwänden
- *eingeschränkte Organfunktion* durch erhöhte Schmerzempfindlichkeit.

Im Anschluß an diese Vorgänge wandern verschiedene Blutzellen durch die Gefäßwände, um den Entzündungsreiz zu bekämpfen und das geschädigte Gewebe zu entfernen. Zur weiteren Bekämpfung des Schadens werden insbesondere bei bakteriellen und viralen Entzündungen Antikörper gebildet, um zukünftig die Schädlinge noch schneller zu bekämpfen. Zusätzlich kann die Blutgerinnung aktiviert werden. Der gesamte Körper kann außerdem mit Streß, Fieber und anderen Äußerungen reagieren.

Bei Entzündungen müssen nicht immer Bakterien oder Viren beteiligt werden. Ein bekanntes Beispiel ist die Hautentzündung nach zu langer Sonneneinstrahlung. Hier werden die Entzündungsvorgänge besonders deutlich: Die Haut ist gerötet, geschwollen und überwärmt, daher der Name »Sonnenbrand«. Schon leichte Berührungen der Haut sind sehr schmerzhaft, und das Reiben des Hemdes tut weh.

Nach neueren Vermutungen soll auch bei Migräne eine Entzündung für die erhöhte Schmerzempfindlichkeit verantwortlich sein. Diese Entzündung werde an den Gefäßwänden durch eine erhöhte Nervenaktivität verursacht, weshalb sie »neurogene Entzündung« genannt wird.

Neurogene Entzündung

Der Begriff der »neurogenen Entzündung« stammt von dem amerikanischen Wissenschaftler Lewis, der schon im Jahre 1937 die Vorgänge der neurogenen Entzündung beschrieb und diese als »nocifensives System« (= System, das Schaden abwehrt) bezeichnete.

Der Ablauf der neurogenen Entzündung kann als eine Erklärung der abnormen Schmerzempfindlichkeit der Blutgefäße und für die Entstehung von Migränekopfschmerzen dienen. Es ist darüber hinaus möglich, im Tierversuch am Modell der experimentell ausgelösten neurogenen Entzündung die Wirkungsweise von Migränemedikamenten zu studieren.

Der amerikanische Wissenschaftler Michael Moskowitz aus Boston beschrieb 1984 systematisch die Zusammenhänge zwischen der Aktivität des die Blutgefäße des Kopfes versorgenden Nerven, dem Nervus trigeminus, und den Reaktionen der Blutgefäße im Schädelinneren. Er konnte belegen, daß Botenstoffe nicht nur von den Gefäßen zu den Nervenfasern wirken können, sondern auch in umgekehrter Richtung, also von den Nervenfasern zu den Gefäßen hin.

So können einerseits Informationen vom Gefäß zum Nerven weitergeleitet werden und das Gehirn kann andererseits über den Nerven auf die Gefäße einwirken und u. a. die Gefäßmuskulatur, den Gefäßdurchmesser und die Schmerzempfindlichkeit regulieren.

Verschiedene Eiweißstoffe, sog. Neuropeptide, insbesondere

■ die Substanz P,
■ das Neurokinin A und
■ das »calcitonin gene related peptide« (CGRP)

werden für die Gefäßreaktionen verantwortlich gemacht.

Diese Neuropeptide bewirken an dem Ort ihrer Freisetzung eine Gefäßerweiterung (Vasodilatation). Substanz P und Neurokinin A bewirken zusätzlich auch eine abnorme Durchlässigkeit der Blutgefäße, was zu einem lokalen Austritt von Blutflüssigkeit aus dem Gefäßinnern führt (Plasmaextravasation). Diese Plasmaextravasation kann im Labor sichtbar gemacht werden, indem man radioaktive Marker in das Gefäßsystem gibt und anschließend die Radioaktivität an der Gefäßaußenseite mißt.

Als Folgen der neurogenen Entzündung können u.a. eine Gefäßwandquellung (Ödem) und eine Verklebung von Blutplättchen an der Gefäßwand beobachtet werden.

■ ## Wie die Gefäßentzündung während der Migräne ablaufen könnte

Mit den folgenden Überlegungen sollen die möglichen Entzündungsvorgänge während der Migräneattakke an den Gefäßen mit den Erscheinungsmerkmalen der Migräne in Zusammenhang gebracht werden. Es handelt sich dabei um *Modellvorstellungen*, die im einzelnen noch *nicht experimentell nachgewiesen* sind.

Zu Beginn der Migräneattacke entsteht durch eine Regulationsstörung des Gehirns eine erhöhte Aktivität

129

in den Nerven, die Informationen vom Gehirn zu den Blutgefäßen transportieren. Die Blutgefäße des Kopfes werden vom Nervus trigeminus versorgt. Dieser Nerv ist paarig angelegt, und so wie man zwei Hände hat, gibt es auf jeder Kopfseite einen Nervenstamm. Eine einseitige Störung dieses Nerven erklärt zwanglos die Einseitigkeit des Migränekopfschmerzes.

Durch die verstärkte Aktivität des Nerven werden zu viele Botenstoffe aktiv, und es kommt zu einer Überreaktion an der Gefäßwand. Die Folge ist die Entstehung einer neurogenen Entzündung (Abb. 54). Die Gefäßwand quillt auf, sie verdickt sich. Dadurch wird der Gefäßinnendurchmesser reduziert, und es kommt zu einem Wasserhahneffekt mit Drosselung der Blutzirkulation nach der Gefäßverengung. Die Folge ist eine umschriebene Mangeldurchblutung des Hirnbereiches, der von dem Gefäßast versorgt wird: *Die Migräneaura entsteht.*

Die neurogene Entzündung breitet sich jetzt langsam an der Gefäßwand aus und nimmt zu (Abb. 55). Der Wasserhahneffekt wirkt sich damit zeitlich zunehmend aus, die Durchblutungsstörung nimmt kontinuierlich zu. Die neurologische Aurastörung muß deshalb

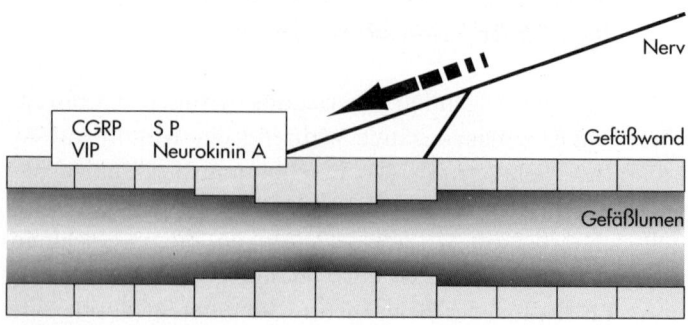

Abb. 54. Beginn der neurogenen Entzündung.

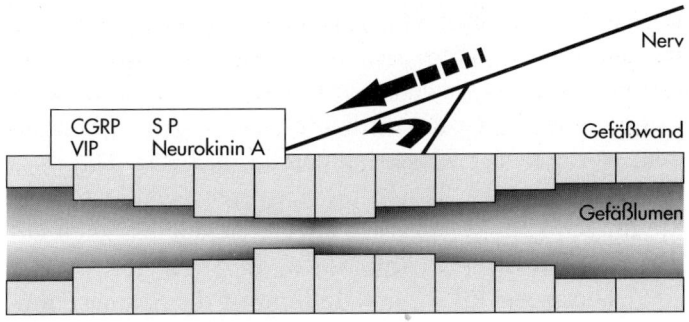

Abb. 55. Fortschreiten der neurogenen Entzündung.

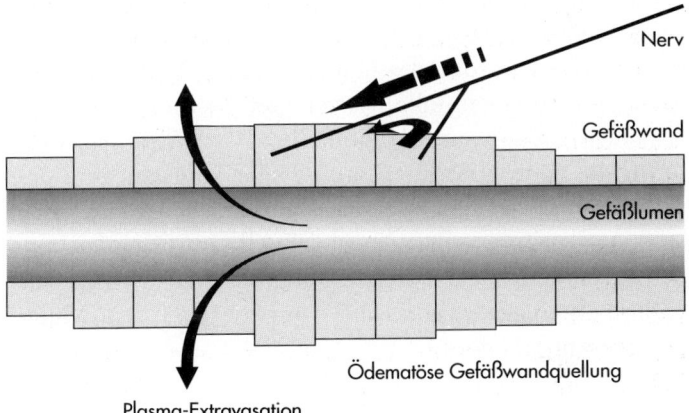

Abb. 56. Übergang der Auraphase in die Kopfschmerzphase im Verlauf der neurogenen Entzündung.

ebenfalls zunehmen, da das Hirnareal zunehmend weniger durchblutet wird: *Die Aura breitet sich aus.* Durch Kurzschlüsse am Nerven, sog. Axonreflexe, kann die erhöhte Nervenaktivität aufrechterhalten werden und die neurogene Entzündung sich selbst unterhalten.

Nach einiger Zeit hat die neurogene Entzündung die gesamte Gefäßwand erfaßt. Die Verbindungen zwischen den einzelnen Gefäßwandzellen werden dadurch gestört, und die Folge ist ein Verlust der Elastizität der Gefäßwand, das Gewebe wird weich. Der Blutdruck im Gefäß vermag jetzt die verdickte Gefäßwand aufzudrükken, wodurch der Wasserhahneffekt nachläßt: *Die Aura bildet sich zurück.* Durch die gestörten Gefäßwandverbindungen kann jetzt zudem eiweißreiche Flüssigkeit aus dem Gefäß austreten (Abb. 56).

Durch die lokale Entzündung ist die Schmerzempfindlichkeit des Gefäßes mittlerweile derart gestiegen, daß nunmehr jeder Pulsschlag an die entzündete Wand zu einem pulsierenden, pochenden Schmerz führt: *Der Migränekopfschmerz beginnt.* So wie bei einem Sonnenbrand die Berührung der Haut schmerzt, führt jede Pulswelle nun zu einem lokalisierten Gefäßschmerz.

Möglicherweise beginnt bei der *Migräne ohne Aura* die neurogene Entzündung sehr langsam, und deshalb kommt der beschriebene »Wasserhahneffekt« nicht zur Auswirkung. Bei einer schnell einsetzenden und schweren neurogenen Entzündung dagegen wird das Gefäßlumen eingeengt, und die Aura schreitet dem Migränekopfschmerz voraus.

Fragliche Gültigkeit des Modells der neurogenen Entzündung

Es ist bis heute unklar, ob das Modell der neurogenen Entzündung überhaupt etwas mit der Migräne zu tun hat oder nicht. Als Hauptargument für die Bedeutung dieses Modells für die Migräne wird angeführt, daß Medikamente, die zu einer Linderung der Migräne führen, ebenfalls die experimentell ausgelöste neurogene Entzündung blockieren können. Dieses Hauptargument ist allerdings wenig stichhaltig. Ein häufiger Fehler in

132

der Medizin war und ist, daß man aufgrund der Wirkung eines Medikamentes auf eine bestimmte Diagnose oder Krankheitsursache schließt. Diese Art der Diagnostik umschreibt man elegant in der Medizin mit dem lateinischen Begriff »Diagnosis ex juvantibus« (juvans: helfend), was frei übersetzt etwa heißt, daß die Diagnose mit einem hilfreichen Griff in die Trickkiste gefunden wurde. Tatsächlich beschreibt der Ausdruck etwas, was den Gesetzen der Logik zuwiderläuft.

Diese Annahme geht typischerweise davon aus, daß eine Erkrankung A sich durch das Medikament B bessert. Umgekehrt soll eine Besserung durch das Medikament B bei einer unbekannten Erkrankung dafür sprechen, daß die Vorgänge der Erkrankung A vorliegen, es sich also um die Erkrankung A handelt. Wirkt das Medikament B nicht, soll auch die Erkrankung A nicht bestehen.

Jeder weiß jedoch, daß solche Schlußfolgerungen wenig lebensnah sind, wie folgendes Beispiel verdeutlichen soll: Wenn man Urlaub macht, bekommt man in der Regel eine gebräunte Haut. Also stimmt auch umgekehrt, daß jeder, der eine dunkle Hautfarbe hat, im Urlaub ist...!?

Die Konsequenz ist, daß die Schlußfolgerungen aus den Untersuchungsergebnissen des Modells der neurogenen Entzündung nur mit größter Zurückhaltung auf die Erkrankung Migräne übertragen werden dürfen.

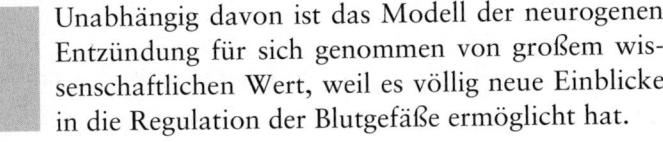

Unabhängig davon ist das Modell der neurogenen Entzündung für sich genommen von großem wissenschaftlichen Wert, weil es völlig neue Einblicke in die Regulation der Blutgefäße ermöglicht hat.

Wirkung von Migränemedikamenten im Modell der neurogenen Entzündung

Im Tierversuch kann man nachweisen, daß Medikamente zur Behandlung der Migräneattacke die experimentell ausgelöste neurogene Entzündung blockieren können (Abb. 57).

Aus diesem Grund kann man annehmen, daß Migränemedikamente entweder die Freisetzung oder die Auswirkung der Botenstoffe verhindern: Die neurogene Entzündung wird gestoppt!

Die in der Therapie von leichten und mittelschweren Migräneattacken seit langem bewährte und gut wirksame Substanz Acetylsalicylsäure und verwandte Arzneistoffe blockieren die neurogene Entzündung. Einen gefäßverengenden Effekt haben diese Medikamente

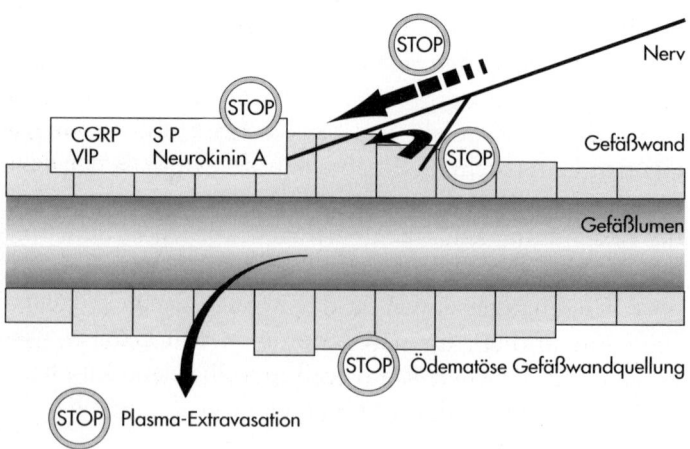

Abb. 57. Angriffspunkte für eine medikamentöse Therapie zur Blockierung der Mechanismen der neurogenen Entzündung.

134

nicht. Es wird hier deutlich, daß die gefäßverengende *Schlecht !*
Wirkung von Medikamenten wenig relevant zu sein
scheint.

Offensichtlich kann Acetylsalicylsäure sowohl die
Freisetzung der Entzündungsmediatoren verhin-
dern als auch deren Wirksamkeit nach erfolgter
Freisetzung blockieren.

Sumatriptan, ein erst 1992 in Deutschland zuge-
lassenes Medikament zur Behandlung der schweren
Migräneattacke, führt zu einer Blockierung der neurogenen Entzündung durch Stimulierung von speziellen Serotoninrezeptoren. Auch Ergotalkaloide wirken u. a. auf
diese Rezeptoren. Sumatriptan unterscheidet sich von
den Ergotalkaloiden allerdings durch seine *Selektivität*.
Die Ergotalkaloide sind an vielen verschiedenen Stellen
des Körpers wirksam. Die Folge ist, daß neben der er-
wünschten Wirkung auf die Migräne sehr viele unerwünschte Wirkungen auf den Gesamtorganismus in
Kauf genommen werden müssen (s. Kap. 7).
Das Neue an dem Wirkstoff Sumatriptan ist, daß
dieses Medikament normalerweise selektiv nur an den
Bereichen des Gefäßsystems wirksam ist, an denen die
neurogene Entzündung sich abspielt. Dadurch belastet
diese Substanz den Organismus wesentlich weniger als
die Ergotalkaloide.
Da die Serotoninrezeptoren wahrscheinlich auch
bei der neurogenen Entzündung eine sehr wichtige Rolle
einnehmen, wird die Bedeutung von Serotonin in der
Entstehung der Migräne erneut unterstrichen.

Damit ein so komplexes Gebilde wie der menschliche Körper ordnungsgemäß funktionieren kann, müssen ständig Informationen zwischen den Organen ausgetauscht werden. Ähnlich wie Telefon und Brief wichtige Kommunikationsmittel im Alltag mit bestimmten Funktionen sind, gibt es auch im menschlichen Organismus zwei unterschiedliche Informations- und Steuerungssysteme: Genauso wie bei telefonischer Benachrichtigung können Informationen auf dem elektrischen Weg über Nervenfasern, die tatsächlich nichts anderes als lebende Kabel sind, schnell und gezielt ausgetauscht werden. Der Vorteil dieses Systems ist, daß man an einen bestimmten Adressaten sehr schnell die Informationen weitergeben kann.

Sollen sehr viele Adressaten benachrichtigt werden, ist die elektrische Benachrichtigung unpraktisch. Theoretisch würde die Möglichkeit bestehen, alle Empfänger hintereinander zu informieren. Dies würde jedoch sehr lange dauern. Würde man alle wie bei einer Konferenzschaltung gleichzeitig über das Kabelnetz benachrichtigen können, würde das Informationsnetz für eine gewisse Zeit komplett belegt sein und für andere Datenübertragungen nicht zur Verfügung stehen. Ein Notruf in dieser Situation wäre nicht möglich, und eine kleine Gefahr könnte sich zu einem Desaster auswirken.

Für die gleichzeitige Benachrichtigung vieler Adressaten ist deshalb der Briefverkehr wesentlich besser geeignet. Man kann Briefe mit unterschiedlichem Inhalt auch gleichzeitig gezielt über Postwurfsendung an mehrere Gruppen von Adressaten senden, z. B. nach bestimmten Postleitzahlen geordnet. So können auch komplexe Informationen sicher und schnell verbreitet werden.

Sehr ähnliche Informationssysteme sind auch im menschlichen Organismus etabliert. Bei Bedarf können durch bestimmte Organe in das Kreislaufsystem Botenstoffe abgegeben werden. Diese Botenstoffe, meist bestimmte Eiweißkörper, enthalten ganz ähnlich wie ein Briefbogen die jeweiligen Informationen. Durch den Blutkreislauf können die Botenstoffe schnell im Körper verteilt werden und prinzipiell in alle Winkel des Organismus gelangen. Natürlich sind unterschiedliche Botenstoffe erforderlich, um die verschiedenen Nachrichten differenziert weitergeben zu können.

Rezeptoren sind nun, ähnlich wie die Briefkästen der Adressaten im Briefverkehr, die Empfänger der Botenstoffe. Damit die Nachrichten je nach Situation nur von spezifischen Gruppen von Rezeptoren empfangen werden, haben die Rezeptoren verschiedene Kennmerkmale, etwa vergleichbar mit den Postleitzahlen der Empfänger. Deshalb sprechen die verschiedenen Rezeptoren nur auf bestimmte Botenstoffe an. Bestimmte Rezeptoren können ganz unterschiedlich auf den verschiedenen Organen verteilt sein. Damit ist eine sehr differenzierte Benachrichtigung möglich (Abb. 58).

Alle Botenstoffe unterscheiden sich durch zwei prinzipielle Eigenschaften. Sie können entweder den für sie vorgesehenen Rezeptor aktivieren, man nennt sie dann einen »Rezeptoragonisten« (= Mitspieler). Oder sie können einen Rezeptor blockieren, dann bezeichnet man sie als »Rezeptorantagonisten« (= Gegenspieler).

- Botenstoffe, die nur einen einzelnen Rezeptortyp aktivieren, nennt man *selektive* Botenstoffe.
- Botenstoffe, die sehr viele unterschiedliche Rezeptortypen ansprechen, werden *nichtselektive* Botenstoffe genannt.

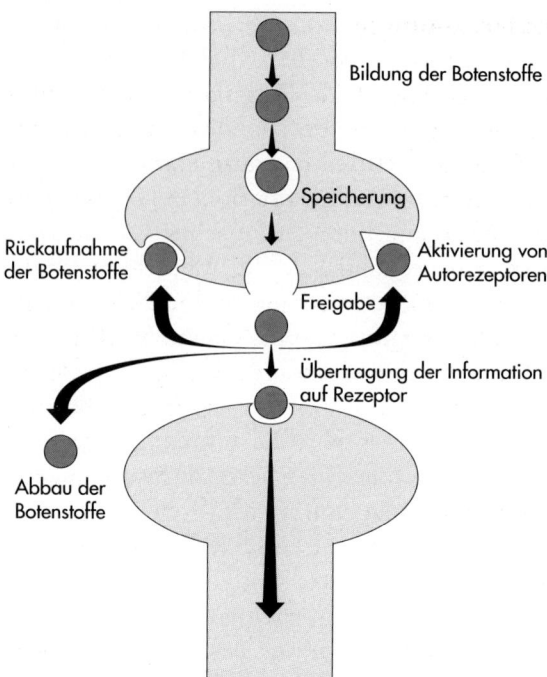

Bildung der Botenstoffe

Speicherung

Rückaufnahme
der Botenstoffe

Aktivierung von
Autorezeptoren

Freigabe

Übertragung der Information
auf Rezeptor

Abbau der
Botenstoffe

Abb. 58. Die Übertragung von Informationen im Nervensystem kann durch Botenstoffe erfolgen. Die Botenstoffe bestehen aus verschiedenen Eiweißzusammensetzungen. Sie werden nach ihrer Bildung in Speichern angesammelt, um bei Bedarf freigegeben zu werden. Die Botenstoffe binden an Rezeptoren und geben somit die Informationen weiter. Unverbrauchte Botenstoffe können wieder in den Nerv zurückgenommen werden. Außerdem können die Botenstoffe den freigebenden Nerven über sog. Autorezeptoren selbst aktivieren.

Serotoninrezeptoren

Die Serotonin- oder 5-HT-Rezeptoren sind möglicherweise für die Entstehung und Auslösung der Migräne von besonderer Bedeutung. Die Wissenschaftler Gaddum und Picarelli haben 1957 bereits zwei Typen von Serotoninrezeptoren unterschieden.

Es zeigte sich jedoch bald, daß weitere, atypisch reagierende Serotoninrezeptoren, insbesondere an den Blutgefäßen des Kopfes, existieren. Deshalb wurden die Serotoninrezeptoren von Bradley und seinen Kollegen im Jahre 1986 in drei Hauptgruppen eingeteilt:

- die *5-HT$_1$-Rezeptoren* (bestehend aus mehreren weiteren Unterrezeptoren),
- den *5-HT$_2$-Rezeptor*,
- den *5-HT$_3$-Rezeptor*.

Der Wissenschaftler Dumuis und seine Kollegen beschrieben 1989 einen gesonderten *5-HT$_4$-Rezeptor*.

Von den vielleicht etwas unverständlichen Bezeichnungen der Rezeptoren sollte man sich nicht verwirren lassen. Es handelt sich dabei um nichts anderes, als ein Ersatz für Postleitzahlen im Organismus.

5-HT$_1$-Rezeptoren

Die 5-HT$_1$-Rezeptoren stellen eine sehr unterschiedliche Gruppe von Rezeptoren mit verschiedenen funktionellen Eigenschaften dar und sind insbesondere an Blutgefäßen des Kopfes lokalisiert:

- Die Aktivierung des 5-HT$_{1A}$-Rezeptors führt zu Verhaltensänderungen und Blutdruckerhöhung.
- Der 5-HT$_{1B}$-Rezeptor übt Funktionen im Gehirn aus.

139

Die funktionellen Eigenschaften des 5-HT_{1C}-Rezeptors sind noch nicht geklärt.

Die Aktivierung des 5-HT_{1D}-Rezeptors führt zu einer Verengung der Blutgefäße des Kopfes, Verengung von Querverbindungen zwischen Arterien und Venen des Kopfes (arteriovenöse Anastomosen), sowie zur Reduktion der Freisetzung von Botenstoffen. Wahrscheinlich ist dieser Rezeptor für die Blockierung der neurogenen Entzündung verantwortlich.

Die Bindungsstellen von zwei weiteren 5-HT_1-Rezeptoren sind noch nicht aufgedeckt, weswegen sie als 5-HT_{1X}-Rezeptor und 5-HT_{1Y}-Rezeptor bezeichnet werden.

Serotonin ist zwar in der Lage, den Migränekopfschmerz zu beenden. Durch seine generelle Wirkung auf alle unterschiedlichen Serotoninrezeptoren und damit auf weite Teile des Gesamtorganismus sind jedoch schwerwiegende Nebenwirkungen zu verzeichnen, die einen therapeutischen Einsatz von Serotonin als »Migränemedikament« nicht erlauben. Serotonin ist also mit einer Postwurfsendung an alle Haushalte zu vergleichen.

Die Kunst bei der Erfindung von Medikamenten ist, möglichst eine Substanz zu finden, die ganz gezielt nur einen Adressaten im Organismus anspricht, der die gewünschte Wirkung des Medikamentes vermittelt.

In den Blutgefäßen außerhalb des Kopfes bewirkt Serotonin eine Gefäßverengung durch Aktivierung der 5-HT_2-Rezeptoren. Dieser Effekt ist besonders für die Durchblutung der Herzkranzgefäße von Bedeutung.

140

Die Effekte auf die Blutgefäße des Kopfes werden dagegen durch Aktivierung der 5-HT_1-Rezeptoren herbeigeführt.

Es zeigte sich, daß andere Rezeptoren bei der Vermittlung der Gefäßreaktionen im Kopfbereich nicht beteiligt sind.

Es gelang mittlerweile, einen selektiven 5-HT_1-Agonisten zu entwickeln, *Sumatriptan,* der zu einer gezielten, *selektiven Blockierung der neurogenen Entzündung* an Gefäßen im Hirnkreislauf führt.

Der selektive 5-HT_1-Agonist Sumatriptan hat eine besonders hohe Affinität zu 5-HT_{1D}-Rezeptoren. Auch die gefäßverengend wirkenden Ergotalkaloide, die in der Migränetherapie sehr häufig eingesetzt werden, sind 5-HT_1-Rezeptoragonisten; allerdings haben sie weder eine Selektivität für die 5-HT_1-Rezeptoren noch für die sonstigen Serotoninrezeptoren.

5-HT$_2$-Rezeptor

5-HT_2-Rezeptor*antagonisten* haben sich als wirksam in der Vorbeugung der Migräne erwiesen. Auch diese Medikamente wirken auf viele andere Rezeptoren ein. Allerdings sind Medikamente, die selektiv auf diese anderen Rezeptoren wirken und keine Bindung zu 5-HT_2-Rezeptoren haben, in der Migräneprophylaxe ohne Wirkung.

Es kann angenommen werden, daß die 5-HT_2-Antagonisten durch Hemmung der erhöhten Blutgefäßdurchlässigkeit (Plasmaextravasation), Hemmung der Blutplättchenverklebung (Thrombozytenaggregation), Hemmung der Serotoninfreisetzung, Hemmung der Gefäßverengung, sowie durch ihre Wirkung auf das zentrale Nervensystem und auf hormonelle Funktionen in der Migräneprophylaxe effektiv sind.

Gemeinsames Wirken von 5-HT$_2$- und 5-HT$_{1C}$-Rezeptoren

Da die Medikamente, die in der Vorbeugung der Migräneattacke wirksam sind, allesamt auch eine hohe Bindung zu 5-HT$_{1C}$-Rezeptoren haben, besteht die Möglichkeit, daß auch dieser Rezeptor in der Migräneentstehung eine besondere Rolle spielt. Umgekehrt zeigen Substanzen, die lediglich eine hohe Bindung zu 5-HT$_2$-Rezeptoren haben, nicht jedoch auch zu 5-HT$_{1C}$-Rezeptoren, keine vorbeugende Wirksamkeit.

Die Bedeutung des 5-HT$_{1C}$-Rezeptors in der Migräneentstehung wird auch durch die Beobachtung von Brewerton und seinen Kollegen im Jahre 1988 unterstützt, nach der m-Chlorophenylpiperazin (m-CPP), das ein Hauptabbaustoff des Antidepressivums Trazodon (ein Medikament gegen Depressionen) ist und eine relativ selektive Bindung zum 5-HT$_{1C}$-Rezeptor aufweist, bei Patienten, die an einer Migräne leiden, in einer hohen Prozentzahl Migräneattacken auslösen kann.

Bei Untersuchungen an Ratten fand man, daß m-CPP sehr wirkungsvoll Serotonin im zentralen Nervensystem freisetzen kann. Die Substanz zeigte eine besonders große Aktivierung von Serotonin an einer Stelle des Gehirns, im Hypothalamus. Dort wird auch die Entstehung der Ankündigungssymptome einer Migräneattacke, wie z. B. Hunger, Gähnen, Frösteln usw., vermutet. Diese Untersuchungen sind von großer Bedeutung, da sie darauf hinweisen, daß *Serotoninstörungen* im zentralen Nervensystem eine besondere Rolle in der Entstehung der Migräne spielen.

▨ 5-HT₃-Rezeptor

Von der Theorie her ist die mögliche Beteiligung von
5-HT₃-Rezeptoren in der Migräneentstehung sehr nahelie-
gend. Diese Rezeptoren sind sowohl in Regionen des Hirns
lokalisiert, die für Schmerz, Übelkeit und Erbrechen verantwortlich sind. Selektive 5-HT₃-Antagonisten können
sowohl den Entzündungsschmerz als auch den durch Serotonin hervorgerufenen oder verstärkten Gefäßschmerz
blockieren. Deshalb wurden 5-HT₃-Antagonisten zur Kupierung und Prophylaxe der Migräne getestet.

Mit Ausnahme einer deutlichen Linderung der
Übelkeit erwiesen sich die 5-HT₃-Rezeptorantagonisten
jedoch in der Migränetherapie als *ineffektiv* und darüber
hinaus mit erheblichen Nebenwirkungen versehen.

Aus diesem Verhalten der 5-HT₃-Rezeptoren wird
nochmals deutlich, daß man von der Medikamentenwirkung nicht unmittelbar auf die Krankheitsabläufe schließen darf.

▨ Stickstoffmonoxid (NO)

Die Rolle der Gefäßwände und deren Aufbau im
Zusammenhang mit Gefäßreaktionen ist ein sehr junges
wissenschaftliches Interessenfeld. Früher nahm man an,
daß die Gefäßwand lediglich eine Art Behälterbegren-
zung sei. Heute weiß man jedoch, daß die Gefäßwand
ein kompliziertes Organ mit vielfältigen Aufgaben ist.
Die Gefäßwandzellen, die sog. Endothelien, produzieren
eine große Menge verschiedener Stoffe, die auf die
Durchblutung bedeutsamen Einfluß haben. Besondere
Aufmerksamkeit hat dabei das Stickstoffmonoxid, chemisch NO, erweckt. Aufgrund der enormen Bedeutung
wurde NO sogar zum »Molekül des Jahres 1992« ge-
kürt!

NO ist wahrscheinlich der wichtigste Faktor bei der Erweiterung von Blutgefäßen. NO spielt jedoch auch eine herausragende Rolle als Botenstoff im peripheren und zentralen Nervensystem. Der Stoff soll bei der Vermittlung des Langzeitgedächtnisses beteiligt sein, wichtige immunologische Wirkungen haben, bei der Wahrnehmung von Schmerz beteiligt sein und bei Streßreaktionen die Hormonfreisetzung steuern.

Aber auch bei einzelnen neurologischen Erkrankungen scheint NO sehr wichtige und diesmal unangenehme Funktionen zu haben. Bei Hirnblutungen sollen durch NO Gefäßkrämpfe vermittelt werden, es scheint bei degenerativen Erkrankungen des Gehirns beteiligt zu sein und insbesondere sollen Kopfschmerzen über NO vermittelt werden.

Eine aktuelle Hypothese der Migräneentstehung ist, daß während der Migräneattacke eine erhöhte Empfindlichkeit für NO an den Gefäßwänden besteht. Möglicherweise wird während der Attacke zuviel NO durch die Gefäßwände produziert. Eine Folge davon soll die erhöhte Durchlässigkeit der Gefäßwände für Blutplasma sein, was auch bei der neurogenen Entzündung beobachtet werden kann.

Migränemittel der Zukunft

NO wird in der Gefäßwand aus dem L-Arginin hergestellt. Die chemische Reaktion wird durch ein bestimmtes Enzym, die NO-Synthetase (NOS) gesteuert. Eine große Hoffnung von Migräneforschern besteht derzeit darin, Stoffe zu finden, die die Synthese von NO blockieren können und damit die Gefäßreaktionen bei Migräne wieder normalisieren.

Weitere Forschungsanstrengungen zielen auf die Entdeckung von Substanzen, die die neurogene Entzündung blockieren können. Solche Stoffe sind insbesondere weitere Serotoninagonisten mit größerer Rezeptorspezifität und -bindung als die derzeitigen Substanzen sowie Substanz P-Hemmer und andere Stoffe.

Zentrales Nervensystem und Migräne

Die bisherigen Ausführungen zeigten, daß mit dem Ablauf von Mechanismen außerhalb des Gehirns nicht erklärt werden kann, wodurch die Migräneattacke angestoßen wird. Die bereits beschriebene Wirkungen von m-CPP bei Migränepatienten weisen auf eine Störung des Serotoninstoffwechsels im zentralem Nervensystem bei Migräne hin.

Es gibt auch andere Hinweise auf *Veränderungen im Bereich des zentralen Nervensystems* im Zusammenhang mit der Migränepathogenese: Der Wissenschaftler Lashley berichtete schon 1941, daß seine eigene Gesichtsfeldstörung (Flimmerskotom) im Rahmen einer Migräneaura sich mit einer Geschwindigkeit von ca. 3 mm/Minute ausbreiten würde. Diese Geschwindigkeit entspricht in etwa der Ausbreitungsgeschwindigkeit der von Leaõ beschriebenen »spreading depression«, der lokalen Reduktion der Hirnströme bei Schädigung der Hirnrinde im Tierversuch (s. oben). Die gleiche Ausbreitungsgeschwindigkeit sahen andere Untersucher bei Beobachtung der regionalen Durchblutungsstörungen während einer Migräneaura.

Die Contingente Negative Variation (CNV)

Besonders wirkungsvolle Auslöser von Migräneattacken sind plötzliche Veränderungen des normalen Lebensrhythmus. Es scheint so, als ob diese Veränderun-

145

gen eine kurzzeitige Störung des normalen Informations-
flusses bewirken. Es ist ein besonderes Verdienst des bel-
gischen Migräneforschers Jean Schoenen und seiner Mitarbeiter, diese besondere Bereitschaft zu einer
veränderten Reizverarbeitung durch Labormessungen
1984 sichtbar gemacht zu haben.

Es handelt sich dabei um eine spezielle Ableitung
der Hirnströme, dem Elektroenzephalogramm (EEG),
während dessen die Patienten auf bestimmte Reize achten und reagieren müssen. Die Veränderungen im EEG
während dieser Aufgabenstellung werden Contingente
Negative Variation (CNV) genannt. Die CNV scheint
auf den ersten Blick sehr geheimnisvoll, die Vorgänge
sind uns jedoch alle aus dem Alltag sehr gut bekannt, z.
B. beim Autofahren:

> Ein Autofahrer muß vor einer roten Ampel anhalten. Er
> hat keine Ahnung, wie lange die Ampel schon auf Rot ge-
> schaltet war und weiß deshalb nicht genau, wann die Gelb-
> phase kommen wird. Er hält sich deshalb in einer Phase
> mittlerer Bereitschaft und beobachtet aufmerksam, ob die
> Ampel umschaltet. Sobald die Ampel auf Gelb umschaltet,
> weiß der Autofahrer, daß nach einem festen Zeitintervall
> von wenigen Sekunden Grün folgen wird und er dann die
> Kupplung loslassen und Gas geben muß. Deshalb ist der
> Autofahrer jetzt besonders konzentriert, bereitet sich inner-
> lich auf seine Aufgabe vor und führt sie umgehend nach
> Umschaltung der Ampel auf Grün aus (Abb. 59).

Während der Phase der erhöhten Bereitschaft vor
Ausübung der motorischen Handlung muß das Gehirn
besonders aktiv sein. Es muß die Handlung vorplanen,
damit sie umgehend ausgeübt werden kann. Es muß eine
innere Uhr berücksichtigen, um die Zeitspanne zwischen
Gelb- und Grünphase vorausplanen zu können.

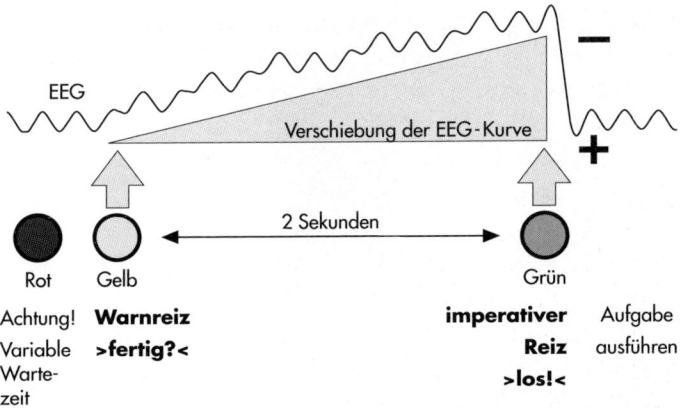

EEG

Verschiebung der EEG-Kurve

2 Sekunden

Rot   Gelb   Grün

Achtung!	**Warnreiz**	**imperativer**	Aufgabe
Variable	**>fertig?<**	**Reiz**	ausführen
Warte-		**>los!<**	
zeit			

Abb. 59. Schematische Darstellung der Vorgänge bei der Entstehung der Contingenten Negativen Variation (CNV).

Interessanterweise ist es möglich, diese besondere Bereitschaftssituation im EEG sichtbar zu machen. Es entsteht nämlich eine Verschiebung des normalen EEG-Potentials. Die EEG-Kurve verschiebt sich auf dem Registrierpapier etwas nach oben. Definitionsgemäß ist bei EEG-Ableitungen der negative Pol an der oberen, der positive Pol an der unteren Papierseite. Das EEG-Potential variiert also zum negativen Pol. Ganz allgemein ausgedrückt: Die elektrische Spannung im Hirn wird größer.

Da diese negative Variation der elektrischen Spannung im Hirn zeitlich benachbart (contingent [lateinisch]: benachbart) mit dem Umschalten der Ampel von Rot auf Gelb entsteht, nennt man dieses elektrische Verhalten des Gehirns »Contingente Negative Variation«, oder abgekürzt CNV.

Messung der CNV im Labor

Um die CNV im Labor zu messen, baut man keine Straßenampeln auf. Das Prinzip ist aber das gleiche. Üb-

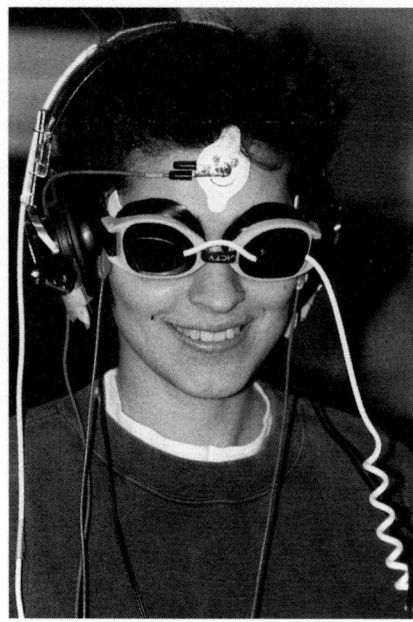

Abb. 60. Messung der CNV im Kopf-schmerz-Labor.

licherweise geht man z. B. so vor, daß der Patient einen Kopfhörer und eine verschlossene Brille mit eingebauten Lämpchen aufsetzt (Abb. 60). Gleichzeitig bringt man noch EEG-Elektroden am Kopf an und leitet das EEG ab. Dem Patient wird berichtet, daß z. B. 3 Sekunden, nachdem im Kopfhörer ein Hinweisreiz (z. B. ein kurzes Klicken) gegeben wurde, das Lämpchen in der Brille aufleuchtet. Sobald dieses Lichtsignal kommt, soll der Patient auf eine Taste drücken. Um die CNV genau zu messen, wird dieser Vorgang in der Regel mindestens 30 mal wiederholt. Die Pause zwischen den einzelnen Messungen ist dabei unterschiedlich lang, so daß der Patient nie genau weiß, wann der nächste Hinweisreiz kommt. Die einzelnen Messungen werden dann mit einem Computer gemittelt, und die Höhe der elektrischen Span-

148

nungsverschiebung kann aufgrund des Mittelwertes sehr genau bestimmt werden.

Mit dieser Methode konnte Schoenen erstmals zeigen, daß das Gehirn von Migränepatienten anders auf diese Aufgabe reagiert als das Gehirn von Gesunden oder von Menschen mit anderen Kopfschmerztypen. Interessanterweise finden sich diese Unterschiede im kopfschmerzfreien Intervall zwischen den Attacken, also dann, wenn die Migräne gerade gar nicht besteht. Es bestehen zwei Auffälligkeiten:

■ Die Größe der Spannungsverschiebung ist deutlich größer als bei anderen Menschen.
■ Während bei Gesunden die Spannungsverschiebung nach mehreren Messungen zunehmend kleiner wird (= habituiert), bleibt sie bei Migränepatienten hoch.

Diese Messungen sind ein wichtiger Beleg dafür, daß das Gehirn von Migränepatienten offensichtlich besonders aktiv auf Reize reagiert und Änderungen der Lebenssituation mit unvorhergesehenen Reizen Migräneattacken auslösen können. Aber nicht nur das:

> Während bei gesunden Menschen die Aufmerksamkeit bei mehrmaliger Reizwiederholung mehr und mehr nachläßt, bleibt das Gehirn des Migränepatienten in maximaler Bereitschaft. Das Gehirn kann anscheinend nicht »abschalten« und steht im wahrsten Sinne des Wortes ständig unter »Hochspannung«!

Interessanterweise kann eine erfolgreiche Behandlung der Patienten mit Medikamenten zur Migränevorbeugung, den sog. Betarezeptorenblockern, dieses veränderte elektrische Verhalten des Gehirns wieder normalisieren. Somit kann angenommen werden, daß in der Entstehung der Migräne u.a. eine Hyperaktivität von Nervenzellen im Gehirn besteht, die ihre Informationen über Betarezeptoren austauschen.

Die innere Uhr

Für die Entstehung von Ankündigungssymptomen der Migräne, wie Hunger, Durst, Müdigkeit etc., werden Störungen im Bereich des Hypothalamus verantwortlich gemacht. In dieser Region wird auch die innere Uhr des Organismus, der sog. »endogene Zeitgeber«, vermutet. Störungen dieser inneren Uhr könnten ebenfalls zu einer Irritierung der Reizverarbeitung beitragen und eine Migräneattacke zur Folge haben. Dies könnte mit ein Grund sein, warum offensichtlich die Migräne weiß, wann Wochenende oder früher Morgen ist. Zu diesen Zeiten finden bekanntlich die meisten Migräneattacken statt. Da alle diese Vorgänge in bestimmten Lebenssituationen besonderen Bedingungen unterliegen, kann verstanden werden, warum die Migräne im Laufe des Lebens unterschiedliche Verläufe aufweist. Dies gilt für den Urlaub, das Wochenende, besondere Wettersituationen, den Besuch der Schwiegermutter, den Beginn einer neuen Behandlungsmethode mit möglicherweise mystischem Flair, die Schwangerschaft, die Menstruation, das Alter usw.

Solche Einflüsse können sowohl positiv als auch negativ auf den Verlauf der Migräne wirken.

Körpereigene Schmerzabwehrsysteme

Der menschliche Körper verfügt über eine Reihe verschiedener Mechanismen, um auf Schmerzempfindungen einwirken zu können. Man nennt diese Systeme körpereigene Schmerzabwehrsysteme. Die Wissenschaftler benutzen auch den Begriff »endogene antinociceptive Systeme«. Hypothetisch kann angenommen werden, daß aufgrund einer Erschöpfung bestimmter Botenstoffe diese endogenen (= aus dem Inneren entstehenden) Schmerzkontrollsysteme in ihrer Wirkungsweise zeitweise ausfallen. Ausschlaggebend dafür könnte sein, daß aufgrund der erhöhten Reaktionsbereitschaft ein zeitweise verstärkter Verbrauch von Botenstoffen anfällt. Die Botenstoffe stehen dann den Schmerzabwehrsystemen nicht mehr zur Verfügung (Abb. 61).

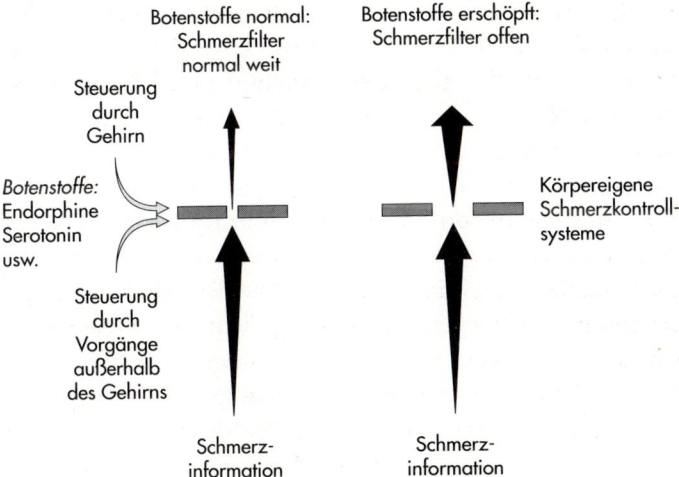

Abb. 61. Funktion der körpereigenen Schmerzkontrollsysteme. Bei erschöpftem Botenstoffvorrat ist eine gestörte Funktion mit ungefiltertem Einstrom von Schmerzinformationen die Folge.

Solange die in ihrer Konzentration erschöpften Botenstoffe nicht nachgebildet werden, könnte die Regulation für bestimmte Schmerzabwehrreaktionen gestört sein und eine neurogene Entzündung ausgelöst werden (s. oben). Erst mit der Nachproduktion der Botenstoffe klingt dann die Migräneattacke wieder ab.

Tatsächlich fanden Forscher, daß während der Migräneattacken ohne Aura die Endorphinspiegel gegenüber den Konzentrationen im migränefreien Intervall oder der von gesunden Probanden reduziert seien. Die Bezeichnung Endorphine stammt aus den beiden Wörtern »endogen« und »Morphium«. Die Endorphine sind vom Körper selbst produzierte schmerzstillende Stoffe, die ähnlich wie das durch den Arzt gegebene Morphium Schmerzen lindern können.

Für eine kontinuierliche Störung der körpereigenen Schmerzabwehrsysteme spricht auch, daß Migränepatienten im Vergleich zu Kontrollpersonen eine wesentlich größere Anfälligkeit für spontane Gesichts- und Kopfschmerzen haben, wie Kopfschmerz bei Kälte oder eine besondere Schmerzempfindlichkeit der Kopfhaut beim Kämmen.

■ Wirkung von Schmerzmitteln im Hirn

Acetylsalicylsäure (ASS) ist diejenige Substanz, die am häufigsten gegen Migränekopfschmerzen eingesetzt wird. Die Wirksamkeit wurde vorwiegend durch Hemmung der Bildung von Entzündungsstoffen, die sog. Prostaglandine, erklärt. Für diese Entdeckung erhielt der englische Wissenschaftler Sir John R. Vane im Jahre 1982 den Nobelpreis für Medizin.

Aufgrund neuer Untersuchungen weiß man zudem, daß auch beim Menschen ASS Abwehrreflexe auf

Schmerzreize aktivieren und damit gezielt in die gestörten Funktionen im Hirn bei primären Kopfschmerzen normalisierend eingreifen kann. ASS hat anscheinend schon seit 100 Jahren »gewußt«, wo die Störungen im Gehirn lokalisiert sind und greift dort ein.

▨ Schlußfolgerung: die neurogene Migränetheorie

Die Migräneforscher haben viel Wissen angehäuft. Die vielen Einzelbefunde lassen staunen. Diese Ansammlung beinhaltet jedoch auch ein großes Problem. Es scheint, daß die vielen Daten zwar zu einem Anstieg des Wissensberges führen, aber gleichzeitig ein Verständnis der Vorgänge für den Einzelnen immer schwieriger wird.

Viel wichtiger als die Aneinanderreihung von Ergebnissen ist die Aufstellung einer Theorie, die möglichst viele dieser Daten aufeinander bezieht. Die Theorie sollte prinzipiell Erklärungswert für die Erscheinungsweisen der Migräne haben, darüber hinaus sollte sie nachprüfbar sein.

Aus diesem Grund wurden die oben skizzierten Daten zur *neurogenen Migränetheorie* zusammengefaßt, die sowohl Gefäßfaktoren als auch Nervenfunktionen berücksichtigt (Abb. 62). Obwohl viele Annahmen der neurogenen Migränetheorie noch nicht in allen Einzelheiten durch Forschungsdaten abgesichert sind, wird dieses Modell derzeit von vielen Kopfschmerzforschern genutzt. Diese Theorie setzt sich aus folgenden Gedankenschritten zusammen:

▨ Nach der neurogenen Migränetheorie besteht bei Migränepatienten eine angeborene Besonderheit der Reizverarbeitung im Gehirn.

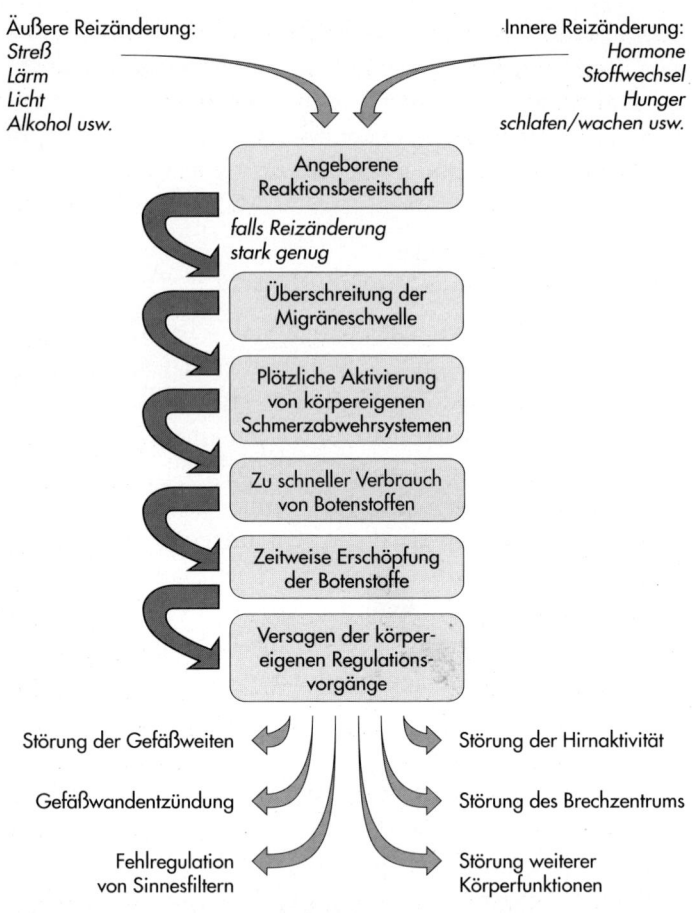

Äußere Reizänderung:
Streß
Lärm
Licht
Alkohol usw.

Innere Reizänderung:
Hormone
Stoffwechsel
Hunger
schlafen/wachen usw.

Angeborene
Reaktionsbereitschaft

*falls Reizänderung
stark genug*

Überschreitung der
Migräneschwelle

Plötzliche Aktivierung
von körpereigenen
Schmerzabwehrsystemen

Zu schneller Verbrauch
von Botenstoffen

Zeitweise Erschöpfung
der Botenstoffe

Versagen der körpereigenen Regulationsvorgänge

Störung der Gefäßweiten

Gefäßwandentzündung

Fehlregulation
von Sinnesfiltern

Störung der Hirnaktivität

Störung des Brechzentrums

Störung weiterer
Körperfunktionen

Abb. 62. Die neurogene Migränetheorie.

▨ Das Wahrnehmungssystem der betroffenen Menschen steht in ständiger Überbereitschaft und bleibt auch bei Reizwiederholungen »hochgespannt«.

▨ Die Annahme der Vererbung dieser besonderen Reizverarbeitung stützt sich auf die typische familiäre Häufung der Migräne.

154

- Plötzliche interne oder externe Veränderungen, sog. Trigger (Streß, Emotionen, Ernährung, Lärm, Licht etc.) sollen zu Überreaktionen von Steuerungsvorgängen im Hirn führen.
- Interne Zeitgeber können über Beeinflussung zirkadianer Rhythmen auf die Regulationsvorgänge Einfluß nehmen.
- Durch die Triggerfaktoren soll eine *plötzliche Aktivierung* von Nerven im Gehirn bedingt werden. Dadurch werden plötzlich zu viele Botenstoffe, insbesondere Serotonin aktiviert. Die freigesetzten Botenstoffe werden abgebaut.
- Durch den schnellen Abbau des zu stark freigesetzten Botenstoffes Serotonin schließt sich eine Phase der *Serotoninerschöpfung* an.
- Bis die Botenstoffe wieder nachgebildet sind, ist die Informationsverarbeitung im Gehirn gestört.
- In dieser Phase der Serotoninerschöpfung sollen schließlich die Erregungen des Nervus trigeminus durch Ausfall der körpereigenen Schmerzabwehrsysteme zu einer neurogenen Entzündung an bestimmten Gefäßabschnitten führen können.
- Durch eine Störung des regionalen Blutflusses in diesem Gefäßabschnitten können neurologische Symptome (Aura) erzeugt werden.
- Die verstärkte Schmerzempfindlichkeit des entzündeten Gefäßabschnittes erklärt den umschriebenen pochenden Migräneschmerz.
- Nach Neubildung der übermäßig verbrauchten Botenstoffe normalisieren sich die Regulationsvorgänge wieder und die Attacke klingt ab.

Die Auswirkungen der Störungen

Die vorgenannten Ausführungen geben viele Hinweise dafür, daß die Migräne durch eine angeborene

Empfindlichkeit des Gehirns für plötzliche Veränderungen und Störungen entsteht. Diese besondere Empfindlichkeit ist mit heutigen Methoden nicht wegzuzaubern, genausowenig, wie man seine angeborene Hautfarbe ändern kann. Wir gehen davon aus, daß durch außergewöhnliche äußere oder innere Reizeinwirkungen die angeborene Empfindlichkeit des Gehirns zum Tragen kommt und eine Migräneattacke entstehen kann. Viele Vorgänge während der Migräne sind wissenschaftlich noch nicht eindeutig geklärt. Die nachfolgenden Ausführungen beruhen deshalb z. T. noch auf Annahmen und Modellen und müssen in Zukunft noch durch wissenschaftliche Untersuchungen untermauert werden.

Die Vorgänge im Gehirn

Im Gehirn gibt es eine sehr große Anzahl von Nerven, die gegenseitig Informationen austauschen. Der Informationsaustausch erfolgt durch Botenstoffe, die von einem Nerv zum nächsten geschickt werden. Durch die angeborene erhöhte Empfindlichkeit wird bei den vorgenannten Störungen plötzlich zu schnell und zu viel von diesen Botenstoffen ausgesendet. Das Gehirn überreagiert. Diese zu große und zu schnelle Reaktion führt zu einer übermäßigen Freisetzung von Botenstoffen. Die Folge ist ein plötzlicher und zu großer Verbrauch dieser Botenstoffe.

Bis dieser übermäßige Verbrauch wieder ausgeglichen ist, kommt es zu einer Störung des Informationsaustausches im Gehirn. Migräne ist eine neurologische Erkrankung.

Versagen der Steuerungsvorgänge im Gehirn

Das Gehirn muß viele Vorgänge im Organismus steuern. Aufgrund des plötzlichen Überverbrauches von Botenstoffen kommt es zu einer zeitweisen Erschöpfung der Informationsübertragung. Die Folge ist eine Fehlsteuerung der normalen Abläufe während der Migräne. Da das Gehirn praktisch alle Vorgänge im Köper reguliert, können sehr viele Störungen auftreten.

Störung der Blutversorgung des Gehirns

Die Durchblutung des Gehirns wird sehr fein nach dem der augenblicklichen Situation entsprechenden Bedarf gesteuert. Während der Migräneattacke ist die Steuerung der Gefäße gestört. Die Patienten haben ein blasses, bleiches Gesicht. Die Blutgefäße sind zu eng gestellt. Im Gehirn kann es zu einer mangelnden Versorgung bestimmter Gehirnareale mit Nährstoffen kommen. Die Folge ist die Entstehung der umschriebenen neurologischen Aurasymptome, also z. B. Gesichtsfeldstörungen, Schwindel, Lähmungen oder anderes.

Entzündungsvorgänge an Blutgefäßen

Das Hirn braucht von allen Organen des Körpers am meisten Sauerstoff und Energie. Die Blutgefäßwände im Gehirn müssen deshalb durch das Gehirn besonders fein reguliert werden, da diese für den Transport von Sauerstoff und die Energiezufuhr als auch für den Schutz der empfindlichen Gehirnhäute besonders wichtig sind. Bei zu starker Erregung der betroffenen Nervenfunktion kann an den Gefäßwänden eine lokale Entzündung entstehen.

Da diese Entzündung ohne Beteiligung von Bakterien oder Viren durch erhöhte Nervenaktivität entsteht, wird sie *aseptische* oder *neurogene Entzündung* genannt (s. oben).

Fehlsteuerung von Sinnesorganen

Eine der wichtigsten Funktionen des Gehirns ist die Wahrnehmung von äußeren und inneren Reizen. Bevor solche Reize bewußt werden, reguliert das Gehirn automatisch, wieviel dieser Daten an das Bewußtsein zur Empfindung weitergeleitet werden. Die Reize werden also normalerweise *gefiltert* und außerdem gefühlsmäßig gefärbt. Ein Beispiel: Das Gehirn reguliert durch die Steuerung der Pupille, wieviel Licht in das Auge eintreten darf. Bei Schreck ist das Gehirn kurzfristig anderweitig beschäftigt, die Pupillensteuerung ist gestört und die Regulation kurzfristig ausgefallen, was sich an einer weiten Pupille mit ungehemmtem Lichteinfall zeigt.

Während der Migräneattacke sind solche Vorgänge der Reizsteuerung und -filterung zeitweise gestört. Die Filterung der Sinneseindrücke versagt, die Sinnesreize können ungehindert passieren. Es entsteht Lichtüberempfindlichkeit, Lärmüberempfindlichkeit und Geruchsüberempfindlichkeit. Die Patienten sind im wahrsten Sinne des Wortes »gereizt« oder gar »überreizt«. Gerüche können unangenehm wahrgenommen werden, Musik aus dem Radio und selbst freundliches Zureden und Trösten von Angehörigen kann »nerven«. Man ist »aufgekratzt« und verträgt nicht einmal ein Streicheln der Haut. Bei leichteren Störungen zwischen den Migräneattacken können auch entsprechende Symptome verspürt werden: Es prickelt z. B. an der Kopfhaut, das Kämmen der Haare schmerzt oder Stellen am Kopf sind besonders empfindlich.

Auch Schmerzreize werden verstärkt wahrgenommen und sind besonders unangenehm. Die Folge davon ist, daß die Auswirkung der neurogenen Entzündung an den Gefäßen verstärkt zum Tragen kommt. Durch einen Rückkopplungsmechanismus wird jetzt zudem noch die Nervenfunktion, die vom Gehirn zu den Gefäßen hin

wirkt, aktiviert, und die neurogene Entzündung aufrechterhalten und verstärkt.

Störung des Brechzentrums

Die Fehlregulation im Gehirn wirkt auch auf das
Brechzentrum ein. Ebenso wie auf einem schwankenden
Schiff Seekrankheit durch ein Durcheinander an
Sinneseindrücken entsteht, führt das oben beschriebene
Regulationsdesaster im Gehirn zur Aktivierung des
Brechzentrums mit Übelkeit und Erbrechen.

Störung von weiteren Körperfunktionen

Die Fehlsteuerung betrifft auch weitere Körperfunktionen. Die Patienten frösteln aufgrund einer Fehlsteuerung der Temperaturregulation. Die Magen-Darm-
Tätigkeit wird gestört, es kommt zu einer verlangsamten
Aufnahme und Transport von Nahrungsmitteln im Magen und Darm. Auch Durchfall kann entstehen.

Störung der allgemeinen Hirnaktivität

Die Störung der Informationsvorgänge betrifft natürlich auch die Hirnvorgänge selbst und deren psychische und geistige Funktionen. Gedächtnis und Konzentration sind während der Migräneattacke gestört. Die
Patienten können depressiv und im wahrsten Sinne des
Wortes »verstimmt« und »abgespannt« sein.

Migränevorbeugung
ohne Medikamente

Eine *ursächliche Behandlung* der Migräne ist bis
heute nicht möglich. Ursächliche Behandlung würde bedeuten, daß man die angeborene spezifische Migränere-
aktionsbereitschaft normalisiert. Eine genaue Kenntnis

der Vorgänge, die zu dieser spezifischen Reaktionsbereitschaft führen, ist bis heute nicht vorhanden. Selbst wenn man die Mechanismen dieser Reaktionsbereitschaft exakt kennen würde, müßte man möglicherweise zur Beeinflussung der Mechanismen direkt in das Gehirn eingreifen. Ob dies jeweils möglich ist, ist heute nicht zu beantworten. Ob man dies der Menschheit wünschen sollte, ist eine weitere unbeantwortete Frage. Das Gehirn ist nicht austauschbar – das ist auch gut so.

Wenn unter dieser Rücksicht die Anlage zur Migräne im eigentlichen Sinne nicht änderbar ist, bedeutet das noch lange nicht, daß man gegen dieses Leiden auch nichts tun kann. Wir haben heute sehr wirksame Strategien zur Hand, um die Behinderung durch Migräne zu reduzieren. Die Medizin hat dazu drei Therapiestrategien entwickelt:

- Die Vorbeugung durch Vermeidung von Auslösefaktoren
- Die Vorbeugung durch Reduktion der Anfallsbereitschaft
- Die Behandlung der akuten Auswirkungen der Migräneattacke

Für jede dieser drei Strategien gibt es eine Reihe von Methoden, die man einsetzen kann. Grundsätzlich stehen dazu nichtmedikamentöse und medikamentöse Maßnahmen zur Verfügung.

160

Verhaltensmaßnahmen zur Vermeidung von Auslösefaktoren

Auch bei Migräne gilt:

Das Hauptaugenmerk sollte auf die Vorbeugung und die Vermeidung gelegt werden!

Mit etwas Geduld und Fleiß können Sie erreichen, daß durch reine Verhaltensmaßnahmen Migräneattacken wesentlich weniger stark und nicht mehr so häufig auftreten. Hier einige praktische Tips:

Die Neigung zur Migräne kann bei vielen Menschen vorhanden sein, aber »ruhen«, bis Auslösefaktoren zur Wirkung gelangen. Es ist wichtig, seine ganz persönlichen Auslösefaktoren für die Migräneattacken ausfindig zu machen. Hier finden Sie Tips dazu:

Erkennen und meiden Sie Ihre persönlichen Migräneauslöser!

Beim Ausfindigmachen Ihrer individuellen Auslöser kann Ihnen ein »Kopfschmerztagebuch« helfen. Füllen Sie es *regelmäßig* aus (s. S. 32)!

Behalten Sie einen *gleichmäßigen* Schlaf-/Wachrhythmus bei – vor allem am Wochenende –, denn Änderungen können eine Attacke auslösen. Deshalb am Wochenende Wecker auf die gewohnte Weckzeit einstellen und zur gleichen Zeit frühstücken wie sonst auch. Ist zwar hart, vermeidet aber die Migräne!

Achten Sie auf *regelmäßige* Nahrungseinnahme. Versuchen Sie, Ihre Essenszeiten *gleichmäßig* einzuhalten!

Treiben Sie *regelmäßig* gesunden Sport – z. B. Schwimmen, Radfahren, Wandern – das hilft Ihnen und Ihrem Gehirn zu »entspannen«!

- Versuchen Sie eine ausgeglichene Lebensführung. Ein *gleichmäßiger* Tagesablauf kann Kopfschmerzen verhindern!
- Lernen Sie »nein« zu sagen. Lassen Sie sich nicht zu Dingen drängen, die ihren *gleichmäßigen* Rhythmus außer Takt bringen – es kommt schließlich auf Sie an!
- Lernen Sie das Entspannungstraining »Progressive Muskelrelaxation nach Jacobsen« – Kurse werden an Volkshochschulen angeboten. Bücher, Hör- und Videokassetten sind über den Buchhandel zu beziehen. Fragen Sie danach, und üben Sie *regelmäßig*! Eine Kurzanleitung finden Sie auf Seite 247.
- Lassen Sie öfters einmal fünfe gerade sein. Gut geplante, *regelmäßige* Pausen sind der Geheimtip für produktive Arbeit!
- Haben Sie etwas Geduld! – Enttäuschen Sie sich nicht selbst mit nichterfüllbaren Erwartungen; denn ein guter Behandlungserfolg ist meist nicht von heute auf morgen zu erzielen, sondern benötigt Zeit. Mit *regelmäßiger* Übung können auch Sie Meister in der Behandlung *Ihrer* Migräne werden.

Vorbeugung durch Reduktion der Anfallsbereitschaft

Die zweite Möglichkeit, die Auslösung von Migräneattacken zu verhindern, ist die Reduktion der erhöhten Anfallsbereitschaft des Gehirns. Dazu stehen medikamentöse und nichtmedikamentöse Möglichkeiten zur Verfügung.

auch die Weite von Blutgefäßen oder die Blutflußgeschwindigkeit zu messen versucht. Die Meßergebnisse werden für die Patienten in der Regel auf einem Bildschirm angezeigt. Ändert sich die Körperfunktion, ändert sich auch die Anzeige. Durch diese Rückmeldung der Körperfunktion (»feedback«) kann der Patient direkt sehen, ob seine Muskeln entspannt sind oder sein Puls regelmäßig und langsam schlägt. In der weiteren Therapie wird gelernt, diese Körperfunktionen direkt und gezielt willentlich zu beeinflussen.

Es ist das Ziel der Biofeedback-Therapie, eine unmittelbare willentliche Steuerung der Körperfunktionen, die normalerweise nicht der willentlichen Steuerung unterliegen, zu erreichen.

So wie Ihr Stundenplan helfen soll, vorausschauend Ihren Tagesablauf willentlich zu planen, soll Biofeedback dazu beitragen, bereits entstandene Fehlfunktionen sichtbar zu machen und willentlich in den Griff zu bekommen.

Wie sich in wissenschaftlichen Studien gezeigt hat, kann die Biofeedback-Therapie tatsächlich Migräneanfälle beeinflussen. Das Ausmaß der Therapieerfolge ist vergleichbar, allerdings nicht besser als das der progressiven Muskelrelaxation nach Jacobsen.

Nachteile der Biofeedback-Therapie

Biofeedback-Therapie hat im Vergleich zu anderen Therapieverfahren mehrere Nachteile: Sie bindet den Patienten an einen Therapeuten und an eine Maschine. Dies beinhaltet organisatorische Probleme und bedeutet einen zumindest zeitweisen Verlust der Selbständigkeit. Außerdem ist diese Therapieform im Vergleich zu anderen Verfahren sehr kostenintensiv. Da keine besseren

Therapieergebnisse erzielt werden als mit selbständig durchführbaren Entspannungsverfahren, scheinen diese Methoden im Alltag unwirtschaftlich und umständlich. Unabhängig davon ist die wissenschaftliche Erprobung solcher Methoden von unschätzbarem Wert, da die Verfahren Einblicke in mögliche Krankheitsprozesse geben können.

▨▨▨ Streßbewältigungstraining, Selbstsicherheitstraining

Das Selbstsicherheitstraining soll Patienten in die Lage versetzen, für ihre persönlichen Rechte einstehen zu können und ihre eigenen Gedanken, Gefühle und Einstellungen ausdrücken zu können. Selbstsicherheit und soziale Kompetenz können dazu führen, daß man sein Leben mit mehr innerer Gelassenheit und Ruhe leben kann. Wünsche werden mit möglichst geringem Aufwand realisiert.

In Trainingssituationen werden den Patienten Aufgaben zur sozialen Kompetenz gestellt, die zu bewältigen sind. Die Übungen werden entweder im Rollenspiel in einer Gruppe mit einem Therapeuten oder Trainer oder als Hausaufgabe »live« geübt. Es gibt sehr viele unterschiedliche Trainingsprogramme. Beispielhaft sollen hier einige Übungen genannt werden:

▨▨▨ Entgegenkommenden Passanten nicht ausweichen; als erster durch die Tür eines Lifts gehen
▨▨▨ Inanspruchnahme eines vorreservierten Platzes; Durchsetzen von Beschwerden
▨▨▨ Ablehnen unberechtigter Forderungen eines Partners
▨▨▨ Anprobieren diverser Schuhe und Verlassen des Geschäftes ohne Kauf

166

- Aufmerksamkeit in der Öffentlichkeit auf sich lenken
- Vordrängler, Ruhestörer, Vertreter, Betrüger in Schranken weisen oder ablehnen.

Ein Selbstsicherheitstraining ist in der Regel eine tolle Sache. Eine spezifische Therapie aber für die Migräne ist es sicher nicht. Es hilft, unbegründete Ängste abzubauen und sich nicht aus dem Rhythmus bringen zu lassen (Abb. 63). Dadurch wird eine größere Sicherheit im Alltag ermöglicht, und plötzliche Störungen des Gleichgewichtes werden weniger wahrscheinlich.

Ein Selbstsicherheitstraining ist aufwendig und teuer. Ein Therapeut und eine Gruppe sind erforderlich, außerdem sind Zeit und insbesondere Geld notwendig. Ein Kostenträger für ein solches Behandlungsprogramm findet sich in der Regel nicht. Außerdem ist ein Therapeut und eine Gruppe oft nicht verfügbar. Wissenschaft-

Abb. 63. Ein Selbstsicherheitstraining hilft soziale Ängste abzubauen.

liche Studien zeigen zudem, daß der Erfolg hinsichtlich der Reduktion von Migräneattacken nicht den der progressiven Muskelrelaxation (Anleitung s. S. 247) übersteigt. Damit ist das Selbstsicherheitstraining eine zwar prinzipiell mögliche, aber eher theoretische Behandlungsmöglichkeit für den Alltag.

▨ Das Migräne-Patientenseminar

Das von Gerber und Göbel an der Schmerzklinik Kiel entwickelte Migräne-Patientenseminar zielt auf eine umfassende *neurologisch-verhaltensmedizinische* Betreuung von Patienten ab. Diese Betreuung bezieht sich sowohl auf eine *verhaltensmäßige* Vorbeugung und Behandlung von Kopfschmerzen als auch auf die spezifische *medikamentöse* Prophylaxe und Therapie nach einem wissenschaftlichen ganzheitlichen Ansatz. In einer umfassenden Aus- und Weiterbildung werden die Ärzte dazu befähigt, das Patientenseminar im Rahmen von Gruppensprechstunden durchzuführen. Die Grundgedanken sind dabei, *Information* in kompakter Form an Betroffene weiterzugeben, *Selbsthilfegruppen* zu initiieren und durch den gegenseitigen Austausch von Informationen zwischen den Gruppenmitgliedern eine effektive *interaktive* Behandlung zu ermöglichen. Organisatorisch ist das Patientenseminar eine vom Arzt angebotene Veranstaltung. Es wird z. B. an einem Wochentag für die Dauer von 60 bis 90 Minuten in einer kleinen Gruppe von Problempatienten (etwa 5–10 Teilnehmer) mit vergleichbaren Erkrankungen durchgeführt.

Das Patientenseminar folgt dabei nachstehendem Ablauf:

- Auswahl der Gruppenmitglieder: Im *Einzelgespräch* soll der Arzt in Frage kommende *Patienten auswählen*, über das Patientenseminar informieren und zur Teilnahme motivieren. Selbstbeobachtungsmaßnahmen werden erklärt. Ein *Kopfschmerztagebuch* wird ausgegeben.
- In den ersten Sitzungen finden dann *gruppenspezifische Erstgespräche* statt. Dabei wird die *Symptomatik* der einzelnen Kopfschmerzerkrankungen mit den Patienten diskutiert, der *Leidensdruck*, die *Entwicklungsgeschichte* und *Chronifizierungsfaktoren* werden herausgearbeitet. Insbesondere sollen dabei chronifizierende Faktoren und die verschiedenen Verhaltensmuster im Alltag, die der Behandlung des Kopfschmerzes entgegenstehen, erfaßt und analysiert werden.
- Erläuterung der *Diagnose* durch den Arzt und *Information* über die Entstehungsbedingungen: In dieser Sitzung werden den teilnehmenden Patienten die zugrundeliegenden Mechanismen der Kopfschmerzerkrankung und der Kopfschmerzpathophysiologie erläutert. Darauf aufbauend werden entsprechend strukturierte Schritte zur Behandlung der Kopfschmerzen vermittelt. Dabei sollen den Patienten nicht nur biologische, sondern auch psychologische Prozesse und Verhaltensmuster bewußt gemacht werden. Dazu gehören insbesondere Streß und ungünstige Kognitionen.
- Beratungsgespräch und Gruppendiskussion: In dieser Sektion des Patientenseminares werden *weitere Informationen* interaktiv in der Gruppe vermittelt und die pathogenetischen und pathophysiologischen Zusammenhänge erläutert. Neben den *individuellen Reizbedingungen* sollen insbesondere Faktoren der *Lebensführung* wie z. B. unregelmä-

ßiger Schlaf, Tagesplanung, Streß, Arbeitsplatzgestaltung etc. besprochen werden. Die Basis des Gesprächs sollte hier ein spezifischer *Streßanalysebogen* sein, der in Verbindung mit einer Kopfschmerz-Checkliste die verschiedenen Bedingungen für die Kopfschmerzattacken herausarbeiten soll. Bereits in dieser Sitzung soll den Patienten eine kombinierte Behandlungsstrategie, nämlich die Verbindung zwischen nichtmedikamentösen und medikamentösen Verfahren aufgezeigt werden.

Medikamentenbesprechung: In dieser Sitzung werden ausführlich die *Medikamentenvorgeschichte*, die Art und Weise, wie Medikamente bislang eingenommen wurden, *Wirkungen und Nebenwirkungen*, aber auch *Einstellungen* zu Medikamenten besprochen. Gleichzeitig soll auf die besondere Bedeutung selbstregulativer Mechanismen wie z. B. Schmerzkontrolle und Streßbewältigung hingewiesen werden.

Streßanalyse I: Zu Beginn der Sitzung wird zunächst auf die besondere Bedeutung von *Belastungsfaktoren* und *ungünstigen Einstellungs-* und *Verhaltensmustern* hingewiesen. Dazu füllen die Patienten spezielle Streßanalysebögen aus, wobei die *Stressoren hierarchisch geordnet* werden. Streß und Belastung werden auch im Sinne psychobiologischer Konzepte erläutert. So wird etwa dargestellt, daß durch bestimmte Techniken, z. B. Entspannungsverfahren, Neurotransmitter besser und schneller abgebaut werden können. So wird verständlich, daß eine spezifische *Körperwahrnehmung* notwendig ist. Die Wirkung von Belastungsfaktoren auf den Körper wird durch *gezielte Streßinduktionen*, wie z. B. einen belastenden Film, quasi körpernah eingeführt. Die bei extremer

170

Belastung auftretenden Körpersignale, wie z. B. Druckempfinden in der Stirn, und die Bedeutung von Entspannung und Gegenkonditionierungsstrategien erklärt. Die Patienten werden in die *progressive Muskelentspannung* nach Jacobson eingeführt. Die dann folgenden Entspannungsübungen werden auf Tonband aufgezeichnet; anschließend wird die Kassette kopiert, so daß jedem Patienten ein Übungsband zur Verfügung gestellt werden kann. Die Patienten erhalten neben der Kassette ein *Übungsprotokoll*, in dem sie Übungszeiten eintragen sollen.

Streßanalyse II: In dieser Sitzung werden die Patienten zunächst in einer ausführlichen Entspannungsübung zur *Tiefenentspannung* hingeführt. Wie in den vorangegangenen Sitzungen werden die Kopfschmerztagebücher besprochen. Eventuell aufgetretene Schwierigkeiten mit Medikamenten oder mit dem Jacobson-Training werden zunächst in der Gruppe erläutert. Diese Sitzung ist darauf ausgerichtet, die Entspannungstechniken im Sinne der *differentiellen Entspannung* anzuwenden. Das bedeutet, daß die Patienten lernen, in einer Alltagssituation, z. B. beim Sitzen, beim Gehen, Stehen oder Sprechen, durch eine kurze Anspannung die Entspannungsreaktionen einzuleiten. Jetzt erfolgt eine Streßinduktion, z. B. das Klingeln eines Telefons, um mögliche Gegenwirkungen zu erproben. Es werden nun verschiedene Belastungssituationen des Alltags durchgespielt wie z. B. Diskussionen, Streit oder Selbstbehauptungssituationen. Die Patienten lernen, bei aufkommenden Körperempfindungen mit *Entspannungsübungen* zu reagieren.

Schmerzbewältigung: Diese Sitzung ist auf das Erlernen von Schmerzbewältigungsstategien gerichtet

171

(*Schmerzbewältigungstraining*). Zunächst schildern die Patienten ihre letzten Anfälle bzw. den letzten Anfall. Danach werden sie aufgefordert, ihre Anfälle erneut durchzuspielen. Durch spezifische kognitive Techniken (z. B. *Imaginationstechnik*) sollen dann gemeinsame Strategien erarbeitet werden, wie ein Anfall ohne oder mit Medikamenten kupiert werden könnte. Neben dem Schlaf sollen insbesondere auch Aktivierungsprozesse in den Vordergrund gestellt werden.

Abschluß: Das Patientenseminar endet mit einer Zusammenfassung und Übersicht über das Gelernte und mit der Vereinbarung, sich ggf. zu *Auffrischsitzungen* wieder zusammenzufinden. Gleichzeitig werden die Patienten ermutigt, eine Selbsthilfegruppe zu besuchen bzw. zu gründen.

Weitere Methoden

Es gibt eine Vielzahl von weiteren nichtmedikamentösen Maßnahmen, die bei manchen Patienten günstig auf den Migräneverlauf wirken. Hier sind zu nennen:

Entspannungsverfahren wie Yoga oder verschiedene Meditationsarten. Diese Verfahren müssen erlernt werden und können nur bei regelmäßiger Anwendung wirken (Abb. 64).

Auch regelmäßiger Sport, Spazierengehen und bewußte Lebensführung sind Möglichkeiten, Streß im Alltag abzubauen und die Migräne günstig zu beeinflussen;

physikalische Therapieverfahren wie Gymnastik, Massagen, Hydro- und Thermotherapie dienen dem gleichen Zweck.

Abb. 64. Nichmedi-
kamentöse Therapie-
verfahren sollten mög-
lichst ohne die Droge
Arzt oder sonstige
Therapeuten realisier-
bar sein. Yoga erfüllt
z. B. diese Vorausset-
zungen.

Migränevorbeugung mit Medikamenten

Sinn der Migräneprophylaxe durch Medikamente

Viele Patienten, die an Migräneattacken leiden, können diese entweder durch nichtmedikamentöse Maßnahmen vermeiden oder erfolgreich und nebenwirkungsarm mit Medikamenten zur Beseitigung der bereits eingetretenen Migräneattacke behandeln. Diese Menschen benötigen keine kontinuierliche medikamentöse Therapie zur Vorbeugung (=Prophylaxe) von Migräneattacken. Dies gilt besonders dann, wenn

- die Migräneattacken selten auftreten,
- diese prompt auf Medikamente zur Attackenbehandlung ansprechen und
- nur geringgradige neurologische Begleitsymptome (Aura) auftreten.

Liegen diese günstigen Voraussetzungen nicht vor, werden der Arzt und der Patient abwägen müssen, ob die Notwendigkeit einer kontinuierlichen, täglichen Dauerbehandlung im Hinblick auf die Nebenwirkungen der Medikamente zur Vorbeugung der Migräne (Migräneprophylaktika) in der individuellen Situation begründet ist. Sinn und Nutzen einer kontinuierlichen medikamentösen Intervalltherapie, also die Behandlung zwischen den Anfällen, ergeben sich durch folgende Punkte:

- Treten Migräneanfälle häufig auf, werden oft Medikamente eingenommen. Das wiederum kann zu unerwünschten Begleitwirkungen der Attackentherapie führen, wie z. B. Magen- und Darmbeschwerden, Nieren- oder Leberschädigungen.

- Durch die permanente Einnahme von Medikamenten zur Behandlung der Migräneattacke kann ein medikamenteninduzierter Dauerkopfschmerz hervorgerufen werden. Ein zunächst attackenweise auftretendes Kopfschmerzleiden wandelt sich dann in einen ständigen, hartnäckigen Dauerkopfschmerz um, besonders bei regelmäßiger Anwendung von mehreren, verschiedenen Migränemedikamenten. Diese Gefahr ist bei Einnahme von Kombinationspräparaten, die in einer Tablette mehrere Wirksubstanzen enthalten, besonders groß. Vermeiden Sie deshalb die Einnahme solcher Kombinationspräparate!

- Frühere Migräneattacken sind von schwerwiegenden neurologischen Ausfällen begleitet worden, z. B. Lähmungserscheinungen, langandauernden Gesichtsfeldausfällen oder Sprachstörungen. Hier zielt die medikamentöse Vorbeugung auf die Verhinderung von neuen Migräneattacken, die mit

174

ähnlich schweren neurologischen Störungen (Aura) einhergehen könnten. Dies gilt insbesondere dann, wenn in der Vergangenheit Anfälle mit lang bestehenden neurologischen Störungen von mehr als einer Stunde (Migräne mit prolongierter Aura) oder sogar mehr als einer Woche (migränöser Infarkt) aufgetreten sind.

Ein *irrationales, nicht erfüllbares Ziel* der medikamentösen Migränevorbeugung ist das vollständige Verschwinden von Migräneattacken bzw. die Heilung des Migräneleidens. Mit den heute bekannten medikamentösen oder nichtmedikamentösen Verfahren ist ein solches Ziel nicht zu erreichen (s.o.).

Vorbedingungen der medikamentösen Migränevorbeugung

Bevor der Patient und der Arzt sich zu einer medikamentösen Intervalltherapie zur Vorbeugung der Migräne entscheiden, sollte eingehend geprüft werden, ob alle nichtmedikamentösen Maßnahmen der Migränevorbeugung ausgeschöpft sind. Möglichkeiten der nichtmedikamentösen Migräneprophylaxe wurden im vorhergehenden Kapitel ausführlich beschrieben. Diese Themenbereiche sollten Sie mit Ihrem Arzt eingehend erörtern und ein Programm für Ihre individuelle Situation zusammenstellen. Bedenken Sie, daß alle Medikamente zur Vorbeugung von Migräneattacken in der Schwangerschaft nicht eingenommen werden dürfen. Sorgen Sie sich deshalb um eine effektive und sichere *Schwangerschaftsverhütung* während des Zeitraumes einer medikamentösen Migräneprohylaxe!

Besprechen Sie mit Ihrem Arzt, ob Sie auch zusätzlich für andere Erkrankungen Medikamente einnehmen. Bringen Sie am besten sämtliche Schachteln zum Arztbesuch mit. Manche Medikamente, die aus anderen Gründen eingenommen werden, können ebenfalls Migräneattacken auslösen. Dies kann auch für die Pille zur Schwangerschaftsverhütung (Kontrazeptivum) gelten. Sollte ein solcher Zusammenhang wahrscheinlich sein, sollte überlegt werden, ob nicht auf andere Möglichkeiten der Schwangerschaftsverhütung ausgewichen werden kann.

▓ Die Entscheidung zur medikamentösen Vorbeugung

Erst wenn die o.g. Möglichkeiten ausreichend ausgeschöpft sind, kann über den Einsatz einer vorbeugenden medikamentösen Therapie der Migräne entschieden werden. Die Entscheidung basiert auf

- ▓ der Häufigkeit,
- ▓ der Dauer und
- ▓ dem Schweregrad der Migräneanfälle,
- ▓ dem Auftreten von neurologischen Begleitsymptomen sowie
- ▓ der Erfolgsquote der Attackenbehandlung.

Folgende Voraussetzungen können eine vorbeugende medikamentöse Migränetherapie begründen:

- ▓ Mindestens 24 Migräneattacken pro Jahr, d. h. regelmäßig mindestens zwei Anfälle pro Monat.
- ▓ Mindestens zweimaliges Auftreten von Migräneattacken, die länger als 3 Tage dauerten (Status migraenosus).

176

- Mindestens zweimaliges Auftreten von neurologischen Begleitstörungen, die länger als eine Stunde dauerten (Migräne mit prolongierter Aura).
- Mindestens einmaliges Auftreten von neurologischen Begleitstörungen einer Migräneattacke, die länger als eine Woche andauerten (migränöser Infarkt).
- Mindestens zwei Migräneattacken, die sehr nachhaltig und unerträglich beeinträchtigten (ausgeprägte Übelkeit und Erbrechen, mangelndes Ansprechen auf Medikamente zur Attackenbekämpfung, Arbeitsunfähigkeit, schwerwiegende neurologische Begleitsymptome, unerträgliche Kopfschmerzintensität).
- Sollten Medikamente zur Behandlung der Migräneattacke zwar ausreichend wirksam sein, aber erhebliche Nebenwirkungen zeigen (z. B. starkes Erbrechen, Magenschmerzen usw.), kann ebenfalls eine medikamentöse Migränevorbeugung begründet sein.

Durchführung der medikamentösen Migränevorbeugung

Jede langfristige medikamentöse Vorbeugung der Migräne ist in Zusammenarbeit zwischen Patient und behandelndem Arzt

- sorgfältig zu planen,
- kontinuierlich zu überwachen und
- zeitlich zu begrenzen.

Im Prinzip wird eine längerfristige Behandlung wie auch bei anderen chronischen Erkrankungen eingeleitet, die kontinuierlich überwacht und angepaßt werden muß. Dies erfordert Zeit, Informationen und Beratung. Ob Ihr Arzt wirklich an Ihnen und der Behandlung Ihrer Migräne interessiert ist, können Sie daran sehen, ob er sich diese Zeit nimmt und mit Ihnen die erforderlichen Schritte ausführlich bespricht.

Zur Verlaufs- und Erfolgskontrolle der medikamentösen Migränevorbeugung ist das Führen eines Migränekalenders unerläßlich und gehört zum *absoluten Muß* (Muster s. S. 32). Mit dem Migränekalender können Sie die Attackenhäufigkeit, die Attackenintensität, Begleitsymptome, Medikamenteneinnahme und Auslösesituationen dokumentieren. Diese Dokumentation ist erforderlich, um die Therapie dem Krankheitsverlauf entsprechend anzupassen. Ähnlich wie bei Bluthochdruck oder einem Diabetes mellitus (Zuckerkrankheit) muß eine ständige, dokumentierte Beobachtung erfolgen, da allein aus der Erinnerung keine sicheren Entscheidungen getroffen werden können.

Eine erfolgreiche medikamentöse Vorbeugung erfordert die Beachtung folgender Punkte:

- Die Behandlung muß kurmäßig über einen längeren Zeitraum erfolgen. Dazu ist es notwendig, daß die Medikamente regelmäßig eingenommen werden.
- Medikamente zur Migränevorbeugung können nicht eine Heilung der Migräne bedingen. Ziel der Vorbeugung ist die Reduktion der Attackenhäufigkeit, der Attackenintensität und die Einsparung von Medikamenten zur Migränekupierung.

Eine Erreichung dieser Ziele ist nicht sofort nach Aufnahme der medikamentösen Migränevorbeugung zu erwarten. Ob eine Besserung eintritt, kann frühestens nach einem Zeitraum von 6 Wochen

178

bei kontinuierlicher Medikamenteneinnahme beurteilt werden.

- Es kann zu Beginn der Behandlung nicht sicher vorausgesagt werden, ob das zunächst eingesetzte Medikament eine Besserung der Migräne herbeiführen kann. So kann es notwendig werden, daß nach einem Zeitraum von 6–8 Wochen auf ein anderes Medikament umgestellt werden muß, wenn sich der erwartete Erfolg nicht zeigt.

- Der Sinn der medikamentösen Migränevorbeugung (s.o.) muß verstanden werden: Einerseits erfolgt eine kontinuierliche Einnahme von Medikamenten zur Vorbeugung von Migräneattacken und andererseits müssen zusätzlich bei Auftreten einer Migräneattacke Medikamente zur Anfallsbekämpfung eingenommen werden.

- Die zu erwartenden Nebenwirkungen der eingesetzten Medikamente müssen bekannt sein (s. Merkblätter im Anhang). Dies ist um so mehr notwendig, da zu Beginn der Behandlung, in den ersten Wochen, nur die Nebenwirkungen des Medikamentes erfahren werden, nicht aber die beabsichtigte Hauptwirkung. Ist dies unklar, kann es zu einer baldigen Absetzung des Medikamentes oder unregelmäßigen Einnahme führen. Resultat ist, daß das Medikament seine Wirkung nicht entfalten kann und das Vertrauen in die Wirksamkeit der Therapie verloren geht.

- Es muß Klarheit über die zeitliche Begrenztheit der medikamentösen Intervalltherapie bestehen. In der Regel wird die medikamentöse Vorbeugung über mindestens 6 Monate durchgeführt, nach 9 Monaten wird die Behandlung beendet.

- Eine regelmäßige Einnahme von Medikamenten zur Behandlung der akuten Migräneattacke (z. B.

Schmerzmittel, Ergotamin) an mehr als 15 Tagen im Monat verhindert einerseits die Wirksamkeit jeglicher vorbeugenden Behandlung. Wird die regelmäßige Einnahme solcher Medikamente nicht geändert, ist die vorbeugende Behandlung sinnlos. Andererseits führt diese regelmäßige Einnahme zu einem verstärkten Auftreten der ursprünglichen Migräne und erhöht deren Häufigkeit bis hin zur Entstehung eines kontinuierlichen Dauerkopfschmerzes.

Einige Medikamente, die zur medikamentösen Migränevorbeugung empfohlen werden, sind in Deutschland vom Bundesgesundheitsamt dafür nicht zugelassen. Bei Lesen des Beipackzettels kann ein entsprechender Hinweis vermißt werden und es kann der Eindruck entstehen, daß der Arzt ein falsches Medikament verordnet hat.

Der Patient und der behandelnde Arzt sollten sich gemeinsam bewußt machen, daß die Intervalltherapie der Migräne eine aufwendige Therapieform ist, die eine kontinuierliche Anpassung erfordert. Die Migräneprophylaxe ist durchaus zu vergleichen mit der Einstellung eines Bluthochdruckes oder der Behandlung einer Zuckerkrankheit. Es kommt immer wieder vor, daß die medikamentöse Migränevorbeugung nur deshalb nicht zum Erfolg führt, weil sie nicht regelrecht durchgeführt wurde. In Zweifelsfällen sollte deshalb der Patient sich an einen in der Migräneprophylaxe *erfahrenen Neurologen* wenden.

Viel wichtiger als die Auswahl eines speziellen Medikamentes ist die *richtige Durchführung* der Behandlung. Häufig berichten Patienten, daß dieses und jenes

180

oder überhaupt bereits alles ausprobiert wurde. Nichts habe aber geholfen. Im Gespräch zeigt sich dann oft, daß zwar tatsächlich die richtigen Medikamente eingesetzt wurden, aber die Grundsätze der Behandlung nicht eingehalten wurden.

Auswahl der Medikamente zur Vorbeugung der Migräne

Es werden Substanzen mit erwiesener Wirkung in der Migränetherapie von solchen, die möglicherweise wirksam sind, unterschieden. Die Definition von Wirksamkeit erfolgt nach wissenschaftlichen Kriterien dadurch, daß in Untersuchungen die Häufigkeit der Migräneattacken mindestens um 50% reduziert sein muß. Dies bedeutet, daß bei einer vorbeugenden Therapie mit diesen Medikamenten nicht immer eine gänzliche Vermeidung der Migräneattacken zu erwarten ist. Wirksam ist eine Behandlung aber z. B. dann, wenn die Häufigkeit der Migräneanfälle von 4 Attacken pro Monat vor der Therapie auf 2 Attacken während der Behandlung zurückgeht.

Die verschiedenen Medikamente, die zur Migränevorbeugung eingesetzt werden, erzielen solche Reduktionsraten bei nur 30–70% der behandelten Patienten. Die Auswahl der verschiedenen Medikamente begründet sich durch das Ausmaß der Wirksamkeit und der möglichen Nebenwirkungen (siehe Medikamentenmerkblätter im Anhang). Man unterscheidet deshalb Medikamente der ersten, zweiten und dritten Wahl.

In der Vergangenheit wurden wegen der besonderen Schwere von Migräneattacken und der mangelnden therapeutischen Beeinflußbarkeit in der Akutsituation zahllose Medikamente zur Migräneprophylaxe untersucht. Nur wenige Substanzen haben sich dabei als tatsächlich wirksam erwiesen. Um nicht unnötig Zeit bei der Suche nach einer individuell wirksamen Therapie zu verlieren, sollten immer nur Medikamente oder Methoden angewandt werden, bei denen der wissenschaftliche Wirksamkeitsnachweis geführt wurde.

Von besonderer Bedeutung ist, daß auch bei nachgewiesener Wirksamkeit Medikamente nur wirken können, wenn sie richtig eingesetzt werden. Dazu zählt insbesondere eine entsprechend lange Anwendungsdauer und eine richtige Dosierung.
Ohne Aussicht auf Erfolg ist eine medikamentöse Prophylaxe auch mit dem richtigen Medikament immer dann, wenn Patienten an mehr als 15 Tagen pro Monat Schmerz- oder Migränemittel einnehmen. In aller Regel besteht dann neben der eigentlichen Migräne noch ein medikamenteninduzierter Dauerkopfschmerz.
Sämtliche migränevorbeugenden Substanzen sind völlig wirkungslos gegen den medikamenteninduzierten Dauerkopfschmerz, weshalb das Kopfschmerzproblem ohne Reduktion der Akutmedikamente nicht gebessert werden kann.
Auch wenn Medikamente zur Migräneprophylaxe längerfristig gegeben werden müssen, heißt dies nicht, daß sie nach einem bestimmten Zeitraum nicht abgesetzt werden können. In der Regel sollen die Medikamente zur Prophylaxe für 6–9 Monate eingenommen werden. Auch nach dem Absetzen der medikamentösen Migränevorbeugung kann der positive Effekt noch für längere Zeit oder auch permanent bestehen bleiben.

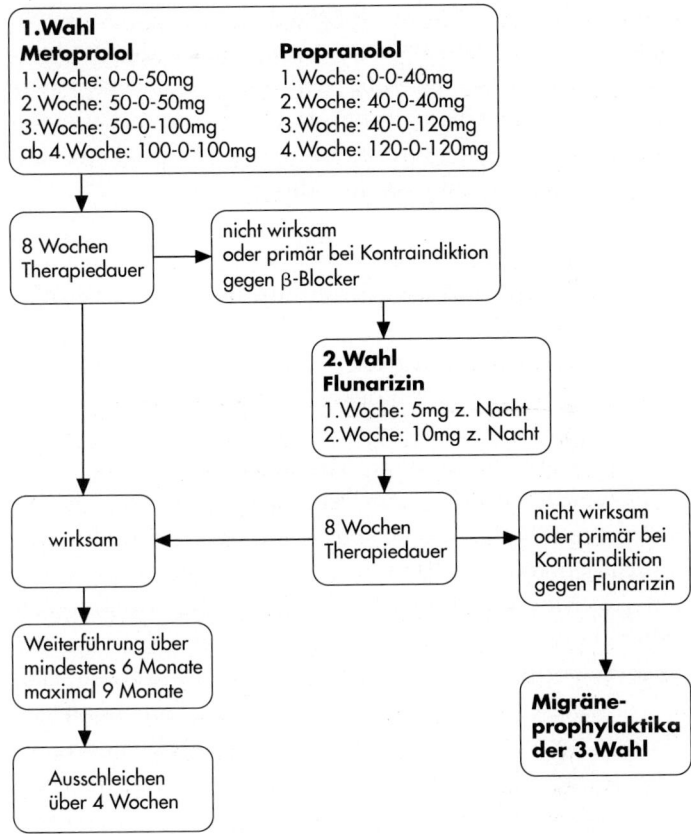

Abb. 65. Ablaufplan für die medikamentöse Migränevorbeugung.

Im Hinblick auf die hochwirksamen Medikamente zur Akuttherapie der Migräne, die in den letzten Jahren entwickelt worden sind, ist der Stellenwert der medikamentösen Migräneprophylaxe gesunken. Viele Patienten ziehen eine gelegentliche Einnahme von Medikamenten zur Attackenkupierung der dauerhaften Medikamenteneinnahme zur Migränevorbeugung vor. Das gilt insbesondere dann, wenn sich Nebenwirkungen wie Müdigkeit im sozialen und beruflichen Leben vieler Patienten störend bemerkbar machen. Dennoch ist die medikamentöse Vorbeugung von Migräneattacken nach wie vor von zentraler Bedeutung, da bei einzelnen Patienten nur dadurch eine Reduktion ihrer Häufigkeit und Schwere erzielt werden kann (Abb. 65).

Vorbeugende Medikamente der ersten Wahl

β-Rezeptorenblocker

Die β-Rezeptorenblocker Metoprolol und Propranolol sind die Standardmedikamente der ersten Wahl bei der Vorbeugung von Migräneattacken. Ihre Wirkung wurde zufällig entdeckt, als Patienten, die β-Rezeptorenblocker wegen Herz-Kreislauf-Erkrankungen einnehmen mußten, berichteten, daß auch die Häufigkeit von Migräneanfällen nachließ. β-Rezeptorenblocker haben eine blutdrucksenkende Wirkung. Dies ist der Grund, warum häufig Bedenken geäußert werden, daß Migränepatienten im Hinblick auf die oft niedrigen Blutdruckwerte eine noch stärkere Blutdrucksenkung erfahren. Bei sachgemäßer Anwendung dieser Medikamente spielt diese Problematik jedoch in der Praxis keine Rolle.

β-Rezeptorenblocker werden in der Migräneprophylaxe sehr langsam aufdosiert, d. h., daß die Dosis über mehrere Tage langsam erhöht wird, bis man die erwünschte Zieldosis erreicht.

Die Anfangsdosis von Metoprolol beträgt bei Beginn der Behandlung 50 mg am Abend. Diese Dosis behält man für 3 Tage bei. Am 4. Tag erfolgt eine Dosiserhöhung um zusätzliche 50 mg am Morgen. Nach

184

weiteren 3 Tagen werden am Abend erneut 50 mg hinzugefügt. Nach dem 12. Tag schließlich werden zusätzlich 50 mg am Morgen verabreicht, so daß dann die Enddosis von 100 mg am Morgen und 100 mg am Abend erreicht ist. Wenn das Dosisplateau aufgebaut ist, kann man auch auf eine Darreichungsform mit verlangsamter Freisetzung der Wirksubstanz umstellen (sog. retardierte Anwendungsform), um einen konstanten Wirkspiegel zu erzielen.

Bei Verwendung von Propranolol beginnt man mit 40 mg an den ersten drei Abenden und steigert dann um jeweils 40 mg, bis man mit 160 mg die Plateaudosis erreicht hat.

Bei dieser langsamen Dosissteigerung werden kaum Nebenwirkungen verspürt. Nach 6–9 Monaten sollten die β-Rezeptorenblocker Schritt für Schritt in gleicher Weise wieder abgesetzt werden. Setzt man sie zu schnell ab, kann es zu Herzrasen (Tachykardie) oder Herzklopfen kommen.

β-Rezeptorenblocker haben neben dem direkten Effekt auf die Häufigkeit und auf die Schwere von Migräneattacken auch weitere Wirkungen, die bei der Auswahl des Medikamentes genutzt werden können. Sie können Nervosität, Ängstlichkeit, Panikattacken, Händezittern und Bluthochdruck positiv beeinflussen. Liegen solche Störungen zusätzlich neben der Migräne vor, empfiehlt es sich ganz besonders, einen entsprechenden, vorbeugenden Behandlungsversuch mit einem β-Rezeptorblocker einzuleiten.

Bei der Auswahl sind allerdings auch die Nebenwirkungen zu berücksichtigen. Wird die Dosis zu schnell aufgebaut oder liegen schon primär sehr niedrige Blutdruckwerte vor, kann Schwindel insbesondere beim Aufstehen (sog. orthostatische Dysregulation) auftreten. Typische Nebenwirkungen, die zwar in der Regel mild sind, können auch Schlafstörungen und Alpträume sein. Manche Patienten klagen über Kältegefühle in den Beinen und über Muskelkrämpfe. Besteht eine Depression, können im Einzelfall durch die Behandlung mit einem β-Rezeptorenblocker die Symptome verstärkt werden. Auch die sexuelle Leistungsfähigkeit kann vermindert werden.

Cyclandelat

In neueren Studien zeigte sich, daß der Calciumantagonist Cyclandelat ähnliche klinische Wirksamkeiten entfalten kann wie Propranolol. Im Gegensatz zu den β-Rezeptorenblockern hat Cyclandelat jedoch deutlich weniger Nebenwirkungen und wird von den meisten Patienten ganz hervorragend vertragen. Müdigkeit oder Schwindel, blutdrucksenkende Effekte und Potenzprobleme werden nicht beobachtet. Aus diesem Grunde ziehen mittlerweile viele Migränetherapeuten Cyclandelat den β-Rezeptorenblockern in der vorbeugenden Behandlung der Migräne vor.

Die Dosierung beträgt dreimal täglich 400 mg.

Cyclandelat ist als einziges, gegen Migräne vorbeugendes Medikament mit gesicherter Wirksamkeit ohne Rezept in den Apotheken erhältlich.

Antidepressiva

In den Vereinigten Staaten zählen Migränespezialisten auch bestimmte Antidepressiva zu den Medikamenten der ersten Wahl in der vorbeugenden Behandlung der Migräne. Im deutschen Sprachraum sind diese Substanzen weniger gut angesehen. Hintergrund dafür ist, daß kaum aktuelle Studien vorliegen, welche die Wirksamkeit mit modernen wissenschaftlichen Methoden nachweisen. Tatsächlich setzen jedoch erfahrene Kopfschmerztherapeuten diese Substanzen zur vorbeugenden Behandlung der Migräne ein.

Der Einsatz erfolgt insbesondere dann, wenn neben der Migräne auch noch ein Kopfschmerz vom Spannungstyp besteht. Dies gilt um so mehr, wenn bei den Patienten zusätzlich eine Depressivität vorhanden ist.

Diese Medikamente sind in Kap. 8 bei der Behandlung des Kopfschmerzes vom Spannungstyp näher beschrieben.

Medikamente der zweiten Wahl

Flunarizin

Flunarizin ist ähnlich gut wirksam wie β-Rezeptorenblocker und Cyclandelat. Im Gegensatz zu diesen Substanzen treten jedoch deutlich mehr Nebenwirkungen auf, so daß es meist als Medikament der zweiten Wahl eingesetzt wird. Flunarizin führt insbesondere zu einer deutlichen Appetitzunahme und zu einem vermehrten Schlafbedürfnis. Gelegentlich wird auch die Stimmungslage gedrückt.

Geeignet ist Flunarizin daher bei Patienten, die sehr dünn sind und Untergewicht aufweisen, über Schlaflosigkeit klagen und besonders hyperaktiv sind.

Nicht eingesetzt werden sollte Flunarizin bei Patienten, die unter Übergewicht, Depressivität und sog. extrapyramidalen motorischen Erkrankungen, wie z. B. Parkinson-Syndrom leiden.

In der Regel wird es in einer Dosis von 5 mg am Abend eingenommen. Treten Müdigkeit und Appetitzunahme in starkem Ausmaß auf, kann das Medikament auch nur jeden zweiten Tag eingenommen werden.

▨ Valproinsäure

In neueren Studien wird auch Valproinsäure zur Prophylaxe der Migräne propagiert. Normalerweise wird sie zur Therapie von epileptischen Anfällen verwendet und daher v. a. von Nervenärzten eingesetzt. Aufgrund ihrer erheblichen Nebenwirkungen und der Kontraindikationen darf sie nur von entsprechend erfahrenen Neurologen angewandt werden.

Die Dosierung muß sehr langsam aufgebaut werden. Man beginnt in der Regel mit 150–200 mg und steigert auf ein Dosisplateau von 500–600 mg. Der Nervenarzt wechselt dann zu einer Darreichungsform mit verlangsamter Freisetzung (sog. Retardpräparat), damit eine kontinuierliche Aufnahme des Wirkstoffes gewährleistet ist.

Zu den möglichen Nebenwirkungen zählen Gewichtszunahme, die bedauerlicherweise stetig und kontinuierlich auftreten kann, weiter Haarausfall und Hautausschläge. Ebenfalls kann Händezittern beobachtet werden. Aufgrund von möglichen Leberschäden müssen die Leberwerte (γ-GT) regelmäßig vom Arzt kontrolliert werden. In extrem selten Fällen können auch massive Leberfunktionsstörungen und Blutbildstörungen auftreten. Sehr streng muß auf eine Empfängnisverhütung geachtet werden, da Valproinsäure zu Fehlbildungen führen kann.

Migräneprophylaktika der dritten Wahl

In diese Gruppe werden in der Regel Medikamente einsortiert, bei denen eine gesicherte Wirksamkeit nicht feststeht oder deren Nebenwirkungen besonders problematisch sind. Einige dieser Substanzen werden in besonderen Situationen jedoch bevorzugt, um deren sonstige Wirkungen auszunutzen. Dies gilt insbesondere für:

- Acetylsalicylsäure. Sie wird dann eingesetzt, wenn im Rahmen von Migräneauren langanhaltende, neurologische Ausfälle auftreten oder sich sogar ein migränöser Infarkt eingestellt hat. Die Dosierung beträgt 300 mg pro Tag. Die Wirkung der Acetylsalicylsäure ist niedriger als die der β-Rezeptorblocker, aber immer noch deutlich besser als die von Placebos.
- Pizotifen und Methysergid. Diese Serotoninantagonisten wurden in den 60er Jahren mangels Alternativen verwendet. Wissenschaftliche Studien zur Wirksamkeit nach heutigem Standard liegen nicht vor. Aufgrund ihrer Langzeitnebenwirkungen werden diese Substanzen heute nur sehr zurückhaltend eingesetzt.
- Auch Lisurid wird zur Migräneprophylaxe empfohlen, die vorliegenden Studien zeigen jedoch nur eine begrenzte Wirksamkeit.
- Magnesium wird immer wieder zur Migräneprophylaxe propagiert. Allerdings sind die vorliegenden wissenschaftlichen Studien zu seiner Wirksamkeit sehr uneinheitlich. Vorteil von Magnesium ist, daß es praktisch keine Nebenwirkungen hat. Bei einer Überdosierung tritt lediglich weicher Stuhlgang bis zum Durchfall auf. Im typischen Fall gibt man eine Tagesdosis von 600 mg. Magnesium

kann in Form von wohlschmeckendem Brausepulver eingenommen werden. Ein besonderer Vorteil von Magnesium ist, daß es auch in der Schwangerschaft eingesetzt werden kann.

Dihydroergotamin wurde ebenfalls in den 60er und 70er Jahren sehr häufig zur Migräneprophylaxe eingesetzt. In der Regel wurden Tagesdosen von 2mal 2,5 mg verabreicht. Da auch durch Dihydroergotamin bei längerem Gebrauch ein medikamenteninduzierter Dauerkopfschmerz verursacht werden kann und zusätzlich die typischen Langzeitnebenwirkungen von Ergotalkaloiden auftreten können (Durchblutungsstörungen in den Beinen und den inneren Organen) lehnen viele Migränespezialisten den Einsatz dieser Substanz heute ab.

Welche Medikamente nicht wirken

In den Medien oder in der Fachliteratur werden viele Substanzen immer wieder hinsichtlich ihrer vorbeugenden Effektivität in der Migränetherapie diskutiert. Für eine Reihe dieser Substanzen liegen jedoch bereits Berichte vor, die eine Wirkung wenig wahrscheinlich machen. Dazu gehören insbesondere folgende Wirkstoffe:

Bromocriptin
Carbamazepin
Cimeditin
Clonidin
Diphenylhydantoin
Diuretika
Gestagene
Hypotonika

190

Indomethacin
Lithium
Neuroleptika
Nifedipin und Nimodipin
Nootropika
Proxibarbal
Reserpin.

Arztbesuche während der medikamentösen Vorbeugung der Migräne

Während der Einstellungsphase sollte in mindestens *vierwöchentlichen Abständen* mit dem Arzt gesprochen werden. Die Daten des regelmäßig ausgefüllten Migränekalenders sollten dabei erörtert werden und eine Verlaufs- und Erfolgskontrolle der Intervalltherapie vorgenommen werden. Nötigenfalls muß eine Therapieanpassung erfolgen. Nebenwirkungen sollten erfaßt und besprochen werden. Zeigt sich eine ausreichende und zufriedenstellende Wirksamkeit der Migränevorbeugung, können die Kontrolluntersuchungen in Abständen von 8 Wochen durchgeführt werden.

Wie die medikamentöse Migränevorbeugung funktioniert

Der genaue Mechanismus der medikamentösen Vorbeugung ist bis heute nicht wissenschaftlich geklärt. Möglicherweise verhindern die Medikamente die plötzliche Überreaktion im zentralen Nervensystem bei Einwirkung von Auslösefaktoren. Durch diese Stabilisierung der Nerven wird einer zu schnellen »Verausgabung« der Nervenbotenstoffe vorgebeugt und damit eine Stabilisierung der Nervenfunktion bedingt. Fehlsteuerung der Nervenfunktion durch zeitweise Erschöpfung der Nervenbotenstoffe wird dadurch weniger wahrscheinlich.

Warum die medikamentöse Vorbeugung der Migräne manchmal nicht klappt

Die medikamentöse Vorbeugung der Migräne ist eine Langzeitbehandlung und beinhaltet mannigfaltige Fehlerquellen, deren Kenntnis den Erfolg der Therapie verbessern kann:

1. Falsche Diagnose. Die beschriebenen Medikamente sind in der Regel nur zur Vorbeugung der Migräne wirksam. Die richtige Diagnosestellung ist deshalb eine unabdingbare Voraussetzung für die Effektivität. Das gilt insbesondere für die Abgrenzung der Migräne zum Kopfschmerz vom Spannungstyp (s. unten). Beim Kopfschmerz vom Spannungstyp sind weder Beta-Blocker noch Flunarizin effektiv.

2. Mangelnde Kenntnis der Unterschiede zwischen Intervalltherapie und der Attackenbehandlung. Die medikamentöse Vorbeugung dient nicht zur Kupierung einer akuten Attacke, sondern zur Prophylaxe der folgenden Attacken.

3. Mangelnde therapiebegleitende Selbstbeobachtung. Oft kann man sich rückblickend nicht sicher erinnern, wie häufig und in welcher Intensität Kopfschmerzattacken auftraten. Deshalb ist das Führen eines Migränekalenders zur Bewertung des Therapieerfolges unerläßlich. Anhand der Eintragungen im Kopfschmerzkalender können sowohl

der Patient als auch der Arzt die Besserungsrate genau nachvollziehen.

4. Unrealistische Ziele. Die Migränevorbeugung wird den Kopfschmerz nicht heilen können. Eine Reduktion um 50 % der Anfallshäufigkeit ist bereits als Erfolg zu werten. Unabhängig von der regelmäßigen Medikamenteneinnahme muß jeder Patient Eigenverantwortung übernehmen, Auslösesituationen der Migräne erkennen, diese nach Möglichkeit vermeiden und nichtmedikamentöse Verfahren der Migräneprophylaxe ausschöpfen.

5. Nichtaufklärung über den zeitlichen Ablauf der Migräneprophylaxe. Ein merklicher Therapieeffekt kann erst nach frühestens 3–4 Wochen eintreten. Da zu Beginn der Behandlung nur Nebenwirkungen verspürt werden, setzen manche Patienten das Medikament ab bzw. nehmen es nur unregelmäßig ein. Die kurmäßige Langzeitbehandlung erfolgt über einen Zeitraum von mindestens einem halben Jahr, und primär kann nicht mit Sicherheit gesagt werden, ob das verordnete Medikament zu einer Besserung des Kopfschmerzleidens führt. Es soll bereits am Anfang festgelegt werden, daß nach einer achtwöchigen Therapiedauer und mangelndem Therapieerfolg eine Umsetzung erfolgen wird. Nur durch einen klar strukturierten zeitlichen Ablauf kann Vertrauen in die Behandlung gewonnen werden, und auch bei anfänglichen Mißerfolgen besteht die Motivation weiterhin, sich an den Therapieplan zu halten.

6. Falsch ausgewähltes Medikament. Ebenso wie die richtige Erkrankung vorliegen muß, muß auch das richtige Medikament ausgewählt werden. Nicht wirksame Substanzen können auch bei der

richtig gestellten Diagnose keine Therapieeffekte bewirken.

7. Falscher Einnahmezeitpunkt. Medikamente, die müde machen, wie z. B. Flunarizin, sollten möglichst mit der Hauptdosis am Abend eingenommen werden.

8. Mangelnde Berücksichtigung individueller Gegebenheiten. Gerade für junge Patientinnen ist eine ungewollte Gewichtszunahme ein ausgesprochenes Problem für ihr Selbstwertgefühl. Obwohl eine sonst gute Wirkung und Verträglichkeit besteht, wird die Nebenwirkung Gewichtszunahme nicht in Kauf genommen, die bei Flunarizin oder Serotoninantagonisten auftreten kann. Da viele Medikamente in der Migräneprophylaxe zu einer Gewichtszunahme führen, sollte in diesem Fall möglichst auf eine Substanz ausgewichen werden, bei der eine Appetitsteigerung nicht erfolgt. Dies trifft z. B. für Beta-Rezeptorenblocker zu. Andererseits können auch Beta-Blocker aufgrund individueller Gegebenheiten unakzeptabel sein. Entsprechendes gilt z. B. bei Leistungssportlern hinsichtlich der Leistungsminderung. Betablocker erlauben keine schnelle körperliche Aktivierung aus dem Stand heraus, sondern bedingen eine allmähliche Änderung des jeweiligen Aktivierungsgrades.

9. Unterdosierung. Das richtige Medikament bei der richtigen Diagnose kann nicht wirken, wenn es nicht ausreichend dosiert wird. Eine Dosis von 50 mg Metoprolol oder 5 mg Flunarizin sind in der Migräneprophylaxe in aller Regel unwirksam.

10. Nichtbeachten von gleichzeitig nebeneinander bestehenden verschiedenen Kopfschmerzerkrankungen. Manchmal werden noch, basierend auf al-

ten Konzepten, nicht Kopfschmerzerkrankungen differenziert, sondern Kopfschmerzpatienten. So werden »Migräniker« den »Spannungszephalgikern« gegenübergestellt. Patienten können jedoch während gleicher Zeitpunkte verschiedene Kopfschmerzerkrankungen haben. Liegen eine Migräne und ein chronischer Kopfschmerz vom Spannungstyp gleichzeitig vor, genügt es nicht, nur eine Prophylaxe der Migräne durchzuführen. Auch wenn es zu einer deutlichen Reduktion der Migräneattacken kommt, daneben aber der Kopfschmerz vom Spannungstyp an beispielsweise 20 Kopfschmerztagen besteht, wird ein nicht ausreichender Therapieerfolg durch den Betroffenen angegeben werden.

11. Nichtbeachtung der einschleichenden Dosierung. Wenn nicht vorsichtig einschleichend dosiert wird, werden initial die Nebenwirkungen im Übermaß auftreten und eine mangelnde Bereitschaft zur Einnahme die Folge sein.

12. Zu kurze Therapie. Der Erfolg der Intervalltherapie der Migräne kann nicht vor Ablauf von 6–8 Wochen bewertet werden. Gerade bei Behandlung mit Betarezeptorenblockern kann es initial sogar zu einer Verstärkung der Migränesymptomatik kommen. Stellt sich ein Erfolg ein, sollte die Intervalltherapie mindestens für 6 Monate durchgeführt werden. Häufig ist dann auch mit einer überdauernden Besserung, auch nach Ausschleichung des Medikamentes, zu rechnen.

13. Zu lange Behandlung. Übermäßige Behandlungsausdehnung über 9 Monate sollte nicht erfolgen, da dann der Spontanverlauf der Migräne aus den Augen verloren wird. Häufig bessert sich die Migräne nach mehreren Monaten, so daß eine

195

ständige Intervalltherapie nicht notwendig ist. Darüber hinaus läßt sich durch das Absetzen der vorbeugenden Therapie zusätzlich ein überdauernder Therapieeffekt nutzen.

14. Nichteinhalten von Therapiepausen bei Benutzung von Methysergid. Bei Einsatz von Methysergid in der Migräneprophylaxe muß unbedingt nach einer Therapiedauer von 3 Monaten eine vierwöchige Therapiepause eingelegt werden, um das Entstehen von Bindegewebeverwachsungen (Fibrosen) zu vermeiden.

15. Mangelnde Information über Nebenwirkungen. Aufgrund der z. T. sehr intensiven Nebenwirkungen der Migränevorbeugungsmedikamente ist eine umfangreiche Besprechung dieser Nebenwirkungen unerläßlich. Nur wenn dies erfolgt, kann eine Abwägung erfolgen, die zumeist nur anfänglich deutlich ausgeprägten Nebenwirkungen in Kauf zu nehmen und die dann später einsetzende Wirkung der Medikamente abzuwarten.

16. Mangelnde Beachtung eines medikamenteninduzierten Dauerkopfschmerzes. Speziell beim medikamenteninduzierten Dauerkopfschmerz durch zu häufige Einnahme von Medikamenten zur Bekämpfung der Kopfschmerzanfälle (s. unten) kann die vorbeugende Behandlung der Migräne nur unzureichend zu einer Besserung des Beschwerdebildes führen. Zwar können die einzelnen Migräneattacken eventuell reduziert werden, der medikamenteninduzierte Dauerkopfschmerz wird jedoch durch die Migräneprophylaxe nicht gelindert. Die Intervalltherapie kann erst dann ihre Wirksamkeit entfalten, wenn eine Entzugsbehandlung durchgeführt wird und die Medikation, die

den medikamenteninduzierten Dauerkopfschmerz hervorrief, umgestellt wird.

▨ 17. Mangelndes therapeutisches Bündnis zwischen Patient und Arzt. Die Migräne an sich und insbesondere die medikamentöse Prophylaxe der Migräne benötigen viel Zeit für das Patient-Arzt-Gespräch. Die reflexartige, kommentarlose Verordnung eines Betarezeptorenblockers wird ebensowenig zum gewünschten Erfolg führen wie die Rezeptierung von Insulin ohne genaue Verhaltensratschläge an einen Zuckerkranken. Die ausführliche Information über die Erkrankung und deren Verlauf, das Anhalten zur Selbstbeobachtung, die Aufklärung über die Medikation, den Ablauf der Behandlung, Lebensführung etc. sind unerläßlich, um das Gesamtbeschwerdebild zu bessern. Dazu gehört auch die ausführliche Information über nichtmedikamentöse Verfahren zur Prophylaxe (s. oben).

▨ **Was noch zu beachten ist**

Die medikamentöse Vorbeugung der Migräne ist ein schwieriges und komplexes Feld. Das liegt einmal daran, daß die Migräne an sich zu verschiedenen Zeitabschnitten in unterschiedlicher Häufigkeit auftreten kann. Die Gründe dafür sind im Einzelfall nur sehr schwer herauszufinden. Es kann deshalb nur ungenau gesagt werden, ob Unterschiede in der Migräneauftretenshäufigkeit *durch das Medikament* bedingt sind oder durch *andere Faktoren* bestimmt werden.

Darüber hinaus sind ausgeprägte *Plazeboeffekte* bei der Behandlung der Migräne bekannt (Abb. 66). Ein Plazebo (lateinisch: »ich werde gefallen«) gleicht einem

Identisch aussehende Medikamente

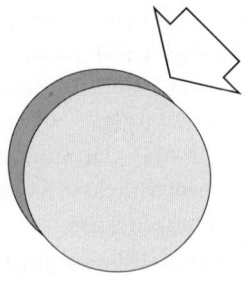 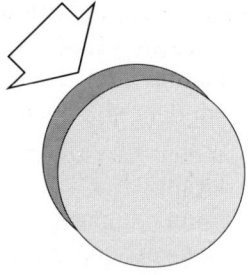

Placebo (Scheinmedikament)	**Verum (wahres Medikament)**
Tablettengrundstoff	Tablettengrundstoff
ohne	**mit**
Arzneistoff	Arzneistoff

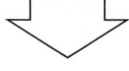 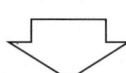

Wirksamkeit bei 20-40 % der Attacken (= Placeboeffekt)	Ein Arzneistoff gilt erst als signifikant (= bedeutsam) wirksam, wenn mehr als 40% der Attacken erfolgreich behandelt werden können

Abb. 66. Auch ein Medikament ohne Wirkstoff kann wirken: durch den Placeboeffekt.

echten Arzneimittel in Aussehen, Geschmack usw. in allen Einzelheiten, beinhaltet aber keine Wirksubstanz. Man setzt solche Plazebomedikamente in wissenschaftlichen Untersuchungen ein, um den Erwartungseffekt des Patienten *und* des Wissenschaftlers zu bestimmen bzw. zu kontrollieren. Der Wirkeffekt des untersuchten Medikamentes muß größer sein als der Scheineffekt, damit man von einer tatsächlich wirksamen Therapie sprechen kann. Die alleinige Plazebobehandlung kann die Migränehäufigkeit und -intensität bei bis zu 40 % der Patienten um die Hälfte reduzieren! Der Plazeboeffekt ist insbesondere bei Beginn der Behandlung besonders stark ausgeprägt.

Auch die alleinige *systematische Beobachtung* des Migräneablaufes durch einen Migränekalender kann die Migränesymptomatik deutlich reduzieren. Oft zeigt sich auch ein Reihenfolgeeffekt bei Verabreichung verschiedener Medikamente. Die zuletzt verabreichte Substanz zeigt sich zunächst besonders wirksam. Dies führt zu initialer Euphorie bei den Patienten, nach einer Dauer von 2–3 Monaten läßt dieser Effekt jedoch nach.

Oftmals wird dann ein Arztwechsel aus Enttäuschung veranlaßt. Dies kann zur Folge haben, daß die verschiedenen therapeutischen Möglichkeiten nicht optimal ausgenutzt werden und praktisch immer wieder von vorn angefangen werden muß. Häufig spielt dabei die besondere anfängliche Aufmerksamkeit des Arztes gegenüber dem Patienten bzw. seiner Erkrankung eine therapeutische Rolle. Legt sich dieses Interesse im Laufe der Zeit, kann möglicherweise die vorbeugende Therapie weniger gut wirksam sein.

Allein diese aufgeführten Besonderheiten der Migränevorbeugung zeigen die *Schwierigkeiten der Migränebehandlung.* Gleiche Voraussetzungen gelten bei der Bewertung des therapeutischen Effektes von sogenannten »alternativen Verfahren«. Auch hier zeigt sich nach anfänglicher Begeisterung bald eine Ernüchterung über das tatsächlich Erreichte im Langzeitverlauf. Die Komplexität der Migränevorbeugung führt häufig dazu, daß aufgrund negativer Erfahrungen eine Behandlung generell gar nicht durchgeführt wird bzw. eine optimale Durchführung im Alltag aufgrund des notwendigen Aufwandes nicht möglich erscheint.

Bei vielen Betroffenen wird die Mühe jedoch mit einer deutlichen Reduktion der migränebedingten Behinderung belohnt.

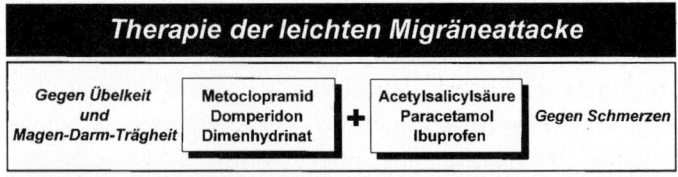

Therapie der leichten Migräneattacke

| Gegen Übelkeit und Magen-Darm-Trägheit | Metoclopramid Domperidon Dimenhydrinat | **+** | Acetylsalicylsäure Paracetamol Ibuprofen | Gegen Schmerzen |

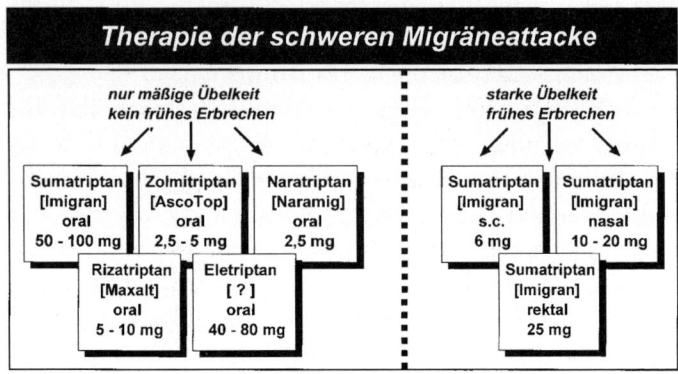

Therapie der schweren Migräneattacke

| nur mäßige Übelkeit kein frühes Erbrechen | | | starke Übelkeit frühes Erbrechen | |

| Sumatriptan [Imigran] oral 50 - 100 mg | Zolmitriptan [AscoTop] oral 2,5 - 5 mg | Naratriptan [Naramig] oral 2,5 mg | Sumatriptan [Imigran] s.c. 6 mg | Sumatriptan [Imigran] nasal 10 - 20 mg |

| Rizatriptan [Maxalt] oral 5 - 10 mg | Eletriptan [?] oral 40 - 80 mg | Sumatriptan [Imigran] rektal 25 mg |

Abb. 67. Medikamentöse Therapie der Migräneattacken in Abhängigkeit vom Schweregrad der Migräne.

Medikamentöse Behandlung des Migräneanfalls

Die richtige Diagnose ist Grundvoraussetzung für eine erfolgreiche Migränetherapie. Liegen die Kriterien der Migräne vor, kann man heute wirkungsvolle Therapieverfahren auswählen, die sich in kontrollierten wissenschaftlichen Studien in der Behandlung der Migräneattacke als effektiv erwiesen haben. In der Therapie der Migräneattacke können sechs verschiedene Situationen unterschieden werden (Abb. 67):

Allgemeine Maßnahmen
Behandlung bei Ankündigungssymptomen einer Migräne

200

- Behandlung der leichten Migräneattacke
- Behandlung der schweren Migräneattacke
- Notfallbehandlung der Migräne durch den Arzt
- Maßnahmen, wenn die Migräneattacke länger als drei Tage dauert

Allgemeine Maßnahmen: Reizabschirmung

Das Gehirn des Migränekranken ist aufgrund der plötzlichen Fehlsteuerung von Nerven »überreizt«. Sinneseindrücke jeglicher Art können als unangenehm oder auch schmerzhaft erlebt werden. Es gehört deshalb zu einer der ersten Maßnahmen in der Behandlung des Migräneanfalles, eine Reizabschirmung einzuleiten. Man sollte sich deshalb *in ein ruhiges, dunkles Zimmer zurückziehen* können. Dies führt in aller Regel zu einer Unterbrechung der momentanen Tagesaktivität.

Da die Lärm- und Lichtempfindlichkeit vielen Betroffenen gut bekannt sind, aber aufgrund der Alltagsbedingungen eine Reizabschirmung nicht immer möglich ist, versuchen sich viele Menschen durch schnelle und übermäßige Einnahme von Medikamenten arbeitsfähig zu erhalten. Diese Situation ist ein wesentlicher Grund für einen medikamentösen Fehlgebrauch mit der Gefahr der Entstehung eines medikamenteninduzierten Dauerkopfschmerzes (s. Kap. 7).

Beanspruchen Sie deshalb eine Pause, bis es Ihnen wieder besser geht!

Einsetzen des Entspannungsverfahrens

Während der Zeit des Sichzurückziehens in den licht- und lärmgeschützten Raum sollte jetzt das Entspannungsverfahren angewendet werden, das vorher schon eingeübt wurde (s. S. 247). Dies kann bei der Stabilisierung der Nervenfunktion im Gehirn behilflich sein und den Behandlungserfolg beschleunigen. Reizabschirmung und Entspannungsinduktion sollten deshalb immer zu den ersten Maßnahmen in der Behandlung der akuten Migräneattacke gehören.

Auch wenn Sie wissen, daß Ihnen ein Medikament sehr gut und sehr schnell hilft, sollten Sie sich trotzdem diese Ruhephase gönnen. Ihr Körper braucht diese Zeit.

Medikamentöse Maßnahmen bei Ankündigungssymptomen

Viele Migränepatienten kennen Ankündigungssymptome einer Migräneattacke. Solche Symptome können z. B. Stimmungsschwankungen im Sinne von Gereiztheit oder Hyperaktivität sein, erhöhter Appetit, insbesondere auf Süßigkeiten, aber auch ausgeprägtes Gähnen.

Ankündigungssymptome zeigen sich bei über einem Drittel der Migränepatienten bis zu 24 Stunden vor dem Beginn der Migräneattacke. Eine Irritation der Nervenfunktion im Mittelhirn wird als Grundlage dieser Beschwerden angesehen.

Zur Verhinderung des folgenden Attackenbeginns ist die Einnahme von

500 mg Acetylsalicylsäure als Brauselösung oder 30 mg Domperidon als Tablette

möglich. Diese Maßnahme kann insbesondere Patienten empfohlen werden, die aufgrund bestimmter Ankündigungssymptome mit großer Wahrscheinlichkeit das Entstehen einer folgenden Migräneattacke vorausahnen können.

Medikamentöse Behandlung der leichten Migräneattacke

Leichte Migräneattacken lassen sich durch langsamen Beginn der Kopfschmerzintensität, schwache bis mittlere Kopfschmerzintensität, fehlende oder nur gering ausgeprägte Aurasymptome, mäßige Übelkeit und fehlendes Erbrechen von schweren Migräneattacken abgrenzen.

Zur Behandlung dieser leichten Migräneattacken wird die Kombination eines Medikamentes gegen die Übelkeit mit einem Schmerzmittel (Analgetikum) empfohlen.

Bei den ersten Anzeichen einer entstehenden Migräneattacke können 20 mg Metoclopramid als Zäpfchen oder Tropfen genommen werden. Alternativ können 20 mg Domperidon als Tablette eingenommen werden.

Diese letztgenannte Substanz ist aufgrund geringerer Nebenwirkungen bei Kindern vorzuziehen.

Die Gabe eines Medikamentes gegen Übelkeit und Erbrechen (man nennt diese Medikamente Antiemetika) hat sich in der Behandlung der Migräneattacke als sinnvoll erwiesen, da sie einerseits gezielt die Symptome Übelkeit und Erbrechen reduziert, andererseits die Magen- und Darmaktivität normalisieren kann. Dadurch kann die Aufnahme des Medikamentes gegen die Schmerzen verbessert und beschleunigt werden.

Man wartet deshalb etwa 15 Minuten, bis das Medikament an seinem Wirkort angelangt ist und gibt dann erst das Schmerzmittel.

Besteht bei leichten Migräneattacken überhaupt keine Übelkeit oder Erbrechen, kann direkt das Schmerzmittel eingenommen werden und auf das Medikament gegen Übelkeit und Erbrechen verzichtet werden.
Als Schmerzmittel bei leichten Migräneattacken haben sich drei Substanzen besonders bewährt:

Acetylsalicylsäure (ASS)
Paracetamol
Ibuprofen

Diese drei Substanzen sind nicht verschreibungspflichtig und können in der Apotheke ohne ärztliches Rezept erhalten werden. Nähere Informationen zu diesen Medikamenten werden nachfolgend gegeben (s. auch Merkblätter im Anhang).

Acetylsalicylsäure (ASS, Aspirin)
Den stärksten schmerzlindernden Effekt in der Reihe der in der Apotheke ohne Rezept erhältlichen Schmerzmittel hat wahrscheinlich die Acetylsalicylsäure. Sie ist auch das weltweit am häufigsten bei Migräne eingesetzte Medikament und in vielen Ländern der Erde wird der Wirkstoff mit dem deutschen Handelsnamen bezeichnet. Der Grundstoff ist im Saft der Saalweide (botanischer Name »Salix salix«) enthalten, und vor der industriellen Herstellung haben Menschen ihre Kopfschmerzen mit dem Saft dieses Baumes behandelt. Acetylsalicylsäure sollte möglichst als Brauselösung eingenommen werden, da dadurch eine schnelle und sichere

Aufnahme im Magen-Darm-Trakt erfolgt. Ähnlich schnell scheint auch die Aufnahme bei Verwendung einer Kautablette. Wird bei Verwendung einer normalen Tablette nicht genügend Flüssigkeit nachgetrunken (mindestens ein viertel Liter), bleibt das Medikament im Magen zu lange liegen, wird vom Darm nicht aufgenommen und bewirkt dort unerwünschte Ereignisse in Form von Magenschmerzen.

Bei Jugendlichen beträgt die Dosierung von Acetylsalicylsäure 500 mg, bei Erwachsenen 1000 bis 1500 mg zur Erzielung ausreichender Wirksamkeit.

Die Einnahme einer Tablette zu 500 mg bei Erwachsenen reicht also nicht aus, vielmehr sind 2 bis 3 Tabletten erforderlich. Die Wirkung setzt in der Regel nach 20 bis 60 Minuten ein. ASS sollte nicht als Zäpfchen gegeben werden, da es zu Darmreizungen kommen kann.

Paracetamol

Paracetamol wird bevorzugt bei *Kindern* als Schmerzmittel verabreicht. Es kann als Zäpfchen, Brausegranulat zum Trinken, als Kautablette, Saft oder Tropfen verabreicht werden. Bei Kindern beträgt die Dosis 500 mg, bei Erwachsenen 1000 mg. Die Wirkung tritt in der Regel nach 30 bis 60 Minuten ein.

Ibuprofen

Ibuprofen ist im wesentlichen mit der Acetylsalicylsäure vergleichbar, scheint aber weniger Nebenwirkungen hinsichtlich von Magen-Darm-Reizungen zu haben. Die Wirksamkeit in der Behandlung der Migräneattacke ist nicht so gut untersucht wie die von

Acetylsalicylsäure. Die Dosierung beträgt bei Kindern 200 mg, bei Erwachsenen 400 mg. Die Wirkung tritt nach ca. 30 bis 60 Minuten ein. Ibuprofen stammt aus der großen Gruppen der Medikamente gegen Rheuma (nichtsteroidale Antirheumatika, NSAR). Auch andere Medikamente aus dieser Gruppe (Naproxen, Naproxen-Natrium, Dolfenaminsäure) werden in der Migränetherapie eingesetzt, allerdings scheint ein Vorteil zu den vorgenannten Medikamenten bisher nicht erkennbar.

Metamizol

Metamizol ist ein Schmerzmittel, das sich in seiner Wirkungsweise von Acetylsalicylsäure und Paracetamol unterscheidet. Aufgrund seltener, aber schwer verlaufender Nebenwirkungen mit Störungen der Blutzellenbildung wurde es zeitweise nur sehr zurückhaltend und v. a. bei Patienten eingesetzt, bei denen andere Schmerzmittel nicht wirksam waren. Durch neue Studien zeigte sich jedoch mittlerweile, daß seltene schwerwiegende Nebenwirkungen bei Metamizol nicht häufiger als bei anderen Schmerzmitteln sind. Es wird seit 1997 wieder häufiger als Analgetikum eingesetzt.

Metamizol wird in einer Dosierung zwischen 500 und 1000 mg verabreicht. Bedauerlicherweise liegen jedoch keine wissenschaftlichen Studien vor, die heutige Kriterien für eine kontrollierte Untersuchung erfüllen. Daher kann nicht sicher gesagt werden, wie wirksam Metamizol in der Migränetherapie tatsächlich ist. Aus der praktischen Erfahrung ist jedoch bekannt, daß es wirksam sein *kann*. Ein Vorteil von Metamizol ist, daß in der Regel im Gegensatz zur Acetylsalicylsäure keine Magen-Darm-Blutungen erzeugt werden und die Magenverträglichkeit gut ist.

Behandlung der schweren Migräneattacke

Viele Migränepatienten haben die Erfahrung gemacht, daß sog. *einfache Schmerzmittel* bei ihnen zu *keinerlei ausreichender Wirkung* führen:

- Der Schmerz klingt nicht ab, parallel dazu besteht starke Übelkeit oder sogar Erbrechen.
- Die Patienten sind 2–3 Tage ans Bett gefesselt, fühlen sich elend und krank.

Diese Situation wird als schwere Migräneattacke bezeichnet. Sie liegt immer dann vor, wenn das zunächst eingesetzte Behandlungsschema für leichte Migräneattacken sich als nicht ausreichend wirksam erweist. Schwere Migräneattacken liegen jedoch auch dann vor, wenn sehr stark ausgeprägte neurologische Begleitstörungen der Migräne im Sinne von Aurasymptomen oder aber auch eine Kombination von mehreren Aurasymptomen auftreten. Unter dieser Voraussetzung werden sog. *spezifische Migränemittel* eingesetzt. Dazu zählen die früher verwendeten Ergotalkaloide, die heute jedoch in der Migränetherapie als veraltet angesehen werden. Als Ersatz stehen in der modernen Migränetherapie eine Reihe verschiedener Triptane zur Verfügung.

Ergotalkaloide

Ergotalkaloide waren bis 1993 die einzige Möglichkeit zur Eigenbehandlung schwerer Migräneattacken. Sie konnten in Tablettenform, als Zäpfchen oder durch Inhalation eines Aerosolsprays angewandt werden.

Secale cornutum (Mutterkorn) ist ein durch einen Pilz befallenes Getreidekorn. Flüssige Extrakte von Mutterkorn wurden bereits im 19. Jahrhundert zur Therapie der Migräneattacke eingesetzt. In der Medizin wurde zumeist Ergotamintartrat in der Behandlung der Migräneattacke verwendet.

Die Gabe von Ergotamin mußte im Verlauf der Migräneattacke so früh wie möglich erfolgen, da bei späterer Verabreichung und weiterem Fortschreiten der Attacke eine Wirkung oft nicht mehr erzielt werden konnte. Aus diesem Grund mußte auch die gesamte Dosis auf einmal und nicht etwa in mehreren Einzelgaben eingenommen werden. Darüber hinaus war die individuelle Ansprechbarkeit auf Ergotamintartrat sehr unterschiedlich. So führten Dosierungen, die ein Patient problemlos vertrug und die eine effektive Behandlung des Migräneanfalles bewirkten, bei anderen bereits zu starker Übelkeit und Erbrechen und verstärkten evtl. sogar die Symptomatik des Migräneanfalls.

Bei der Therapie mit Ergotalkaloiden war also größte Vorsicht geboten. Die zu häufige Einnahme von Ergotalkaloiden konnte sehr schnell die Migräneattacken in ihrer Häufigkeit und Intensität verschlimmern. Sehr leicht konnte ein ständiger, täglicher Kopfschmerz entstehen, ein sog. medikamenteninduzierter Dauerkopfschmerz.

Beim Absetzen entstand ein sog. Entzugskopfschmerz, und die Betroffenen mußten deshalb ständig weiter und mit der Zeit mehr und mehr Ergotalkaloide einnehmen, um den Entzugskopfschmerz zu vermeiden. Bei Dauertherapie konnten auch schwere Durchblutungsstörungen in verschiedenen Körperorganen auftreten, meist zunächst in den Armen und Beinen. Sie konnten sehr ernste Folgen haben bis hin zum tödlichen Verlauf mit Herzinfarkt oder Absterben von Teilen des Darmes aufgrund mangelnder Durchblutung.

Aus diesem Gründen werden heute Ergotalkaloide in der modernen Migränetherapie nicht mehr eingesetzt.

Eine spezielle Indikation ist lediglich die Kurzzeitprophylaxe in der Behandlung des Clusterkopfschmerzes. Diese sollte jedoch nur in spezialisierten Zentren unter sorgfältiger Kontrolle durchgeführt werden.

Sumatriptan

Die Ergotalkaloide erzielten nur bei circa 50–60% der behandelten Patienten eine ausreichend gute Wirkung. Darüber hinaus hatten diese Substanzen schwerwiegende Nebenwirkungen. Aus diesem Grunde bestand schon lange ein Bedarf an Alternativen. Migräneforscher haben sich daher sehr intensiv auf die Suche nach anderen Therapieformen begeben. Seit Februar 1993 ist in Deutschland die Substanz Sumatriptan als erstes speziell entwickeltes Migränemittel erhältlich. Sumatriptan wird daher auch als Triptan der ersten Generation bezeichnet. Seine besonderen Vorteile sind:

- Es wirkt nach bisherigen Forschungsergebnissen gezielt nur an den Stellen im Körper, an denen der Migräneschmerz entsteht, d. h. an den entzündeten Blutgefäßen des Gehirns.
- Die Besserung der Migräne kann bereits nach 10 Minuten eintreten.
- Es kann als Tablette, als Fertigspritze, als Nasenspray oder als Zäpfchen zur Selbstbehandlung angewendet werden.
- Ein guter Behandlungserfolg kann bei circa 86% der behandelten Patienten erzielt werden.
- Es kann zu jedem Zeitpunkt während der Migräneattacke ohne Wirkungsverlust gegeben

werden, muß also nicht sofort zu Beginn des Anfalls eingesetzt werden.

- Da die Substanz sehr schnell im Körper abgebaut werden kann, ist die Gefahr einer Überdosierung und einer Speicherung in Körpergeweben gering.
- Obwohl auch bei zu häufigem Gebrauch (an mehr als 10–15 Tagen pro Monat) ein medikamenteninduzierter Dauerkopfschmerz entstehen kann, ist im Vergleich zu den alten Ergotalkaloiden die Symptomatik dieser medikamenteninduzierten Dauerkopfschmerzen deutlich milder und kann in der Regel durch einen ambulanten Entzug beseitigt werden.

Der Einsatz dieser Substanz weist jedoch auch verschiedene Besonderheiten auf, die ebenfalls berücksichtigt werden müssen:

- Der Wirkstoff wird im Körper sehr schnell abgebaut. Bei lange anhaltenden Migräneattacken kann der Kopfschmerz erneut auftreten. Man spricht dann von einem „Wiederkehrkopfschmerz". In dieser Situation muß der Wirkstoff erneut zugeführt werden. Patient und Arzt haben dadurch jedoch die Möglichkeit, den Einsatz des Wirkstoffes exakt zu steuern. Durch diese Besonderheit ist es nicht erforderlich, den Körper mit zuviel Wirkstoff zu belasten, der eine langanhaltende Wirksamkeit hat.
- Triptane dürfen bisher nicht bei Menschen, die jünger als 18 oder älter als 65 Jahre sind, angewendet werden, da noch keine ausreichenden Erfahrungen für diese Altersgruppen vorliegen und bisher noch nicht genügend wissenschaftliche Studien durchgeführt worden sind. Neue Studien bei

Jugendlichen zwischen dem 12. und 18. Lebensjahr ergaben jedoch kein erhöhtes Risiko.

- Vor dem Einsatz muß eine ausführliche, ärztliche Untersuchung, einschließlich Elektrokardiogramm (EKG) und Beratung erfolgen.
- Bei Anwendung der Fertigspritze mit dem Autoinjektor muß die erste Behandlung unter ärztlicher Aufsicht durchgeführt werden.
- Es müssen, wie bei jedem Medikament, Nebenwirkungen und Situationen, bei denen das Medikament nicht eingesetzt werden darf (Kontraindikationen), beachtet werden (siehe Medikamentenmerkblatt Sumatriptan im Anhang).
- Sumatriptan ist wie alle neuentwickelten, innovativen Medikamenten im Vergleich zu den bisherigen Medikamenten wesentlich teurer. Aufgrund der vielen Vorteile der Triptane rechnet sich jedoch der Einsatz auch aus ökonomischen Gründen, da Arbeitsunfähigkeit und Folgekosten aufgrund inadäquater Behandlung durch diese neuen spezifischen Migränemittel deutlich reduziert werden können.

Die Vorteile dieser Substanz erlauben einen guten Therapieeffekt bei Patienten, die bisher nicht ausreichend behandelt werden konnten. Die Besonderheiten erfordern jedoch einen gezielten Einsatz des Medikamentes.

Das Medikament, und dies gilt für alle anderen Triptane auch, sollte eingesetzt werden, wenn der Einsatz der oben beschriebenen Therapieverfahren für leichte Migräneattacken nicht zu einer ausreichenden Linderung der Beschwerden führt und die

Patienten weiterhin durch die Migräne behindert
sind.

Voraussetzung dafür ist, daß die beschriebenen
Therapierichtlinien auch tatsächlich eingehalten werden.
Eine weiterbestehende, erhebliche Behinderung trotz
richtig eingesetzter Therapiemaßnahmen ist z. B. gekennzeichnet durch starke Schmerzen, lange Dauer der
Attacken, lange Latenzzeit bis zum Eintreten des Thera-
pieeffektes, starke Übelkeit und Erbrechen, starke und
anhaltende Behinderung der üblichen Tätigkeit oder Arbeitsunfähigkeit.

Sumatriptan und auch die Triptane der zweiten
und dritten Generation sollten nicht eingesetzt werden,
wenn

keine ausreichende ärztliche Voruntersuchung einschließlich Blutdruckmessung und Elektrokardiogramm sowie individuelle Beratung vorgenommen
wurde; dies gilt auch für den erstmaligen Einsatz
in der Notfallsituation bei schweren Migräneattacken;

die oben beschriebenen Therapiemöglichkeiten zur
Vorbeugung und Akutbehandlung von Migräneattacken noch nicht systematisch, individuell ausprobiert worden sind;

ein medikamenteninduzierter Dauerkopfschmerz
besteht;

Gegenanzeigen bestehen, wie z. B. ein Zustand
nach Herzinfarkt, Zustand nach Schlaganfall, andere Gefäßerkrankungen, Bluthochdruck, Leber-
oder Nierenerkrankungen (siehe Anhang Medikamentenmerkblätter).

212

Sumatriptan und die Triptane der zweiten und nachfolgenden Generationen sind zweifellos eine sehr gute Alternative für Patienten, die mit den bisherigen Therapiemöglichkeiten keinen befriedigenden Behandlungserfolg erzielen konnten. Der Einsatz muß gut begründet sein, und die Attackenbehandlung muß kontinuierlich mit einem Schmerzkalender dokumentiert werden.

Triptane der zweiten und dritten Generation
Im Jahr 1997 wurden

- Zolmitriptan und
- Naratriptan

als Triptane der zweiten Generation eingeführt. Im Jahre 1998 bzw. 1999 wurden zusätzlich als sog. Triptane der dritten Generation

- Rizatriptan und
- Eletriptan

für Migränepatienten verfügbar gemacht. Für die Entwicklung dieser Triptane gab es mehrere Gründe: Die Wirksamkeit vom Sumatriptan zeigt sich bei maximal 70–90% der behandelten Attacken. Ziel war es daher, Triptane mit einer größeren Wirksamkeit zu entwickeln. Es entstanden Substanzen, welche die Serotoninrezeptoren noch spezifischer aktivieren können. Tatsächlich liegt die stimulierende Potenz der Triptane der zweiten und dritten Generation deutlich höher als die von Sumatriptan. Während Sumatriptan v. a. an den entzündeten Gefäßen des Gehirns wirkt, können die Triptane der zweiten und dritten Generation im zentralen Nervensystem auch an den Stellen aktiv werden, die zu einer Aktivierung der Nervenfasern führen, die dann die neurogene

Entzündung an den Blutgefäßen auslösen. Triptane der höheren Generation haben auch eine bessere Bioverfügbarkeit, d. h. sie werden besser im Magen-Darm-Trakt aufgenommen. Damit ist ihre Wirkung auch während der Migräneattacke zuverlässiger. Diese Substanzen sind ebenfalls in der Lage die sog. Blut-Hirn-Schranke besser zu passieren, wodurch sie zentrale Wirkorte optimaler erreichen. Ein besonderes Verbesserungsziel bestand darin, daß der Wiederkehrkopfschmerz, der bei ca. 30% der behandelten Migräneattacken zu beobachten ist, weniger häufig auftritt, und daß eine längere Wirksamkeit erzielt wird. Dies gilt insbesondere bei Migräneattacken, die über mehrere Tage anhalten.

Auch die Nebenwirkungen sollten bei den Triptanen der höheren Generationen reduziert werden. Dies galt insbesondere für Herzbeschwerden im Sinne von Herzenge.

Ein weiterer Grund für die Neuentwicklung war die größere Schnelligkeit des Wirkungseintrittes. Schließlich sollten auch neue Anwendungsformen, wie z. B. Nasenspray oder Zäpfchen dazu beitragen, daß der Wirkstoff in den verschiedenen Situationen möglichst effektiv verabreicht werden kann.

Sumatriptan Filmtabletten

Sumatriptan als Filmtablette kann aufgrund der langen Erfahrung, die mit diesem Wirkstoff bereits vorliegt, als derzeitiges Standardmedikament in der Migränetherapie bezeichnet werden.

Bei circa 50–70% der behandelten Migräneattacken läßt sich eine bedeutsame Besserung oder auch ein vollständiges Verschwinden der Kopfschmerzen bewirken. Sumatriptan Filmtabletten sollten möglichst frühzeitig bei Beginn der Kopfschmerzphase der Migräne eingenommen werden. Bis zum Beginn der Wirkung vergehen circa 30 Minuten. Die Wirkung erreicht nach circa 1–2 Stunden ihr Maximum. Sumatriptan in Tablettenform wird bevorzugt eingesetzt, wenn Übelkeit und Erbrechen nur gering ausgeprägt sind und die Attackendauer bei unbehandeltem Verlauf in der Regel 4–6 Stunden beträgt.

Die Anfangsdosis von Sumatriptan in Tablettenform beträgt 50 mg. Ist diese Menge ausreichend wirksam, und sind die Nebenwirkungen tolerabel, sollte mit dieser Wirkstoffmenge weiterbehandelt werden. Können allerdings mit 50 mg keine ausreichenden Effekte erzielt werden, verabreicht man bei der nächsten Attacke 100 mg. Ist mit 50 mg eine gute Wirkung zu erzielen, bestehen jedoch Nebenwirkungen, kann auch die halbierte Dosis (nunmehr 25 mg) verabreicht werden. Etwa die Hälfte der mit Sumatriptan in Tablettenform behandelten Patienten kann mit 50 mg eine ausreichende Linderung bei guter Verträglichkeit erzielen. Ein weiteres Viertel der Patienten erreicht dieses Ergebnis mit 25 mg und ein weiteres Viertel mit 100 mg.

Es gilt für alle Triptane, daß bei mehr als einmaliger Wiederholung am Tag der Arzt aufgesucht werden sollte, um erneut ein individuell angepaßtes Therapiekonzept zu erarbeiten, das zu besserer Wirksamkeit führt.

Unabhängig von der Höhe der Dosis, sollte unbedingt beachtet werden, daß pro Monat nicht an mehr als 10 Tagen Medikamente zur Behandlung der Migräneattacken eingenommen werden sollten, da sonst die Gefahr eines medikamenteninduzierten Dauerkopfschmerzes besteht.

Typische *Nebenwirkungen* von Sumatriptan und auch der anderen Triptane sind ein leichtes, allgemeines Schwächegefühl und ein ungerichteter Schwindel, Mißempfindungen, Kribbeln, Wärme- oder Hitzegefühl und leichte Übelkeit. Sehr selten können auch ein Engegefühl im Bereich der Brust und im Bereich des Halses auftreten. Als Ursache für diese Symptome wird eine Verkrampfung der Speiseröhre diskutiert. EKG-Veränderungen treten im Zusammenhang mit diesen Beschwerden nicht auf. In aller Regel sind die Nebenwirkungen sehr mild und klingen spontan ab.

Generell gilt sowohl für Sumatriptan in jeder Anwendungsform als auch für die Triptane der zweiten und nachfolgenden Generationen, daß sie erst eingenommen werden sollen, wenn die Kopfschmerzphase beginnt. Während der Auraphase sollten sie nicht verabreicht werden. Grund dafür ist, daß sie die Symptome der Aura nicht direkt beeinflussen können. Auch können sie die Symptome der Migräne nicht effektiv verbessern, wenn sie zu früh vor der Kopfschmerzphase gegeben werden. Darüber hinaus wird eine Verengung bestimmter Gehirngefäße als mögliche Ursache der Auraphase angenommen. Aus diesem Grunde sollten gefäßverengende Wirkstoffe wie die Triptane in dieser Phase nicht verabreicht werden.

Auf keinen Fall dürfen Triptane in Verbindung mit Ergotaminen verabreicht werden. Da sowohl Ergotamine als auch Triptane zu einer Gefäßverengung führen können, kann dadurch eine besondere Addition der gefäßverengenden Wirkung erzeugt werden, die gefährlich sein kann. Da Ergotalkaloide in der Migränetherapie sowieso der Vergangenheit angehören sollten, dürfte dieses Problem jedoch kaum noch auftreten. Viele Migränepatienten nehmen jedoch in der Konfusion einer akuten Migräneattacke wahllos irgendwelche Medikamente ein, die sie zu Hause vorfinden oder die ihnen in bester Absicht von Bekannten empfohlen und zugereicht werden. Hier gilt es, sehr sorgfältig aufzupassen und solche guten Ratschlägen nicht anzunehmen.

Sumatriptan subkutan

Eine besonders schnelle Wirksamkeit kann durch Verabreichung der Wirksubstanz Sumatriptan mit einem sog. Autoinjektor oder Glaxopen erzielt werden. Dabei wird durch ein kugelschreiberähnliches Gerät via Knopfdruck aus einer Patrone die Wirksubstanz durch eine feine Nadel unter die Haut (=subkutan, s.c.) gespritzt.

Der besondere Vorteil dieser Anwendungsform ist, daß der Patient selbständig in der Lage ist, die subkutane Injektion an allen Orten durchzuführen. Dies ist insbesondere für berufstätige Patienten günstig, die aufgrund ihrer Tätigkeit eine sehr schnelle Wirkung erzielen müssen.

Der Arzt verordnet dazu einen kleinen Vorratsbehälter, in dem zwei Kartuschen mit dem Wirkstoff enthalten sind. Mit dem zusätzlich gelieferten Glaxopen kann der Patient den Wirkstoff unter die Haut spritzen. Damit kann innerhalb von circa 10 Minuten eine Wirkung erreicht werden.

Nach kurzer Erklärung des Vorgehens sind Migränepatienten in der Regel ohne Probleme in der Lage, den Glaxopen anzuwenden. Wichtig ist die Information über das schnelle Einsetzen der Wirkung, damit die Patienten nicht mit Angst reagieren, wenn der Schmerz sehr schnell gelindert wird. Bei entsprechender Aufklärung ist dies jedoch in aller Regel kein Problem.

Sollte nach Anwendung mit dem Glaxopen ein Wiederkehrkopfschmerz auftreten, kann dieser mit einer erneuten subkutanen Injektion von Sumatriptan behandelt werden. Alternativ ist jedoch auch der Einsatz einer Sumatriptan-Tablette oder auch eines Antiemetikums in Kombination mit einem Schmerzmittel möglich.

Ein besonderer Vorteil der subkutanen Darreichungsform ist auch, daß bei ausgeprägtem und frühzeitigem Erbrechen der Magen-Darm-Trakt vollständig umgangen werden kann und damit das Medikament eine ungehinderte Wirkung entfaltet.

Sumatriptan-Zäpfchen

Wird die subkutane Darreichungsform mit einem Glaxopen von Patienten nicht toleriert und sind sie gewohnt, ihre Migräneattacken mit Zäpfchen zu behandeln, kann bei Vorliegen von Übelkeit und Erbrechen auch Sumatriptan als Zäpfchen gegeben werden. Die Dosis beträgt dabei 25 mg. Auch bei dieser Anwendungsform kann eine schnelle und effektive Linderung der Migräneattacke erzielt werden. Beim Wiederauftreten von Kopfschmerzen ist die erneute Anwendung möglich.

Sumatriptan-Nasenspray

Eine besonders innovative Darreichungsform eines Migränemittels ist die Verabreichung des Wirkstoffes über ein Nasenspray. Dazu wurde ein Einmaldosis-Behälter zum Sprühen des Wirkstoffes in die Nase entwickelt. Es gibt zwei unterschiedliche Dosierungen mit 10 und 20 mg Sumatriptan. Die optimale Dosis beträgt bei Erwachsenen 20 mg. Bei einigen Patienten, insbesondere mit geringem Körpergewicht, können auch 10 mg völlig ausreichend sein. Die notwendige Dosis hängt von der Stärke der Migräneattacke und der Aufnahme von Sumatriptan in der Nase ab. Beim Wiederauftreten des Kopfschmerzes kann die Dosis erneut eingenommen werden, wobei man jedoch einen zeitlichen Abstand von 2 Stunden einhalten sollte.

Sumatriptan in Form des Nasensprays führt ebenfalls zu einer sehr schnellen Linderung der Migräneattacke. Ein weiterer Vorteil ist, daß aufgrund des Um-

gehens des Magen-Darm-Traktes Begleitsymptome der
Migräneattacke, wie Übelkeit und Erbrechen, die Aufnahme des Wirkstoffes nicht beeinflussen können. Für
viele Patienten ist das Nasenspray angenehmer als die
subkutane Injektion von Sumatriptan mit dem Glaxopen oder das Einführen eines Zäpfchens.

Naratriptan

Naratriptan gilt (wie auch Zolmitriptan, s. unten)
als Triptan der zweiten Generation. Bei der Entwicklung
von Naratriptan konzentrierte man sich darauf, einen
Wirkstoff herzustellen, der weniger Nebenwirkungen
aufweist als Sumatriptan und bei dem gleichzeitig weniger häufig Wiederkehrkopfschmerzen auftreten. Beide
Ziele konnten realisiert werden.

Naratriptan wird daher heute bevorzugt bei Migränepatienten eingesetzt, die besonders empfindlich für Nebenwirkungen sind. Hintergrund ist,
daß Naratriptan kaum mehr Nebenwirkungen als
ein Placebo erzeugt.

Die Häufigkeit von Wiederkehrkopfschmerzen ist
mit 19% von allen bekannten Triptanen am nied-
rigsten.

Naratriptan wird in einer Dosis von 2,5 mg als Tablette verabreicht. Ist die Wirkung nicht ausreichend,
können auch 5 mg Naratriptan zur Behandlung einer
Attacke eingenommen werden. Wie alle anderen Triptane sollte auch Naratriptan möglichst früh nach Auftreten des Migränekopfschmerzes eingesetzt werden. Die
Wirksamkeit ist bei der Dosis von 2,5 mg etwas niedriger im Vergleich zu Sumatriptan. Durch eine Dosiserhöhung auf 5 mg kann jedoch auch bei Patienten, die auf

2,5 mg nicht ausreichend ansprechen, eine gute Wirksamkeit erzielt werden.

- Aufgrund der guten Verträglichkeit kann Naratriptan insbesondere für Patienten empfohlen werden, die erstmalig mit einem Triptan behandelt werden.
- Gleiches gilt für junge Patienten und für Patienten, die besonders empfindlich auf medikamentöse Therapieverfahren reagieren.
- Ebenfalls empfiehlt sich der Einsatz bei Patienten, bei denen die Attacken mittelschwer ausgeprägt sind und Übelkeit sowie Erbrechen nur geringgradig vorhanden sind.
- Aufgrund der niedrigen Wiederkehrkopfschmerzrate empfiehlt sich Naratriptan insbesondere auch bei Patienten, bei denen unter anderen Therapieverfahren häufig Wiederkehrkopfschmerzen auftreten.

Die Nebenwirkungen sind deutlich geringer und weniger häufig als bei anderen Triptanen. Nur gelegentlich treten leichte Müdigkeit, Mißempfindungen im Bereich der Haut, ein Engegefühl in der Brust und im Bereich des Halses auf. Schweregefühl in den Armen und Beinen sowie ein leichter Schwindel können ebenfalls vorhanden sein.

Zolmitriptan

Auch die Entwicklung von Zolmitriptan war vom Ziel geleitet, eine Substanz zur Verfügung zu haben, die eine noch bessere Wirksamkeit und eine noch höhere Zuverlässigkeit als frühere Substanzklassen aufweist. Der Wirkmechanismus von Zolmitriptan ist durch folgende Punkte charakterisiert:

- Zolmitriptan führt zu einer Gefäßverengung erweiterter Gehirngefäße.
- Die Substanz blockiert die Freisetzung von Entzündungsstoffen aus den Nervenfaserendigungen. Zusätzlich wird eine Hemmung der übermäßigen Nervenaktivität erzielt.
- Schließlich werden auch im Gehirn Nervenzentren in ihrer übermäßigen Aktivität während der Migräneattacke gehemmt. Dies gilt insbesondere für Nervenumschaltzentren im Hirnstamm.

Im Vergleich zu Sumatriptan überwindet Zolmitriptan die sog. Blut-Hirn-Schranke viel besser. Grund dafür ist, daß die Substanz eine wesentlich kleinere Molekülgröße aufweist und deshalb viel leichter in fetthaltiges Gewebe aufgenommen werden kann. Außerdem wird sie sehr gut im Magen-Darm-Trakt aufgenommen. Wirksame Blutspiegel können bereits innerhalb einer Stunde erreicht werden. Ein weiterer Vorteil besteht darin, daß diese Blutspiegel über 6 Stunden anhalten und damit auch bei längeren Kopfschmerzattacken eine lang wirksame Effektivität erreicht werden kann. Es werden nicht nur die Kopfschmerzsymptome reduziert, sondern auch die Begleitstörungen wie Übelkeit, Erbrechen, Lärm- und Lichtempfindlichkeit positiv beeinflußt.

Die mittlere Dosis liegt bei 2,5 mg. Es gibt Zolmitriptan derzeit nur als Tablette. Damit ist der Einsatz nicht möglich bei Patienten, die unter starker Übelkeit oder Erbrechen leiden. In der Entwicklung sind derzeit jedoch bereits eine Kautablette und ein Nasenspray. In klinischen Studien zeigt sich, daß bei Einsatz von Zolmitriptan in einer Dosis von 5 mg bei bis zu 80% der Patienten die Kopfschmerzen deutlich vermindert werden können und bei circa 55% der Attacken die Kopfschmerzen vollständig abklingen.

Auch im Langzeiteinsatz zeigt sich zuverlässig eine gute Wirksamkeit in der angegebenen Dosierung. Bei einer milden Schmerzintensität können 78% der Attacken erfolgreich behandelt werden, bei mittelstarker Intensität 76% und bei sehr starker Schmerzintensität 67%. Bei einer Dosis von 5 mg können auch schwere Migräneattacken sehr erfolgreich behandelt werden. Neuere Studien ergeben auch Hinweise darauf, daß bei Verabreichung von Zolmitriptan während der Auraphase die spätere Kopfschmerzphase verhindert und auch die Auraphase positiv beeinflußt werden kann. Auch für Patienten, die auf die bisherigen medikamentösen Therapien nicht erfolgreich ansprachen, steht mit Zolmitriptan eine effektive Therapiemethode zur Verfügung.

Eletriptan

Eletriptan zählt zu den Triptanen der 3. Generation. Die Entwicklung basiert auf dem Wunsch, eine Substanz mit langanhaltender Wirksamkeit zur Verfügung zu haben, die zuverlässig aufgenommen werden kann. Eine geringe Nebenwirkungsrate, insbesondere im Hinblick auf das Herz-Kreislauf-System, sollte erzielt werden.

In klinischen Studien zeigte sich, daß Eletriptan selektiv und stärker an den 5-HT-Rezeptoren wirkt, die für die Blockierung der Migränekopfschmerzen verantwortlich sind. Eletriptan wirkt ebenso wie Sumatriptan gefäßverengend im Bereich der Hirngefäße. Im Gegensatz zu Sumatriptan sind jedoch für eine gefäßverengende Wirkung im Bereich der Herzkranzgefäße höhere Dosen erforderlich, weshalb Nebenwirkungen an den Herzkranzgefäßen durch Eletriptan weniger wahrscheinlich sind. In den Gefäßabschnitten außerhalb des Gehirns, z. B. in den Arterien des Beines, zeigt Eletriptan überhaupt keine gefäßverengende Wirkung. Die Substanz blockiert im Bereich der Hirnhäute die neurogene Entzündung und ist in ihrer Blockierungspotenz mit der von Sumatriptan vergleichbar. Eletriptan kann fetthaltiges Gewebe besser erreichen als Sumatriptan und wird damit im Hirngewebe besser aufgenommen. Im Magen-Darm-Trakt wird es etwa 5mal schneller als Sumatriptan aufgenommen. Diese schnelle Aufnahme ist gerade bei Migräneattacken wichtig, da eine schnelle Wirkung erzielt werden soll.

- In klinischen Studien zeigte sich bereits eine Stunde nach der Gabe von 80 mg Eletriptan bei 41% der behandelten Patienten eine klinische Wirksamkeit.
- Die Wirksamkeit ist höher als die von Sumatriptan in Tablettenform oder von Placebo.
- Neben der Schmerzreduktion können auch die Begleitsymptome der Migräneattacke schnell reduziert werden.
- Die Fähigkeit zu arbeiten oder anderen Tätigkeiten nachzugehen ist bei 75% der behandelten Patienten bereits 2 Stunden nach der Einnahme wiederhergestellt.
- Nebenwirkungen ergeben sich bei weniger als 4% der behandelten Patienten.

Rizatriptan

Auch bei der Entwicklung von Rizatriptan standen ähnliche Überlegungen im Mittelpunkt wie bei der Entwicklung von Eletriptan. Rizatriptan wird schnell im Magen-Darm-Trakt aufgenommen, und die Wirkungsspiegel sind innerhalb von einer Stunde maximal aufgebaut. Auch Rizatriptan wirkt gefäßverengend im Bereich der Hirnhautgefäße, ohne die Herzkranzgefäße, Lungen-

223

gefäße oder andere Blutgefäße nennenswert zu beeinflussen. Rizatriptan blockiert die neurogene Entzündung im Bereich der Hirnhautgefäße. Darüber hinaus kann es auch Nervenzentren im zentralen Nervensystem in ihrer übermäßigen Aktivität reduzieren, die Schmerzimpulse im Rahmen der Migräneattacke vermitteln.

- Ein besonderer Vorteil von Rizatriptan ist die sehr schnelle Aufnahme über den Magen-Darm-Trakt. Maximale Wirkungsspiegel werden innerhalb einer Stunde erreicht.
- Bereits innerhalb von 30 Minuten wird eine bedeutsame Linderung der Kopfschmerzen erzielt.
- Bei bis zu 77% der Patienten kann sich innerhalb von 2 Stunden nach Einnahme von 10 mg Rizatriptan der Migränekopfschmerz bessern.
- 44% der behandelten Patienten sind nach zwei Stunden bereits komplett schmerzfrei.

Auch Übelkeit und Erbrechen werden durch Rizatriptan bedeutsam gebessert. Ein Wiederauftreten von Kopfschmerzen nach zunächst bedeutsamer Besserung kann bei etwa einem Drittel der behandelten Patienten beobachtet werden. Im Vergleich zu der bisherigen Therapie auf individueller Basis geben Patienten, die mit Rizatriptan behandelt werden, an, daß damit eine deutlich bessere Wirkung erzielt wird als mit der vorherigen Behandlung.

Hinsichtlich möglicher Nebenwirkungen ergaben sich keine ernsten unerwünschten, arzneimittelbedingten Wirkungen. EKG-Veränderungen sind nicht zu beobachten. Die Häufigkeit von Brustschmerzen bei der Behandlung mit Rizatriptan 5 oder 10 mg entspricht der bei einer Behandlung mit einem Placebo. Damit weist

Rizatriptan ein günstiges Profil in Hinblick auf die klinische Wirkung und die Verträglichkeit auf.

Maßnahmen bei Arztkonsultation oder Klinikaufnahme

Hat die Migräneattacke bereits seit einiger Zeit ihr Plateau erreicht oder handelt es sich um eine besonders schwere Migräneattacke, führt die Behandlung mit selbstzugeführten Medikamenten durch den Patienten manchmal nicht zum Erfolg. Bei Hinzuziehen eines Arztes oder bei Aufnahme in eine Klinik können Medikamente direkt in das Gefäßsystem des Körpers durch eine Spritze oder Infusion verabreicht werden. Durch diese direkte Verabreichung wird eine noch bessere Wirksamkeit der Medikamente erzielt. In der Regel wird der Arzt zunächst ein

- Medikament gegen die Übelkeit und das Erbrechen in eine Vene (intravenös = i.v.) spritzen (z. B. 10 mg Metoclopramid).
- Anschließend wird ein Mittel gegen die Migräne gespritzt, entweder
  – ein Schmerzmittel (z. B. Lysinacetylsalicylat 1000 mg i.v.) oder
  – ein Ergotalkaloid (Dihydroergotamin 1 mg als Spritze in einen Muskel, d. h. intramuskulär = i.m.).

Nur wenn Voruntersuchungen (Elektrokardiogramm, Blutuntersuchungen) vorliegen, kann in der Notfallsituation anstatt der oben beschriebenen Maßnahmen auch Sumatriptan 6 mg als Fertigspritze unter die Haut (subcutan = s.c.) gespritzt werden.

Wenn die Migräneattacke
länger als drei Tage dauert

Dauert die Kopfschmerzphase im Rahmen einer Migräneattacke trotz Behandlung länger als 72 Stunden, wird diese als Status migraenosus bezeichnet.

Gewöhnlich tritt ein Status migraenosus erst bei einer längeren, mehrjährigen Migränevorgeschichte in Verbindung mit andauerndem Medikamentenmißbrauch auf.

Bevor der Arzt aufgesucht wird, sind mindestens 3 Tage mit ausgeprägter Übelkeit, Erbrechen und sehr starker Kopfschmerzintensität durchlebt worden. Die medikamentöse Selbsthilfe, meist bestehend aus einer bunten Mischung verschiedenster Substanzen und Kombinationspräparate, erbrachte keinen Erfolg.

Eine stationäre Behandlung sollte bei diesen Voraussetzungen eingeleitet werden und ist in der Regel nicht zu umgehen. Da im Rahmen der medikamentösen Selbsthilfe in den vorhergehenden Tagen gewöhnlich Ergotamin im Übermaß appliziert wurde, ist die zusätzliche erneute Gabe von Ergotalkaloiden nicht erfolgversprechend. Darüber hinaus kann durch Überdosierung sogar eine Verstärkung der Symptomatik, insbesondere hinsichtlich des Ausmaßes von Übelkeit und Erbrechen, erzeugt werden. Die Gabe von Sumatriptan ist bei Vorbehandlung mit Ergotalkaloiden in den letzten 24 Stunden ebenfalls nicht möglich.

Deshalb wird der Arzt in dieser Situation zunächst ein Medikament gegen die Übelkeit und das Erbrechen in die Vene spritzen, gefolgt von einem Schmerzmittel (s. oben). Außerdem werden in der Regel in dieser Ausnahmesituation Medikamente zur Beruhigung erforderlich, meist aus der Gruppe der sog. Benzodiazepine, bis der Anfall abklingt. Im Krankenhaus können evtl. auch Medikamente zur Verstärkung der Harnausscheidung und zur Reduktion von Gefäßschwellungen gegeben werden.

Nach Abklingen des Status migraenosus ist eine besonders grundlegende Untersuchung und Analyse der Migränevorgeschichte und der bisherigen Behandlung erforderlich. Gewöhnlich zeigen sich dabei eine nicht optimale Migränevorbeugung und ein Mißbrauch von Medikamenten zur Akutbehandlung von Migräneattacken.

Die Einleitung eines Medikamentenentzugs und einer anschließenden medikamentösen Vorbeugung der Kopfschmerzerkrankungen ist zumeist notwendig. Eine eingehende Beratung und auch die Ausschöpfung nichtmedikamentöser Therapieverfahren besitzen darüber hinaus zentralen Stellenwert.

Warum die Attackenbehandlung der Migräne manchmal nicht klappt

Folgende Fehler in der Attackenbehandlung der Migräne können zu einem mangelnden Therapieerfolg führen:

Falsche Diagnose. Medikamente zur Behandlung der Migräneattacke sind nicht notwendigerweise bei anderen Kopfschmerzerkrankungen wirksam. So kann z. B. Ergotamin oder Sumatriptan nicht den Kopfschmerz vom Spannungstyp bessern. Deshalb sind eine genaue Kopfschmerzanalyse und das Wissen, um welchen Kopfschmerz es sich handelt, besonders wichtig (s. Kieler Kopfschmerzfragebogen im Anhang).

- Mangelnde therapiebegleitende Selbstbeobachtung. Sie sollten einen Migränekalender (s. Kieler Kopfschmerzkalender S. 32) führen, in dem die Auslösesituationen, die Attackenmerkmale, der Medikamentenverbrauch und Begleitereignisse fortlaufend dokumentiert werden können. Die Behandlung kann aufgrund dieser Informationen optimal angepaßt werden. Häufig reduziert das alleinige Führen eines Migränekalenders schon die Migränehäufigkeit.

- Korrigieren Sie unrealistische Ziele! Mit heutigen Methoden ist Ihre Migräne nicht wegzuzaubern. Ein »Wundermedikament« oder »Wundermethoden«, die alle Migräneprobleme lösen, sind bisher nicht bekannt. Sollte Ihnen jemand das glauben machen wollen, seien Sie vorsichtig! Sie müssen selbst Verantwortung für Ihre Erkrankung übernehmen und die Behandlung nicht allein anderen überlassen. Dazu gehört auch, den Alltag bewußt so zu gestalten, daß die Auftretenswahrscheinlichkeit der Migräne möglichst reduziert wird (s. S. 161).

- Nicht ausgeschöpfte Möglichkeiten der Migräneprophylaxe. Die Migräneprophylaxe dient der Reduktion von Medikamenten zur Attackenkupierung. Werden diese Möglichkeiten nicht ausgeschöpft, wird die Gefahr eines medikamenteninduzierten Dauerkopfschmerzes und anderer Nebenwirkungen erhöht.

- Mangelnde Reizabschirmung. Sie sollten sich in eine reizabgeschirmte Situation bringen und entspannen. Bei Nichtbeachtung ist ein erhöhter Me-

228

dikamentenbedarf die Folge. Zusätzlich kann sich die Wirkung der Medikamente nicht voll entfalten.

▪ Zu späte Einnahme der Medikamente. Werden die Medikamente zu spät eingenommen, können sie ihre Wirksamkeit nicht mehr gut genug entfalten. Bei der Anwendung von Sumatriptan hat der Einnahmezeitpunkt jedoch günstigerweise keinen Einfluß auf die Wirksamkeit; dieses Medikament wirkt also auch noch dann, wenn es erst spät im Verlauf der Migräneattacke eingenommen wird.

▪ Falsche Darreichungsform. Die Gabe von Acetylsalicylsäure in Tablettenform führt bei Migräne zu einer unsicheren Aufnahme der Substanz im Körper, insbesondere, wenn die Tabletten nicht mit ausreichend Flüssigkeit (mindestens 250 ml) eingenommen werden. Deshalb ist der Einsatz als Brauselösung vorzuziehen. Ist die Migräne von Erbrechen begleitet, können über den Mund (= oral) verabreichte Substanzen nur unzureichend aufgenommen werden.

▪ Unterdosierung. Die Einnahme von 500 mg Paracetamol oder 500 mg Acetylsalicylsäure reichen zur Behandlung von Migräneattacken in der Regel nicht aus. Bei Erwachsenen sollten entweder 1000 mg Acetylsalicylsäure oder 1000 mg Paracetamol verabreicht werden.

▪ Akute Überdosierung. Die übermäßige Einnahme von z. B. Ergotamin kann selbst zu Erbrechen und Übelkeit führen. Beachten Sie deshalb die empfohlenen Höchstmengen!

▪ Zu häufige Medikamenteneinnahme. Die Dauereinnahme von Medikamenten zur Migränekupierung kann einen medikamenteninduzierten Dauerkopfschmerz herbeiführen (s. S. 262).

Einnahme von Kombinationspräparaten oder von mehreren Medikamenten. Die kombinierte Einnahme von verschiedenen Substanzen kann die Gefahr eines medikamenteninduzierten Dauerkopfschmerzes erheblich erhöhen (s. S. 271).

Mangelnde Portionierung der Medikamente zur Attackenkupierung. Teilen Sie die verordnete Medikamentenmenge für einen bestimmten Zeitraum ein. Dies trifft insbesondere für die Ergotalkaloide zu (s. S. 197).

Nichtbeachtung des zeitlichen Abstandes der Medikamenteneinnahme. Halten Sie den zeitlichen Abstand von ca. 15 Minuten zwischen der Einnahme des Medikamentes gegen Übelkeit und Erbrechen und der späteren Einnahme von Schmerzmittel oder Ergotalkaloiden ein.

Nichtaufklärung über Nebenwirkungen. Beachten Sie die Beipackzettel (s. auch Medikamentenmerkblätter im Anhang).

Nichtwirksame Medikamente oder andere Therapieverfahren. Immer noch werden bei der Migräne nicht ausreichend wirksame Substanzen oder andere unwirksame Therapieverfahren eingesetzt. Das kann nicht funktionieren. Prinzipiell gibt es eine Vielzahl solcher Medikamente, die leider immer noch eingesetzt werden. Wenn Sie sich an die beschriebenen Therapieempfehlungen halten, die auf den Therapieempfehlungen der Deutschen Migräne- und Kopfschmerzgesellschaft beruhen, werden Sie mit diesen vergeblichen Behandlungsversuchen nicht in Berührung kommen.

Selbstbehandlung bei Migräne

Was die Betroffenen gut finden

Viele Menschen gehen wegen Kopfschmerzen nicht zum Arzt. Aus Studien, die 1993 in Deutschland durchgeführt wurden, ist das Therapieverhalten dieser Gruppe besser bekannt. Von den Menschen, deren Kopfschmerzen die Kriterien der Migräne erfüllen und die noch nie einen Arzt wegen Kopfschmerzen konsultierten, setzen 68 % eine medikamentöse Therapie ein, 60 % unterbrechen ihre Tätigkeit und suchen Ruhe oder Entspannung, 29 % müssen sich hinlegen und halten Bettruhe ein. 19 % versuchen physikalische Maßnahmen, wie kalte Umschläge oder Massagen. 5 % reiben ätherische Pflanzenöle ein. Nur 3 % der Patienten können ihrem Tagesablauf ungestört nachgehen.

Zufriedenheit mit verschiedenen medikamentösen Therapieverfahren

Die Zufriedenheit mit den verschiedenen medikamentösen Therapieformen bei Selbstmedikation ist in Abb. 68 zusammenfassend dargestellt. Die Anwender von Acetylsalicylsäure als Brauselösung äußern sich mit 61 % am häufigsten positiv über das von ihnen eingesetzte Medikament.

Die überwiegende Mehrzahl der Anwender von Kombinationspräparaten sind mit zunehmender Anzahl der Kombinationspartner in den verwendeten Medikamenten am wenigsten mit ihrer medikamentösen Selbsttherapie zufrieden.

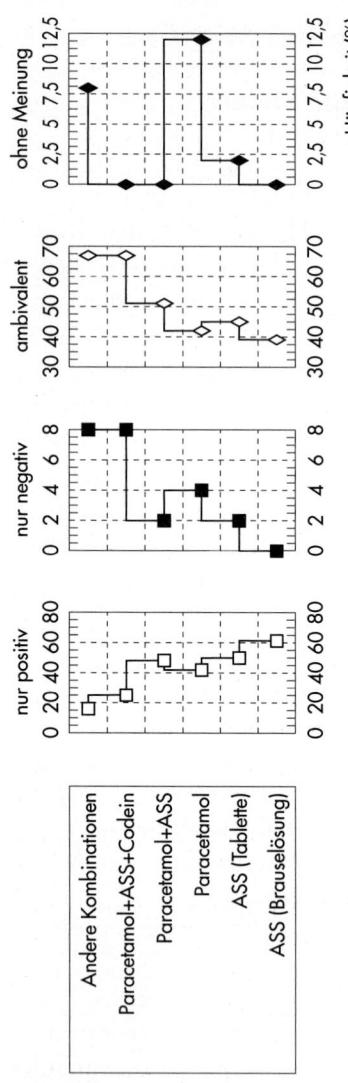

Abb. 68. Aussagen zu verschiedenen medikamentösen Behandlungsverfahen von Kopfschmerzpatienten, die wegen Kopfschmerzen noch nie beim Arzt waren.

Die Deutsche Migräne- und Kopfschmerzgesellschaft rät in ihren Therapieempfehlungen von der
Anwendung von Kombinationspräparaten wegen
der Gefahr von medikamentös induzierten Dauerkopfschmerzen und anderen Nebenwirkungen ab
(s. Kap. 7).

Migräne bei Kindern

Häufigkeit

Über die Häufigkeit (Prävalenz) der Migräne im
Kindes- und Schulalter ist im Vergleich zum Erwachsenenalter nur wenig bekannt. In einer skandinavischen
Studie, die Anfang der 60er Jahre durchgeführt wurde,
wird berichtet, daß 2,5% der 7- bis 9jährigen Kinder,
4,6% der 10- bis 12jährigen und 5,3% der 13- bis
15jährigen unter Migräne leiden. Diese Daten wurden
durch neuere Studien auch in anderen Ländern im Wesentlichen bestätigt. Informationen über das Auftreten
der Migräne bei Kindern im Vorschulalter liegen nicht
vor, obwohl auch in diesem frühen Kindesalter
Migräneattacken bestehen können.
Über Kopfschmerzen bei Kindern machte man sich
in früheren Jahrhunderten wenig Gedanken. Es herrsch-
te die Meinung, daß Kopfschmerzen bei Klein- und
Schulkindern kaum eine Rolle spielen. Zu Beginn des
19. Jahrhunderts wurde erstmals ein Säugling beschrieben, der im Alter von zwei Wochen an widerkehrendem
Erbrechen litt und bei dem später eine Migräne diagnostiziert wurde. Erst in der zweiten Hälfte des 20. Jahrhunderts wurden Arbeiten über Kopfschmerzen bei
Kleinkindern im Alter von ein und mehr Jahren publi-

ziert. In der Regel zeigte sich, daß Kopfschmerzleiden bereits im 2. *und 3. Lebensjahr* ihren Anfang finden.

Auch aus Untersuchungen in anderen Ländern ist bekannt, daß zwischen 3 und 4% der Kinder im Lebensalter von 3 Jahren bereits an Kopfschmerzen leiden. In einer großen finnischen Studie an über 5.000 Kindern wurde festgestellt, daß bis zum 5. Lebensjahr bereits 19,5% der Kinder an Kopfschmerzen mit großem Leidensdruck erkrankt waren. Dabei zeigte sich eine hohe Kopfschmerzhäufigkeit bei 0,2%, eine mittelgroße Kopfschmerzhäufigkeit bei 0,5%, eine geringe Kopfschmerzhäufigkeit bei 4,3%. Unter gelegentlichen Kopfschmerzen litten 14,5% der Kinder. Interessanterweise konnte in dieser Untersuchung auch eine Reihe von Faktoren aufgedeckt werden, die mit einem häufigeren Auftreten von Kopfschmerzen bei Kindern verbunden sind:

Ein geringer Wohnungsstandard, ein niedriger ökonomischer Status der Familie, eine ganztägige Kindergartenunterbringung und eine große Zahl von Freizeitaktivitäten sind mit größerem Kopfschmerzrisiko im Kindesalter verbunden.

Das Auftreten von *Bauchschmerzen* war bei Kindern, die gelegentlich an Kopfschmerzen litten, um das 9fache erhöht und um das 14fache bei den Kindern, die mit mittlerer Häufigkeit an Kopfschmerzen litten.

Aus einer deutschen Studie, die im Jahre 1991 von der Arbeitsgruppe um Pothmann an über 5.000 Schulkindern durchgeführt wurde, ergibt sich, daß über 52% der Schulkinder an Kopfschmerz vom Spannungstyp und 12% an Migräne leiden. Bereits zur Einschulung sind über 10% der Kinder an Kopfschmerzen mit nennenswertem Leidensdruck erkrankt. Im Laufe der Schuljahre machen über 90% der Kinder Erfahrungen mit

Kopfschmerzen. 49% leiden an Kopfschmerz vom Spannungstyp, 6,8% an Migräne mit Aura und 4,5% an Migräne ohne Aura.

Aus einer *finnischen Studie* ergeben sich sehr ähnliche Zahlen: Während bei der Einschulung die Kinder mit Kopfschmerzen die Minderheit darstellen, ändert sich das Bild bei den 14jährigen grundlegend. Hier stellen die Kinder, bei denen Kopfschmerzen kein Problem darstellen, eine Außenseitergruppe dar. Im weiteren Teenageralter bleibt das Bild dann konstant. Etwa ein Drittel der Jugendlichen haben mit Kopfschmerzen keine Probleme, die Hälfte der Jugendlichen leidet gelegentlich an Kopfschmerzen, und der Rest leidet häufig an Kopfschmerzproblemen.

Interessanterweise ergeben sich während des Schulalters auch *Veränderungen in der Geschlechtsverteilung* hinsichtlich des Auftretens von Kopfschmerzen. Während des ersten Schuljahres findet sich ein leichtes Überwiegen der Kopfschmerzhäufigkeit bei den Jungen. Während des 14. Lebensjahres dagegen kehrt sich das Bild um; es zeigt sich ein leichtes Überwiegen der Kopfschmerzhäufigkeit bei den Mädchen, die kontinuierlich bis zum 20. Lebensjahr ansteigt. Etwa doppelt soviele Mädchen wie Jungen geben im 20. Lebensjahr an, unter Kopfschmerzen mit erheblicher Behinderung zu leiden.

Neben dieser Veränderung hinsichtlich der relativen Häufigkeit ergeben sich auch *Verlaufsunterschiede zwischen und innerhalb der Geschlechtsgruppen.* Ist die Migräne bereits bis zum 7. Lebensjahr aufgetreten, zeigt sich bei den betroffenen Jungen eine größere Wahrscheinlichkeit für eine Reduktion der Migräneattacken. Bei 22% der Jungen verschwindet die Migräne teilweise oder vollständig, während nur 9% der Mädchen, bei denen die Migräne bis zum 7. Lebensjahr erstmalig in Erscheinung getreten ist, eine entsprechende Remission aufweisen. Anders sieht die Situation jedoch aus, wenn Kinder betrachtet werden, bei denen die Migräne erstmalig zwischen dem 8. und 14. Lebensjahr aufgetreten ist. 51% der Jungen und 62% der Mädchen dieser Gruppe haben noch im späteren Lebensalter eine klinisch manifeste Migräne.

Nach Untersuchungen der Aktion »Gläserne Schule« in Schleswig-Holstein (Institut für Suchtprävention und angewandte Psychologie, Bremen) aus dem Jahre 1995 gehören Kopfschmerzen zu den Hauptgesundheitsproblemen von Kindern im Schulalter.

Bei einer repräsentativen Befragung an Schulen stellte sich heraus, daß je nach Schultyp zwischen 20 und 40% der Schüler als wichtiges und hartnäckiges Gesundheitsproblem Kopfschmerzen angeben. Erschreckenderweise ergaben sich aus dieser Befragung auch eindeutige Hinweise dafür, daß Kopfschmerzen einen wesentlichen Grund für die Entstehung von Suchtverhalten und Drogenmißbrauch darstellen. Durch den Leidensdruck, den die Kopfschmerzen verursachen, können die Kinder für das Ausprobieren von Drogen empfänglich werden und versuchen, durch diese eine Befindlichkeitsverbesserung zu erzielen. Spezielles Wissen zur Kopfschmerzbehandlung und -vermeidung scheint daher eine große Bedeutung in der Verhinderung von Drogenabhängigkeit bei Kindern zu haben.

Die Frage, *ob Kopfschmerzen in unserem Jahrhundert zugenommen haben,* war bis vor kurzem nicht beantwortbar. In Finnland wurde im Jahre 1992 eine Studie zur Migräneprävalenz in nahezu allen Details so wiederholt, wie sie bereits im Jahre 1974 in der gleichen

236

Region durchgeführt wurde. Es wurden dabei 7jährige Schulkinder untersucht.

- Es zeigte sich, daß *im Jahre 1992 bereits 51,5%* der Kinder an Kopfschmerzen litten, während *im Jahre 1974 nur 14,6%* der Kinder eine entsprechende Kopfschmerzproblematik angaben.
- Das Bestehen von häufigen Kopfschmerzen, d. h. von mindestens einer oder mehr Attacken pro Monat, wurde im Jahre 1992 von 11,7% der Kinder mit »Ja« beantwortet, während eine entsprechende Kopfschmerzhäufigkeit im Jahre 1974 nur von 4,7% der Kinder angegeben wurde.
- Bei einem geschlechtsspezifischen Vergleich zeigte sich insbesondere, daß die *Kopfschmerzzunahme gerade bei Jungen* besonders stark war.

Die Zahlen belegen *dramatische Anstiege in der Kopfschmerzhäufigkeit* im Kindesalter. Die Autoren der finnischen Studie gehen davon aus, daß eine instabile soziale Umwelt, häufige Umzüge, mangelnde Selbstbestimmung in der sozialen Gemeinschaft, Unsicherheitsgefühle in der Familie und in der Schule und mangelnde Führungspersonen für dieses Ansteigen verantwortlich gemacht werden müssen.

Damit stellen sich neue Anforderungen an Pädagogik und Schulunterricht. Ebenso wie Anfang des 20. Jahrhunderts erkannt wurde, daß zur Gesunderhaltung der Zähne in den Schulen gelehrt werden muß, wie man Zähne putzt und sich gesund ernährt, und ebenso wie zum gleichen Zeitpunkt verstärkt Aufmerksamkeit auf den Sportunterricht gelenkt wurde, um die physische Gesundheit zu erhalten, so muß heute in den Schulen besonders die *Gesunderhaltung des Nervensystems* beachtet werden.

Dazu gehören zumindest das frühe Erlernen von Entspannungstechniken, die regelmäßig geübt werden sollten, Techniken zur Streßbewältigung, Informationen zur Gestaltung eines regelmäßigen Tagesablaufes, arbeitspsychologische Unterweisung, Gesundheitslehre hinsichtlich einer adäquaten Ernährung und Schlafhygiene. Diese Maßnahmen wären einfach durchzuführen. Aufgrund der bekannten Pathophysiologie von Kopfschmerzen kann erwartet werden, daß damit der stetige Anstieg der Kopfschmerzhäufigkeit im Schulalter gesenkt werden könnte.

Besondere Merkmale der Migräne bei Kindern

Auch im Kindesalter gelten für die Migräne die gleichen diagnostischen Kriterien wie im Erwachsenenalter mit der Ausnahme der kürzeren Attackendauer von 2 bis 72 Stunden. Die Erfassung dieser Merkmale ist jedoch schwieriger, was in erster Linie daran liegt, daß Kinder ihr Symptome weniger genau beschreiben können als Erwachsene.

Neben den bei Erwachsenen im Vordergrund stehenden Begleitstörungen gibt es bei Kindern noch *zusätzliche Begleitstörungen*, die von Bedeutung für die Diagnose sein können.

So bestehen bei den betroffenen Kinder während der Attacke *Herzrasen, Blässe oder Hautrötung, Befindensveränderungen, Durst, Appetit, Harndrang oder Müdigkeit.* Sie können *erhöhte Temperaturen* aufweisen, können *gähnen* oder *unruhig* sein und geben *auch in anderen Körperregionen Schmerzen* an, insbesondere im Bauchbereich. Im

238

Vordergrund können auch *Störungen der Verdauungsorgane*, wie Appetitlosigkeit, Übelkeit, Erbrechen, Durchfall und verstärkte Abwehrspannung der Bauchdecken, stehen.

Neurologische Aurasymptome können genauso wie bei Erwachsenen ausgeprägt sein und in der ganzen Vielfalt auftreten. Parallel zum Erwachsenenalter stehen besonders *Sehstörungen* im Vordergrund. In der Literatur wird die Häufigkeit der visuellen Aura bei Migräneattacken im Kindesalter zwischen 9% und 50% angegeben. Weitere häufige Aurasymptome sind *Lähmungen, sensorische Störungen* und *Sprachstörungen*.

Migräneäquivalente

Migräneäquivalente sind definiert durch *Auftreten von Störungen des Magen-Darm-Bereiches*, wobei jedoch die Kopfschmerzmerkmale fehlen. Wenn fokale neurologische Störungen auftreten, welche die Kriterien der Migräneaura erfüllen, jedoch keine Kopfschmerzphase vorhanden ist, wird nicht von einem Migräneäquivalent gesprochen, sondern von einer Migräneaura ohne Kopfschmerz. Der Begriff Migräneäquivalent bezieht sich also allein auf die viszeralen und vegetativen Begleitmerkmale der Migräne ohne Aura.

Typischerweise bestehen *Übelkeit, Erbrechen, Unwohlsein, Darmbewegungen oder weitere unspezifische Symptome*. Treten solche Störungen *periodisch* auf, wie z. B. das zyklische Erbrechen, werden sie besonders häufig mit Migräneattacken in Verbindung gebracht.

Mögliche Vorläufersyndrome in der Kindheit

Gutartiger paroxysmaler *Schiefhals* in der Kindheit: Bereits im Säuglingsalter können wiederholte Episoden eines Schiefhalses, ein sog. Torticollis, auftreten. Dabei kann eine unwillkürliche Drehung des Kopfes zu einer Seite beobachtet werden. Die Bewegungsstörungen verschwinden im späteren Säuglingsalter, weshalb der Zusatz »gutartig« begründet ist. Die Störung ist sehr selten. Nur bei einem geringen Teil der betroffenen Kinder werden die Torticollis-Episoden später von Migräneattakken abgelöst. Ob ein direkter Zusammenhang zwischen der Migräne und dieser Bewegungsstörung besteht, ist nicht endgültig geklärt. Die Entstehung der Torticollis-Episoden im Säuglingsalter ist ebenfalls offen. Denkbar ist, daß es sich hier um Auraphasen handeln könnte.

Gutartiger paroxysmaler *Schwindel* in der Kindheit: Im Kindesalter können kurzzeitige, weniger als eine halbe Stunde andauernde, schwere Schwindelepisoden auftreten, die häufig von Gesichtsblässe, Übelkeit und Erbrechen begleitet werden. Das Syndrom tritt deutlich häufiger auf als der gutartige paroxysmale Torticollis. In der Regel verschwindet die Störung bis zur Einschulung. Ihre Entstehung ist bisher unklar, ein Zusammenhang mit der Migräne ist aufgrund des anfallsweisen Charakters und der Begleitstörungen anzunehmen.

Bewegungskrankheit: Eine erhöhte Anfälligkeit für *Bewegungskrankheit* (z. B. Übelkeit beim Autofahren, Seekrankheit o. ä.) im Kindesalter wird ebenfalls mit der Migräne in Zusammenhang gebracht. Empirische Daten für diesen Zusammenhang fehlen bis jetzt. Keinesfalls kann allein aufgrund einer Neigung zur Bewegungskrankheit die Diagnose einer Migräne begründet werden. Die Auslöser der Bewegungskrankheit können jedenfalls auch Migräneattacken auslösen.

Verhaltensmedizinische und allgemeine Therapiemaßnahmen

Gerade bei Kindern ist es besonders wichtig, daß die Kopfschmerztherapie nicht allein auf die Behandlung von Symptomen und kritischen Krankheitszuständen ausgerichtet ist. Die Therapie muß vielmehr ihr Augenmerk darauf richten,

- das *seelisch-körperliche Gleichgewicht* zu erhalten oder wieder herzustellen,
- die *Organismusfunktionen* zu stärken und
- möglichen *Krankheitsmechanismen vorzubeugen.*

Das Zusammenspiel von Seele, Geist und Körper muß eingehend betrachtet werden, um Kopfschmerzerkrankungen bei Kindern vorzubeugen und zu behandeln. Dazu gehören Faktoren wie

- Streß,
- Umwelt, soziale Umstände,
- Lebensgewohnheiten und Ernährung.

Ungesunde Lebensgewohnheiten und Verhaltensweisen müssen identifiziert und aufgegeben werden. Dazu ist *Ausdauer* und auch der *Wille zur Veränderung* unumgänglich. Verhaltensmaßnahmen sind deshalb bei der Therapie von Kopfschmerzen im Kindesalter besonders wichtig.

Körperlicher Streß
Ein wichtiger Auslöser von Migräneanfällen bei Kindern sind körperliche Überanstrengung und Streß.

Solche Faktoren können immer dann wirken, wenn Kinder z. B. zu lange oder zu kurz *schlafen.* Speziell unregelmäßiges Zubettgehen und unregelmäßiges Aufstehen sollten bei Kindern mit Migräne vermieden werden.

Auch ein plötzlicher Wechsel in der Nahrungsaufnahme und im *Eßverhalten* ist zu vermeiden. Dazu gehört z. B. das hastige Frühstück oder sogar das aufgrund zu langen Im- Bett-Liegens ausgelassene Frühstück vor der Schule. In solchen Situationen bekommen die Kinder dann typischerweise gegen 9.00 Uhr Kopfschmerzen.

Aber auch *äußere Faktoren,* die man nur schlecht selbst beeinflussen kann, können körperlichen Streß verursachen. Dazu zählen eine hohe Luftfeuchtigkeit bei schwülem Wetter, große Hitze, plötzliche Wetterveränderungen, schlechte Luftverhältnisse durch wenig gelüftete Räume, überhitzte Aufenthaltsbereiche, starke Gerüche, plötzliche veränderte Lichtverhältnisse, Lärm, Kälte oder Windzug.

Exzessive *Sportaktivitäten* können ebenfalls zu Migräneanfällen führen. Einerseits kann dadurch der Blutzuckerspiegel stark abfallen, andererseits können durch den körperlichen Streß zusätzlich Kopfschmerzen ausgelöst werden. Wenn Kinder nach dem Turnunterricht häufig über Kopfschmerzen oder auch über Migräneanfälle klagen, sollte möglichst auf eine reduzierte Anstrengung während dieser sportlichen Aktivitäten gewirkt werden. Die Kinder sollten möglichst auf Sportarten ausweichen, bei denen eine sehr schnelle Veränderung der körperlichen Aktivität nicht erforderlich ist. Idealerweise sind dafür *Schwimmen, Laufen, Radfahren oder andere Ausdauersportarten* geeignet.

Kopfschmerzen können bei Kindern auch durch äußeren *Druck* ausgelöst werden, z. B. durch Haarbänder oder enge Stirnbänder, Mützen oder Schwimmbrillen. Entsprechend anfällige Kinder sollten daher Bekleidungsstücke, die einen Druck auf den Kopf ausüben, vermeiden. Dies gilt auch für Haarreifen mit spitzen Dornen, die auf die Kopfhaut einwirken, oder für Gummibänder, mit denen Zöpfe oder Pferdeschwänze zusammengehalten werden.

Psychischer Streß

Ein unregelmäßiges Leben, Anspannung, Ängste, Streß und psychische Überlastung sind hauptsächliche potente Auslöser für Migräneanfälle bei Kindern.

Häufiges Fernsehen mit Aufnahme der oft aggressiven und belastenden Inhalte, Computerspiele, das lange Verweilen am Gameboy, laute aufpeitschende Musik und extrem viele Termine am Nachmittag im Freizeitprogramm sind bei vielen Kindern Alltag. All dies kann Migräneanfälle auslösen. Daher sollten Kinder und Eltern ganz besonders auf ein ausgeglichenes und regelmäßiges Leben achten. Dazu zählt vorwiegend:

- eine strenge Begrenzung des täglichen Medienkonsums mit Beachtung von möglichst festen und limitierten Fernsehzeiten und ebenso limitiertes Verweilen am Computer;
- Limitierung von Freizeit- oder Nachmittagsveranstaltungen auf wenige, aber regelmäßige Aktivitäten;
- fest eingeplante Ruhephasen zur Erholung mit Spaziergängen oder Spielen in ruhiger Umgebung.

Chemische Reizstoffe

Viele chemische Substanzen können bei übermäßiger Einwirkung Kopfschmerzen oder Migräneattacken auslösen. Dies gilt im häuslichen Bereich, in der Schule oder auch in anderen Umgebungen.

Folgende Stoffe sind besonders potente Kopfschmerzauslöser: Autoabgase, Zementstaub, Kohlenstaub, Farbstoffe, Fabrikabgase, Chlorkohlenwasserstoffe, Formaldehyd, Lösungsmittel in Klebstoffen, auf Farben und anderen Materialien (insbesondere auch in vielen Bastelklebern), Mehlstaub, Insektizide, Benzin und Ölprodukte, organische Phosphatverbindungen, Parfums, Deodorants, Holzstaub.

Sollten solche oder andere Stoffe ein Problem darstellen, hilft am besten die Vermeidung der Exposition. Auch auf ausreichende Belüftung der Räume und Frischluft muß geachtet werden.

Allergische Reaktionen

Als Heuschnupfen bezeichnet man allergische Reaktionen auf Pollen verschiedenster Pflanzen, die in zeitlicher Abhängigkeit von der jeweiligen Blütezeit auftreten. Bestehen permanente Reizerscheinungen, dann müssen allergische Reaktionen auf andere Stoffe angenommen werden. Dazu zählt insbesondere die Allergie auf den Kot der Hausstaubmilbe, die sog. Hausstauballergie. Weitere häufige Allergien bestehen gegen Haare, Vogelfedern und Schimmelpilze. Neben Kopfschmerzen treten häufig *Tränenfluß, gerötete Augen, laufende oder verstopfte Nase, Juckreiz und Niesanfälle* auf. Bei entsprechenden Symptomen sollte ein erfahrener Allergologe aufgesucht werden, um eine spezifische Testung und Therapie einzuleiten.

Wenn immer möglich muß versucht werden, den Reizstoff zu vermeiden. So läßt sich die Problematik bei derHausstauballergie durch eine adäquate Möblierung reduzieren. Dazu zählen die Vermeidung von Staubfängern wie Gardinen, Polstermöbel, Teppichböden, offene Regale und Naturbettwäsche. Besser sollte man auf glatte Oberflächenstrukturen zurückgreifen, die ein feuchtes Abwischen ermöglichen, z. B. Möbel aus Holz bzw. mit Lederüberzug, glatte PVC- oder Parkettböden. Zudem sollten die Räume häufig stoßgelüftet werden. Bei Allergien gegen Schimmelpilze kann das Austrocknen der Räume, richtiges Heizen und Belüften besonders hilfreich sein. Bei Allergien gegen Haustiere ist eine besondere Reinigung erforderlich. Teppichböden und Polster sollten möglichst häufig gesaugt werden, und der Staubsauger sollte einen Allergienfilter besitzen.

Gerüche

Gerade Kinder mit Migräne sind besonders sensibel für intensive Gerüche. Dabei spielt es keine Rolle, ob diese Gerüche normalerweise angenehm oder unangenehm erlebt werden. Geruchsstoffe, die besonders potent Kopfschmerzen auslösen können, befinden sich in Tabakrauch, Raumdeodorants oder insbesondere auch in Parfums. Wenn Kinder mit Migräneanfällen reagieren, sollte man immer versuchen, solche intensive Geruchsquellen zu vermeiden.

Lichtveränderungen

Ständig wechselnde Veränderungen der Lichtverhältnisse sind ebenfalls potente Auslöser von Migräneanfällen. Oft wird – gut gemeint – der Schreibtisch vor einem Fenster aufgestellt, um möglichst natürliches Licht für die Arbeit an den Hausaufgaben zu haben. Wenn die Kinder vom Schreibtisch aufschauen, blicken sie aus dem Fenster in das helle Licht. Die ständige Anpassung an die Hell-dunkel-Situation ist ein permanenter Streßfaktor für das Nervensystem. Außerdem muß das kindliche Gehirn immer wieder das Auge von Nahsicht auf Fernsicht umstellen. Vorbeiziehende Wolken verdunkeln zudem das Sonnenlicht, bei Wolkenlücken muß das Auge dann wieder das helle, gleißende Licht berücksichtigen. Dieser ständige Wechsel ist zusammen mit der geistigen Anstrengung bei der Lösung der Hausaufgaben ein extrem potenter Auslöser für Kopfschmerzen und Migräneattacken. Aus diesem Grunde sollte der Schreibtisch immer an eine Wand gestellt und der Einfall von direktem Sonnenlicht auf den Arbeitsplatz vermieden werden. Selbstverständlich gilt dies auch für Erwachsenenarbeitsplätze.

Wenn Kinder besonders häufig in der Schule Migräneanfälle erleiden, sollte man einmal den Sitzplatz des Kindes in der Schule in Augenschein nehmen und darauf achten, ob möglicherweise ungünstige wechselnde Lichtverhältnisse als Auslöser für die Migräneanfälle identifiziert werden können. Ein Umsetzen des Kindes in der Klasse kann dann das Problem deutlich reduzieren.

Ähnliche Probleme treten auf, wenn man vom Strand aus auf glitzerndes Wasser blickt oder wenn Schneeglitzern ständig ins Auge gelangt. Auch Autofahrten mit Blick in das direkte Sonnenlicht bewirken Ähnliches.

Bei Jugendlichen kann Flackerlicht in Diskotheken in Verbindung mit Lärm ebenfalls ein potenter Migräneauslöser sein.

Daß Ernährungsfaktoren einen maßgeblichen Einfluß auf die Entstehung von Kopfschmerzen haben, ist offensichtlich. Der Katerkopfschmerz oder der Koffeinentzugskopfschmerz sind dafür deutliche Beispiele. Speisen oder Getränke können Kopfschmerzen unmittelbar auslösen. Andere Substanzen können bei Entzug zu Kopfschmerzen führen. Auch Mangelerscheinungen an bestimmten Nahrungsbestandteilen können Kopfschmerzen hervorrrufen. Aus diesem Grunde sollte man der richtigen Ernährung viel Aufmerksamkeit widmen. Zur Ernährung gehört die richtige Auswahl der Nahrungsmittel, die richtige Zubereitung, die richtige Umgebung bei der Einnahme der Mahlzeiten und die richtige Verdauung.

Leider sind diese Faktoren heute oft in Vergessenheit geraten, und Fastfood, Schokoriegel und Erdnußflips, Zuckerwaren und sog.Softdrinks bestimmen den Speisezettel vieler Kinder und Erwachsener.

Die richtige Zusammensetzung der Nahrung ist z. B. den *Richtlinien der Deutschen Gesellschaft für Ernährung* zu entnehmen. Dazu gibt es im Buchhandel eine Vielzahl von Ratgebern über die Grundzüge der gesunden Ernährung. Grundsätzlich sollte die Ernährung möglichst auf der Basis *frischer Nahrungsmittel im Sinne von Vollwertkost,* d. h. frischer, naturbelassener Lebensmittel angelegt sein. Die Nahrungsmittel sollten möglichst nicht vorverarbeitet, vorgekocht, konserviert, tiefgekühlt oder abgepackt sein. *Fritierte* und stark *fettreiche* Nahrungsmittel sind zu vermeiden, ebenso *Zukker, Süßigkeiten, fette Milchprodukte, Süßstoffe und Limonaden.*

Wichtig ist ein fest eingehaltener, *geregelter Eßrhythmus.* Gerade bei Kindern und Jugendlichen sind zwischen den Hauptmahlzeiten Zwischenmahlzeiten erforderlich. Das Hauptnahrungsangebot sollte am Morgen zum Frühstück erfolgen. Nach wie vor gilt der Satz: *»Frühstücke wie ein König, esse zu Mittag wie ein Bürger und zu Abend wie ein Bettler.«*

Für die Mahlzeiten sollten folgende wichtige Regeln eingehalten werden:

- Es soll langsam und in Ruhe gegessen werden. Für die Hauptmahlzeiten sollte man sich mindestens 40 Minuten Zeit nehmen. Die Nahrungsmittel sollten langsam und intensiv gekaut werden.
- Es sollte nur so lange gegessen werden, bis sich ein Sättigungsgefühl einstellt. Die alte Regel: »Es wird gegessen, was auf den Tisch kommt«, gilt nicht und ist völlig falsch. Sobald das Sättigungsgefühl vorhanden ist, sollte man mit dem Essen aufhören, auch wenn der Teller noch nicht leergegessen ist.
- Unkontrollierte Zwischenmahlzeiten, Näschereien, sog. Pausensnacks oder Fastfood sollten vermieden werden.
- Das Essen sollte zu festen Zeiten eingenommen werden. Dazu gehören bei Kindern auch Zwischenmahlzeiten am Vormittag und am Nachmittag. Sonstige Kühlschrankbesuche und das Naschen außerhalb dieser Zeiten sollte vermieden werden.
- Zu spätes exzessives Essen am Abend oder in der Nacht sollte unterlassen werden.
- Es sollte ausreichend getrunken werden. Dazu eignen sich insbesondere Mineralwasser und Kräutertees.
- Besonders streng ist darauf zu achten, daß Mahlzeiten nicht ausgelassen werden. Durch den plötzlichen Abfall des Blutzuckerspiegels können

248

Migräneattacken ausgelöst werden. Mit den drei festen Hauptmahlzeiten und zwei bis drei fest eingeplanten Zwischenmahlzeiten im Tagesverlauf kann ein konstanter Blutzuckerspiegel erzielt werden.

Wichtig ist, daß bei dieser Fraktionierung der Mahlzeiten nicht mehr gegessen wird, sondern die Nahrungsmittel gleichmäßig über den Tag verteilt werden und die Menge konstant eingehalten wird.

In einer englischen Studie wurden die bedeutsamsten Auslöser von Migräneattacken bei Kindern durch Nahrung untersucht. Dabei waren *sieben besonders problematische Nahrungsmittel* zu beobachten. Nachfolgend werden sie in der Reihe ihrer Potenz zur Migräneauslösung aufgelistet. In Klammern ist jeweils der Prozentsatz wiedergegeben, mit dem bei den untersuchten Kindern der jeweilige Nahrungsstoff Migräneattacken auslöste:

Kuhmilch (30%),
Eier (27%)
Schokolade (25%),
Orangen (24%),
Weizenprodukte (24%),
Käse (15%),
Tomaten (15%).

Bei dieser Studie wurde auch deutlich, daß der überwiegende Anteil der Kinder auf mehrere Nahrungsmittel empfindlich reagiert und verschiedenste Stoffe aus dieser Reihe Migräneattacken auslösen können. Es zeigte sich zudem, daß 93% der untersuchten Kinder innerhalb von drei Wochen komplett beschwerdefrei wurden, wenn die entsprechenden Nahrungsmittel gefunden waren und sie diese nicht mehr zu sich nahmen. Besonders hilfreich zur Identifizierung solcher Triggerfaktoren ist das Kopfschmerztagebuch, in das auch der Speisezettel eingetragen werden sollte.

Natriumglutamat

Natriumglutamat befindet als *Geschmacksverstärker* in Saucen, Suppen, Mayonnaisen, Salatdressings, Kartoffelchips, Tiefkühlkost, gerösteten Nüssen und in vielen konservierten Nahrungsmitteln. Es ist insbesondere in *Maggi* und ähnlichen Gewürzverstärkern enthalten. Natriumglutamat kann Symptome wie Erröten, Druckschmerz auf der Brust, Gesichts- und Bauchkrämpfe sowie pulsierende Kopfschmerzen auslösen. Ein entsprechendes Syndrom ist auch als *China-Restaurant-Syndrom* bekannt, da in der chinesischen Küche besonders intensiv Natriumglutamat verwendet wird. Kinder mit Migräne können auf mit Natriumglutamat gewürzte Speisen mit Migräneattacken reagieren.

- Die Kinder sollten deshalb nicht mit Nahrungsmittelkonserven ernährt werden.
- Auch geröstete Nüsse, Kartoffelchips, Erdnußflips u. ä. sollten vermieden werden.

Koffeinhaltige Nahrungsmittel

Koffein ist in vielen Nahrungsmitteln enthalten, z. B. in Schokolade, koffeinhaltigen Limonaden wie Coca Cola und selbstverständlich in Kaffee und Schwarztee. Insbesondere in kleinen Mengen kann es aufgrund der nicht regelmäßigen Einnahme bei Kindern zu Migräneschmerzen führen. Wenn Kinder entsprechende Empfindlichkeiten aufweisen, sollten solche Nahrungsmittel vermieden werden.

Pökelsalz (Nitrit und Nitrat)

Nahezu alle Fleischprodukte enthalten *Natriumnitrat* bzw. *Natriumnitrit*. Dieses als Pökelsalz bekannte Konservierungs- und Geschmacksmittel führt zu einer leichten Rötung der Fleisch- und Wurstwaren. An dieser Rötung kann man auch die Nahrungsmittel erkennen, in denen es in hoher Konzentration enthalten ist.

Kinder, die für Migräneanfälle empfindlich sind, können durch *Schinken, Kasseler, bestimmte Aufschnitte und Salami* Kopfschmerzen bekommen. Wenn dies der Fall ist, sollte auf entsprechende Nahrungsmittel verzichtet werden.

Aminosäuren

Das Eiweiß in unseren Nahrungsmitteln wird durch verschiedene Aminosäuren gebildet. Diese Aminosäuren kommen in den verschiedenen Nahrungsmitteln in unterschiedlicher Zusammensetzung vor. In hoher Konzentration können manche davon bei entsprechend empfindlichen Patienten Migräneattacken auslösen. Besonders verdächtigt man als Migräneauslöser das *Tyramin*. Es kann durch eine Erschöpfung des Botenstoffes Noradrenalin die Gefäßregulationsmechanismen stören und zu Kopfschmerzen führen. Tyramin ist in hoher Konzentration in *gealtertem Käse, Zitrusfrüchten, Nüssen, Hefeprodukten, Feigen, Sojabohnen, Rosinen, in geräucherten Fleischwaren und Heringen* enthalten. *Schokolade* enthält neben Koffein auch Tyramin und insbesondere *Phenylalanin* in hoher Konzentration. Auch Phenylalanin kann zu einer Störung der Gefäßregulation im zentralen Nervensystem führen und Migräneattacken auslösen. Es wird angenommen, daß bei migräneanfälligen Kindern der Abbau dieser Aminosäuren verlangsamt ist und daher durch die zu hohe Konzentration Kopfschmerzen ausgelöst werden.

Eiscreme und andere Kaltspeisen

Gerade bei Kindern, die anfällig für Migräneattacken sind, können sehr kalte Speisen wie *Eiscreme*, aber auch eisgekühlte Getränke Schmerzen am Gaumen, im Bereich der Stirn, im Bereich der Nase, der Schläfen, der Wangen und auch der Ohren verursachen. Man spricht dann vom sog. *Eiscremekopfschmerz*. Dieser ist zwar einerseits ein eigenständiger Kopfschmerz, kann jedoch auch dazu führen, daß Migräneattacken ausgelöst werden. Dies passiert immer dann, wenn kalte Nahrung zu schnell mit dem Gaumen in Kontakt kommt, typischerweise bei zu schnellem und zu hastigem Verzehr von Eiscreme, aber auch wenn eisgekühlte Getränke wie Cola oder Fanta zu schnell getrunken werden.

Bei entsprechend anfälligen Kindern sollte daher darauf geachtet werden, daß kalte Speisen nur *langsam* und bedächtig verzehrt werden. Es empfiehlt sich, die Nahrungsmittel langsam auf der Zunge und im Mund zergehen zu lassen und erst bei einer entsprechenden Temperierung zu schlucken. Eisgekühlte Getränke sollten vermieden werden. Erfrischungsgetränke sollten nur in temperiertem Zustand getrunken werden.

Blutzucker

Plötzlichen Schwankungen des Blutzuckerspiegels können Migräneanfälle auslösen. Ein zu starkes Absinken des Blutzuckerspiegels (Hypoglykämie) ist immer dann zu erwarten, wenn man sich stark verausgabt und dabei zu wenig Nahrung einnimmt oder auch Mahlzeiten ausläßt. Auch nach zu langen Schlafperioden kann der Blutzuckerspiegel sehr stark abfallen, Kopfschmerzen am Morgen sind dann die Folge. Gleiches gilt, wenn im Körper zu viel Insulin vorhanden ist, was besonders bei Kindern geschehen kann, die sich wegen einer Zuckererkrankung Insulin spritzen müssen. Ein zu stark erniedrigter Blutzuckerspiegel kann bei Nahrungsmittelunverträglichkeit und allergischen Reaktionen auf Nahrungsmittel vorkommen, aber auch nach dem Verzehr sehr zuckerhaltiger Nahrungsmittel. Dadurch kommt es zu einer starken Ausschüttung von Insulin und damit zu einem starken Abbau des Blutzuckerspiegels durch das übermäßige Insulinangebot.

Zur Vermeidung erniedrigter Blutzuckerspiegel sollten

- Nahrungsmittel mit hohen Konzentrationen von *Industriezucker* vermieden werden;
- *kleine und dafür häufigere Mahlzeiten* eingenommen werden. Die Mahlzeiten sollten sich möglichst aus sog. »komplexen Kohlehydraten« zusammensetzen. Dazu zählen *Vollkornprodukte, Nudeln, Kartoffeln und Reis.* Auch sollten die Nahrungsmittel eiweißreich sein und möglichst *ungesättigte Fettsäuren* beinhalten. Ebenfalls sollte ausgiebig *Gemüse* gegessen werden.
- Wenn Kinder hauptsächlich am Morgen nach dem Aufwachen unter Migräneanfällen leiden, sollten sie möglichst noch *am Abend* vor dem Schlafengehen eine kleine Mahlzeit einnehmen, die besonders kohlenhydratreich sein sollte. Geeignet ist z. B. Vollkornbrot mit Honigaufstrich oder Müsli ohne Zuckerzusatz. Besonders eignet sich dazu gemahlenes Bircher-Benner-Müsli, das im Handel auch als Fertigprodukt von Kindernahrungsmittelherstellern (z. B. Milupa) erhältlich ist. Solche Mahlzeiten vor dem Schlafengehen können auch für Erwachsene empfohlen werden, die am Morgen mit Migräneanfällen aufwachen.

253

Spurenelemente, Vitamine und Mineralstoffe

Bei einer ausgeglichenen Nahrungsmittelzufuhr sollte ein Mangel an Spurenelementen, Vitaminen und Mineralstoffen nicht auftreten. Eine reduzierte Konzentration von Vitamin B_6, Vitamin B_{12} oder Folsäure kann bei einer mangelhaften Ernährung oder bei bestimmten Erkrankungen vorhanden sein. Neben Kopfschmerzen können dann Nervosität, Reizbarkeit, Müdigkeit, Vergeßlichkeit, Stimmungsschwankungen und Muskelschwäche sowie Kribbeln in Händen oder Füßen auftreten. Der Arzt kann über das Blutbild und eine direkte Konzentrationsbestimmung im Blut einen Mangel leicht feststellen.

Bei jungen Mädchen können bei Einsetzen der Regelblutungen auch *Eisenmangelsymptome* bestehen. Dazu zählen neben Kopfschmerzen Schwindel, Gewichtsabnahme, Blutarmut, Verstopfung, verminderter Appetit und allgemeine Schwäche.

Magnesium ist insbesondere für die Erregbarkeit von Zellen im Nervensystem und im Gesamtorganismus von sehr großer Bedeutung. Reduzierte Magnesiumspiegel können zu Müdigkeit, Reizbarkeit, Kopfschmerzen, Schlaflosigkeit und Muskelkrämpfen führen. Auch der Appetit nach bestimmten Speisen, insbesondere nach hochkalorischen Nahrungsmitteln wie z. B. Schokolade, wird durch einen Magnesiummangel erklärt.

Liegen entsprechende Störungen vor, kann eine Ersatztherapie, z. B. mit einem Multivitaminpräparat, durchgeführt werden. Dieses sollte idealerweise auch Eisen beinhalten und dadurch auch die Eisenvorräte entsprechend wieder aufbauen. Bei Magnesiummangel kann über 4 Wochen ein magnesiumhaltiges Präparat genommen werden.

Medikamentöse Behandlung des Migräneanfalls

In der medikamentösen Therapie ergeben sich zum Erwachsenenalter deutliche *Unterschiede*. Gerade bei der kindlichen Migräne ist es erforderlich, daß bei Beginn der Attacke die Medikamente zum *frühestmöglichen* Zeitpunkt eingenommen werden.

Man beginnt zunächst mit der Gabe eines *Medikamentes gegen Übelkeit* (10 mg Domperidon als Tablette oder als Zäpfchen), um eine verbesserte Resorption und Wirkung des Schmerzmittels und eine Therapie der Übelkeit und des Erbrechens einzuleiten. Es muß eine *sehr vorsichtige Dosierung* erfolgen, da insbesondere bei Kindern schwere Muskelfunktionsstörungen als unerwünschte Nebenwirkung auftreten können. Dies gilt um so mehr bei Einsatz von Metoclopramid.

Im Anschluß an die Gabe von Domperidon kann nach einem Zeitraum von 15 Minuten ein *Schmerzmittel* verabreicht werden. Hier empfiehlt sich bei jungen Kindern unter dem 12. Lebensjahr in erster Linie *Paracetamol*. Bei Schulkindern, bei denen die Migräneattacken zu jeder Gelegenheit, insbesondere auch in der Schule am Morgen auftreten können, sollten *die Lehrer* entsprechend informiert werden. Am besten ist es, wenn der Arzt dem Schüler eine schriftliche Instruktion zum Verhalten bei Migräneattacken zur Vorlage beim Lehrer mitgibt.

Bei Kindern, deren Attacken auf Paracetamol nicht ausreichend ansprechen, kann auch *Dihydroergotamin* in Tablettenform (2 mg) eingesetzt werden.

Bei ausgeprägter Übelkeit und Erbrechen können das Mittel gegen Übelkeit und das Schmerzmittel auch als *Zäpfchen* gegeben werden. Ergotamintartrat und Sumatriptan sind im Kindesalter nicht angezeigt.

Medikamentöse Vorbeugung von Migräneanfällen

Die medikamentöse Prophylaxe ist bei Kindern noch schwieriger und komplizierter als im Erwachsenenalter. Im Hinblick auf die evtl. erforderliche *hohe Einnahmefrequenz von Schmerzmitteln* und auf einen *schweren Leidensdruck* muß jedoch auch im Kindesalter bei häufigen Migräneattacken eine prophylaktische Medikation erwogen werden. Dabei muß jedoch bedacht werden, daß *Nebenwirkungen* von Prophylaktika bei Kindern häufiger und schwerer auftreten als bei Erwachsenen.

Bei der prophylaktischen Therapie muß darauf geachtet werden, daß immer nur eine *Monotherapie* durchgeführt wird und nicht verschiedene Medikamente in Kombination gegeben werden. In erster Linie kann im Kindesalter ein *b-Rezeptorblocker*, wie z. B. Metoprolol oder Propranolol eingesetzt werden. Eine Alternative ist Cyclandelat. Wegen der möglichen Nebenwirkungen und der zeitlich befristeten Möglichkeit der Gabe sollte, wenn irgendwie möglich, auf die Gabe von Serotoninantagonisten oder Kalziumantagonisten wie Flunarizin bei Kindern verzichtet werden.

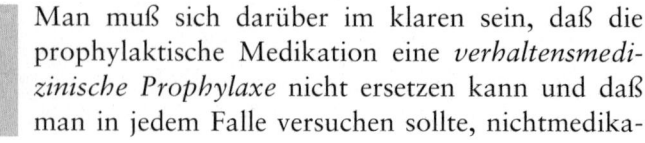 Man muß sich darüber im klaren sein, daß die prophylaktische Medikation eine *verhaltensmedizinische Prophylaxe* nicht ersetzen kann und daß man in jedem Falle versuchen sollte, nichtmedika-

256

mentöse prophylaktische Maßnahmen intensiv zu nutzen. In aller Regel ergeben sich *gleiche oder sogar bessere Effekte* durch Verhaltensmaßnahmen als durch medikamentöse Therapie.

Alle diese Vorsichtsmaßnahmen zeigen, daß die prophylaktische medikamentöse Therapie der Migräne im Kindesalter möglichst vermieden werden sollte und daß Medikamente zur Migräneprophylaxe nur im Ausnahmefall eine Lösung des Problems für einen gewissen Zeitraum ermöglichen.

Allerdings können gerade bei Kindern, bei denen sehr schwerwiegende und stark behindernde Attacken auftreten, »Einzelfallexperimente« erforderlich werden.

Migräne im Leben der Frau

Die sog. menstruelle Migräne

Der Begriff der menstruellen Migräne findet sich in vielen Veröffentlichungen zum Thema Kopfschmerz. Er wird so selbstverständlich benutzt, daß ihn lange Jahre kaum jemand in Frage gestellt hat. Teilweise glaubte man sogar, daß die Migräne immer in irgendeiner Weise mit der Menstruation in Zusammenhang steht. Migräne wurde als *Frauenkrankheit* aufgefaßt.

Forschungsergebnisse haben jedoch gezeigt, daß die als selbstverständlich angesehene Verbindung zwischen weiblichen Hormonen, Menstruation, Schwangerschaft, Menopause, Antibabypille und Migräne relativiert werden muß.

Migräneattacken, die ausschließlich während der Menstruation ablaufen, sind *extrem selten*. Die Betroffenen erinnern sich nach ausführlicher Befragung fast immer daran, daß sie *nicht nur* während der Menstruation an Migräneattacken leiden, sondern auch zu anderen Zeiten im Zyklus.

Der Begriff einer menstruellen Migräne wäre nur dann sinnvoll, wenn man damit Migräneattacken, die ausschließlich in Verbindung mit der Menstruation auftreten, bezeichnen würde. Rechnet man zum Menstruationszeitraum noch die 3 Tage vor und nach der Menstruation, zeigt sich, daß maximal *eine von 20 Frauen*, die die Kriterien der Migräne erfüllen, in diese Gruppe gehört. Der Begriff der menstruellen Migräne ist daher nur für einen geringen Teil der betroffenen Patientinnen anzuwenden.

Ebenso ist ein Zusammenhang mit dem sog. *prämenstruellen Syndrom* bisher wissenschaftlich nicht nachgewiesen. Dieses Syndrom, charakterisiert durch Unterleibsschmerzen, Schwäche sowie weitere psychovegetative Symptome, zeigt sich etwa 2–3 Tage vor der Menstruation.

Migräneattacken im zeitlichen Zusammenhang mit der Menstruation unterscheiden sich nicht von sonstigen Migräneattacken, auch wenn unter einer menstruellen Migräne häufig eine besonders schwere und lang andauernde Attacke verstanden wird, die mit besonders starker Übelkeit und Erbrechen einhergeht. Allerdings kann jede Form der Migräne mit oder ohne Aura während der Menstruation auftreten. Ist die Menstruation tatsächlich ein Auslösefaktor, so wird die Migräneattacke meist zwei Tage vor der Menstruation entstehen.

Bei den Patientinnen, bei denen ausschließlich während der Menstruation Migräneattacken auftreten, findet sich oft ein festes zeitliches Verhältnis zwischen den Attacken und der Menstruation. Allerdings kann bei anderen Frauen dieses zeitliche Verhältnis locker sein und die Migräneattacke in unterschiedlichem Zeitabstand zur Menstruation auftreten.

Zusammenhang zwischen Menstruation und Migräne

Aus klinischen und experimentellen Studien ist bekannt, daß im Zusammenhang mit der Menstruation die Migräne durch einen *Abfall des Östrogen- und des Progesteronspiegels* ausgelöst wird. Dies eröffnet die Möglichkeit, bei entsprechend empfindlichen Frauen der Auslösung der Migräne durch die Gabe von Östrogen vorzubeugen. Die Gabe von Progesteron kann die Migräneattacke nicht verhindern. Entsprechend kann vermutlich der Abfall des Plasmaöstradiolspiegels für die Auslösung der Migräneattacke verantwortlich gemacht werden. Die *absoluten* Hormonspiegel scheinen dagegen nicht von Bedeutung zu sein. Als mögliche Ursache der Kopfschmerzauslösung während des Östradiolabfalls wird ein Effekt des Hormons auf die Gefäße angenommen, wobei eine *Gefäßerweiterung* aufgrund der geringeren Hormonkonzentration vermutet wurde. Weitergehende Analysen der Hormonkonzentrationen ergaben bisher keine einheitliche Meinung zur Bedeutung der verschiedenen Hormone für die Auslösung der Migräneattacken. Weder das follikelstimulierende Hormon (FSH) noch das luteinisierende Hormon (LH) unterscheiden sich bei Patientinnen, die an einer menstruell gebundenen Migräne leiden und gesunden Kontrollpersonen.

Behandlung der menstruellen Migräne

Aufgrund des zeitlichen Zusammenhangs mit der Menstruation lag es nahe, hormonelle Therapieverfahren einzusetzen. Dazu wurde früher die Gabe von *Östrogen* 3–10 Tage vor der Menstruation empfohlen. Allerdings zeigte sich, daß damit der Beginn der Migräneattacke *nur verschoben* wird, bis der natürliche Hormonabfall wiederum auftritt.

Die Verwendungvon Hormonpflastern, die Östrogene über die Haut abgeben, hat sich in kontrollierten Studien ebenfalls als *nicht wirksam* erwiesen. Gleiches gilt für die Gabe von Östrogenen in Tablettenform.

Wirksam war dagegen der Einsatz von Östrogen in Form eines *auf die Haut auftragbaren Gels.* Das Gel wird hierbei 2 Tage vor der erwarteten Migräneattacke aufgetragen und in den nächsten 7 Tagen weiter angewendet. Entsprechende Präparate sind in Deutschland allerdings derzeit nicht zugelassen.

Durch diese einfache Maßnahme kann bei den betroffenen Patientinnen mit großer Zuverlässigkeit die Auslösung der Migräneattacke verhindert werden. Voraussetzung dafür ist natürlich, daß tatsächlich dieser *enge, ausschließliche Zusammenhang* zwischen dem Hormonspiegelabfall und der Migräneattacke besteht, was wie bereits dargelegt wurde, nur bei wenigen Ausnahmen der Fall ist.

In allen anderen Fällen gelten für die Therapie der Migräneattacke im zeitlichen Zusammenhang mit der Menstruation die allgemeinen Behandlungsrichtlinien der Migräneattacke.

Schwangerschaft und Migräne

Gegenseitige Beeinflussung

Die Migräne ist v. a. wegen folgender Fragen von besonderer Bedeutung für eine beabsichtigte oder bestehende Schwangerschaft:

- Wie wird eine Migräne während der Schwangerschaft behandelt? Welche Medikamente sind indiziert oder kontraindiziert?
- Wird die Schwangerschaft durch die Migräneerkrankung bedroht?
- Welche Auswirkungen kann die Schwangerschaft auf den Verlauf der Migräneattacke haben?

Erfreulicherweise zeigt sich, daß ein sehr *günstiger Einfluß* auf den Migräneverlauf durch die Schwangerschaft zu beobachten ist. Tatsächlich gibt es kaum eine bessere prophylaktische Maßnahme.

Aus epidemiologischen Studien ist bekannt, daß bei *fast 70%* der betroffenen Patientinnen eine deutliche Verbesserung oder sogar ein völliges Ausbleiben der Migräneattacken während der Schwangerschaft zu beobachten ist. Der Effekt auf den Migräneverlauf zeigt sich insbesondere in den letzten zwei Dritteln der Schwangerschaft. Ob bei wiederholten Schwangerschaften der positive Effekt auf die Migräne allmählich nachläßt, ist bisher durch Studien nicht geklärt.

Nur bei einem geringen Teil der Patientinnen findet sich ein konstanter Verlauf oder gar eine Verschlechterung der Migräne während der Schwangerschaft. Dies scheint insbesondere für Patientinnen zu gelten, die an einer Migräne mit Aura leiden. Treten Migräneattacken erstmalig während der Schwangerschaft auf, handelt es sich vorwiegend um eine Migräne mit Aura. Allerdings ist dies nur bei einer Minderzahl der Betroffenen der Fall; nach einer französischen Studie bei 13% der untersuchten Patientinnen. Nach der Entbindung findet sich bei etwa knapp der Hälfte der Patientinnen in der ersten Woche ein erneutes Auftreten von Kopfschmerzen, vorwiegend vom Spannungstyp, jedoch auch Migräneattacken.

Verbesserung des Migräneverlaufes

Die Ursache für die z. T. spektakuläre Verbesserung während der Schwangerschaft ist bisher völlig offen. Allerdings werden verschiedene Hypothesen diskutiert:

Einerseits wird angenommen, daß *die* konstant erhöhten Konzentrationen von *Östrogen und Progesteron* während der Schwangerschaft die Verbesserung bewirken.

Andere Erklärungen gehen davon aus, daß ein veränderter *Serotoninstoffwechsel* während der Schwangerschaft und eine erhöhte Konzentration von *endogenen Opioiden*, d. h. vom Körper selbst hergestellten opiatähnlichen Stoffen, für die Verbesserung verantwortlich sind.

Eine entscheidende Bedeutung scheint jedenfalls *die veränderte Lebensweise* während der Schwangerschaft zu haben. Schwangere Frauen ernähren sich bewußter, haben einen regelmäßigen Schlaf-Wach-Rhythmus, vermeiden Alkohol und Nikotin, versuchen, streßfreier zu leben, und sind im Arbeitsprozeß weniger beansprucht. Es besteht eine schwangerschaftsbedingte Kontrolle von Auslösefaktoren und entsprechend werden weniger Migräneattacken ausgelöst. Empirische Untersuchungen, die diese Hypothese bestätigen, liegen jedoch nicht vor.

Migräneprophylaxe während der Schwangerschaft

Generell gilt, daß eine medikamentöse Therapie während der Schwangerschaft, wenn irgendwie möglich, *zu vermeiden* ist. Ganz besonders gilt dies natürlich für prophylaktische Maßnahmen, bei denen täglich Medi-

kamente eingenommen werden müssen. Die Migräneprophylaktika, die sich als besonders wirksam erwiesen
haben, sind während der Schwangerschaft kontraindiziert. Dies gilt für die β-Rezeptorenblocker, Flunarizin
und die Serotoninantagonisten. Dies ist insbesondere
von Bedeutung, wenn eine Schwangerschaft geplant ist
oder auch nur vermutet wird. Da gerade junge Frauen
solche Medikamente bei schweren Migräneverläufen
einsetzen, müssen sie auf die Notwendigkeit einer adäquaten *Kontrazeption* hingewiesen werden.

Zur Vorbeugung von Migräneattacken während
der Schwangerschaft empfehlen sich entsprechend, wie
sonst auch, in erster Linie *Verhaltensmaßnahmen*, wie

- Entspannungsübungen und
- Kennenlernen und Vermeidung von Triggerfaktoren.

Bei extrem schweren Migräneverläufen während
der Schwangerschaft, insbesondere bei der Migräne mit
Aura, kann zunächst die Gabe von *Magnesium* zur Migräneprophylaxe erwogen werden. Der Effekt von Magnesium auf den Migräneverlauf erwies sich in klinischen
Studien zwar grundsätzlich als gering, in *Einzelfällen* ist
jedoch ein bedeutsamer Effekt zu erzielen.

Zur Therapie des arteriellen Bluthochdruckes wird
während der Schwangerschaft Propranolol eingesetzt. Es
gibt dabei keinen Hinweis auf eine Fruchtstörung.
Trotzdem sollte der Einsatz von *Propranolol* während
der Schwangerschaft zur Migräneprophylaxe sehr zurückhaltend durchgeführt und nur als letzte Möglichkeit
erwogen werden.

Behandlung der Migräneattacke während der Schwangerschaft

Es gibt nur sehr wenig Literatur zur Wirksamkeit und Verträglichkeit von Medikamenten für die Therapie der Migräneattacke während der Schwangerschaft. Gleiches gilt für die Auswirkungen einer medikamentösen Migränetherapie auf die Geburt und das Stillen. In erster Linie sollten zur Akutmedikation von Migräneattacken während der Schwangerschaft

Metoclopramid (20 mg) und
Paracetamol (1000 mg)

eingesetzt werden. Dabei sollte ein zeitlicher Abstand von 15 Minuten eingehalten werden. Ist Paracetamol nicht ausreichend wirksam, kann auch die Gabe von *Acetylsalicylsäure* (1000 mg) erwogen werden. Zu dieser Substanz gibt es umfangreiche Literatur über den Einsatz während der Schwangerschaft. Es gibt keine Hinweise darauf, daß hierdurch fetale Mißbildungen verursacht werden.

Die neueren nichtsteroidalen Antirheumatika sollten während der Schwangerschaft *nicht* eingesetzt werden. Einerseits liegen keine ausreichenden Erfahrungen vor, andererseits ist auch nicht nachgewiesen, daß sie die Migräneattacke wirkungsvoller beenden als die seit vielen Jahrzehnten eingesetzten o. g. Substanzen. Besonders muß darauf geachtet werden, daß nichtsteroidale Antirheumatika nicht kontinuierlich eingesetzt werden. Insbesondere während des letzten Schwangerschaftsdrittels ergibt sich dadurch die Gefahr einer Verlängerung der Schwangerschaft, das erhöhte Risiko einer Präeklampsie, ein erhöhtes Blutungsrisiko für Mutter und Kind sowie ein erhöhtes Risiko einer persistierenden pulmonalen Hypertension des Kindes.

Streng *kontraindiziert* sind Ergotalkaloide, wie Ergotamintartrat und Dihydroergotamin. Die Substanzen haben während der Schwangerschaft einen uterotonischen Effekt. Darüber hinaus wirkt Ergotamin als toxisch auf den Embryo.

Für den Einsatz von Sumatriptan und den neueren Triptanen liegen derzeit noch keine ausreichenden Daten vor. Zwar gibt es Berichte von Schwangerschaften, die während einer Therapie mit Sumatriptan aufgetreten sind. Dabei sind *bisher* keine Probleme verzeichnet worden. Bis jedoch ausreichend Erfahrungen vorliegen, dürfen Triptane während der Schwangerschaft *nicht* eingesetzt werden.

▩ Hormontherapie und Migräne

Bei hartnäckigen Migräneattacken, die schwer zu therapieren sind, wird häufig die Antibabypille als Auslöser der Attacken beschuldigt. Die empirische Überprüfung eines Zusammenhangs zwischen Antibabypille und Migräne dagegen zeigt *keine* eindeutige Verbindung: einige Studien sprechen von einem tatsächlich erhöhten Auftreten von Migräneattacken, wobei dies je nach Studie bei 18–50% der betroffenen Patientinnen der Fall sein soll. In anderen Studien zeigt sich dagegen unter der Therapie mit der Antibabypille bei bis zu 35% der Patientinnen sogar eine Verbesserung der Migräne. In sog. Doppelblindstudien wurde dagegen kein bedeutsamer Unterschied zwischen Gruppen von Patientinnen, die mit der Antibabypille bzw. Placebo behandelt wurden, festgestellt.

Alles in allem zeichnet sich ab, daß zwischen der Antibabypille und der Migräne *kein* definitiver Zusammenhang besteht.

Die Therapie der Migräne bei bestehender oder fehlender Einnahme einer Antibabypille unterscheidet sich nicht. Es ist auch nicht bekannt, daß sich Antibabypille und Migränemedikamente beeinflussen. Bei der Durchführung der Migränetherapie gelten die gleichen Richtlinien wie sonst auch.

Nur für die selten vorkommende, nicht auf eine medikamentöse Therapie ansprechende Migräne ist ein Auslaßversuch der Antibabypille ratsam. Es sollte dann eine andere Methode der Empfängnisverhütung genutzt werden.

Wegen des erhöhten Risikos von arteriellen oder venösen Hirnthrombosen sowie einer Hirnblutung sollte beim plötzlichen Auftreten von neurologischen Störungen möglichst umgehend eine neurologische Untersuchung veranlaßt werden. Dies gilt auch, wenn unerwartete Kopfschmerzattacken auftreten. Aus diesem Grunde sollten gerade Patientinnen, die eine Antibabypille einnehmen, in zeitlich engeren Abständen sich zur Verlaufskontrolle bei ihrem Arzt vorstellen. Das Rauchen sollte streng vermieden werden. Aufgrund des möglicherweise erhöhten Risikos für Schlaganfälle bei einer Migräneerkrankung gilt dies ganz besonders. Insgesamt ist dieses Risiko für eine erhöhte Häufigkeit von Schlaganfällen bei Migräne jedoch extrem gering. Migräne stellt deshalb keinesfalls eine Kontraindikation für den Einsatz der Ant-Baby-Pille dar.

Menopause und höheres Lebensalter

Es wird häufig die Meinung vertreten, daß die Migräne allmählich im höheren Lebensalter »ausbrennt«, also an Auftretenshäufigkeit und an Intensität abnimmt. In Studien, die sich mit diesem Fragenkomplex beschäftigen, zeigt sich jedoch, daß bei mehr als 50% der Betroffenen während der Menopause und danach *keine Veränderung des bisherigen Migräneverlaufes* auftritt. Bei etwa 47% der Patientinnen zeigt sich sogar eine Verschlechterung.

Auch die erhöhte Migränehäufigkeit bei Frauen im Vergleich zu Männern bleibt im hohen Lebensalter bestehen. Hormontherapien im hohen Lebensalter können die Migräne nicht beeinflussen. Entsprechend gilt daher in dieser Altersgruppe, daß die Migränetherapie wie üblich durchgeführt werden sollte.

Jenseits des 75. oder 80. Lebensjahres scheint dagegen eine Änderung einzutreten. Tatsächlich gibt es in den spezialisierten Migräneambulanzen keinen Patienten oder keine Patientin, die älter als 80 Jahre ist und über Migräneattacken klagt. Diese Beobachtung kann unterschiedliche Gründe haben, z. B.: 1) Die Migräne tritt tatsächlich nicht mehr auf. 2) Migränepatienten sterben früher. 3) Alte Leute kommen kaum noch in die Spezialambulanzen etc. Warum bei vielen Frauen im hohen Alter die Migräne plötzlich keine Rolle mehr spielt, ist also derzeit noch nicht genau bekannt.

6 Kopfschmerz vom Spannungstyp

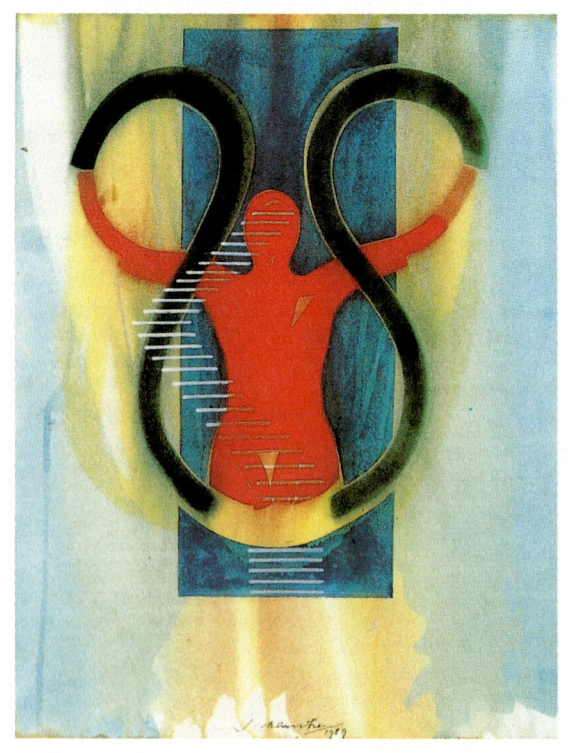

Entweder episodische oder chronische Form

Der Kopfschmerz vom Spannungstyp (Abb. 69) wird aufgrund seines zeitlichen Verlaufes in zwei Formen unterteilt, einen *episodischen* und einen *chronischen* Kopfschmerz vom Spannungstyp.

Während bei der Migräne mehrere Formen nebeneinander auftreten können, z. B. Migräne mit Aura und Migräne ohne Aura, schließt sich das gleichzeitige Bestehen eines episodischen und chronischen Kopfschmerzes vom Spannungstyp aus.

Vor der Einführung der Kopfschmerzklassifikation der Internationalen Kopfschmerzgesellschaft wurde dieser Kopfschmerztyp als Spannungskopfschmerz, Muskelkontraktionskopfschmerz, psychomyogener Kopfschmerz, Streßkopfschmerz,

Abb. 69. Der Kopfschmerz vom Spannungstyp äußert sich häufig als Druck auf dem Kopf oder als Schraubstockgefühl.

normaler Kopfschmerz, essentieller Kopfschmerz, idiopathischer Kopfschmerz oder psychogener Kopfschmerz bezeichnet – kurz, viele dachten ganz unterschiedlich über diese Kopfschmerzform.

Episodischer Kopfschmerz vom Spannungstyp

Bei der episodischen Form treten Kopfschmerzen stunden- oder tageweise auf (Abb. 70). Zwischen diesen Zeiten sind die Patienten kopfschmerzfrei. Die Kopfschmerzdauer kann nur 30 Minuten lang sein, sich jedoch auch über 7 Tage erstrecken. Um den immer wiederkehrenden Verlauf zu dokumentieren, sind für die Kopfschmerzdiagnose mindestens zehn zeitlich abgesetzte Episoden erforderlich. Die Kopfschmerzen treten an weniger als 15 Tagen im Monat auf, d. h. es bestehen weniger als 180 Kopfschmerztage pro Jahr. Der Kopfschmerz ist typischerweise pressend und ziehend. Ein pulsierender Charakter, d. h. ein An- und Abschwellen mit dem Pulsschlag wie bei Migräne, besteht nicht. Die Kopfschmerzintensität ist leicht bis mittelstark. Sie schränkt zwar die Ausübung der normalen Tätigkeit ein, verhindert diese aber in der Regel nicht.

Normalerweise tritt der Kopfschmerz beidseits auf. Die Beschwerden können jedoch auch einseitig vorhanden sein und können grundsätzlich an jeder Stelle des Kopfes bestehen. Oft zieht der Schmerz auch umher, und eine feste Lokalisation kann nicht angegeben werden. Er ist dabei meist im Schläfenbereich lokalisiert. Auch findet er sich an der Stirn oder tritt zunächst im Nackenbereich am Halsansatz auf. Im weiteren Verlauf zieht er über den Hinterkopf nach vorne zur Stirn und zu den Augen. Viele Patienten zeigen bei der Beschreibung ihrer Beschwerden eine »Helmabstreif-Bewegung«,

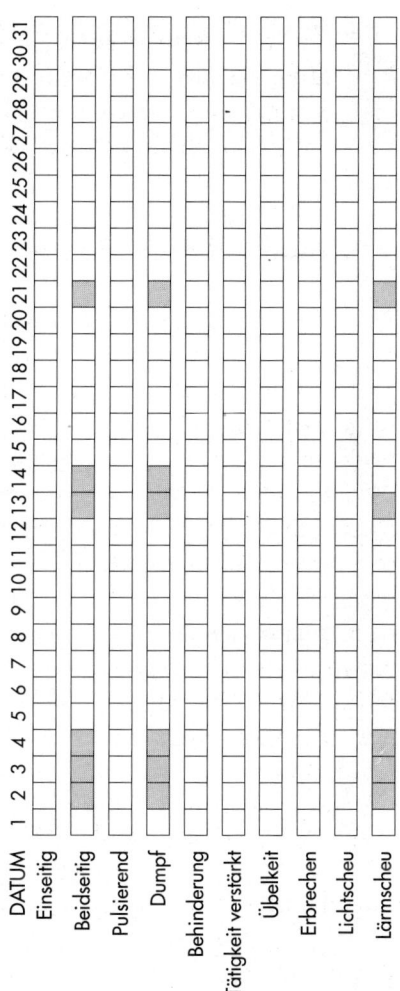

Abb. 70. Der Kieler Kopfschmerzkalender wurde während eines Monats regelmäßig ausgefüllt. Oben sind die Monatstage angegeben, seitlich die Kopfschmerzmerkmale. Bei dieser Patientin lassen sich am 2.–4., 13.–14. und am 21. des Monats Episoden des Kopfschmerzes vom Spannungstyp erkennen.

Tabelle 3. Episodischer Kopfschmerz vom Spannungstyp

Hauptkriterien	Teilkriterien
Kopfschmerzdauer	• unbehandelter Verlauf: 30 Minuten bis 7 Tage
Schmerzcharakteristika (mindestens zwei)	• drückend bis ziehend, nicht pulsierend • übliche Aktivität wird nicht nachhaltig behindert • beidseitiger Kopfschmerz • körperliche Aktivität verstärkt Kopfschmerz nicht
Weitere Bedingungen	• keine Übelkeit • kein Erbrechen • von folgenden zwei Symptomen maximal eines: – Lichtüberempfindlichkeit – Lärmüberempfindlichkeit
Attackenanzahl	• wenigstens 10 vorangegangene Attacken • weniger als 15 Kopfschmerz- tage pro Monat

um die Ausbreitung des Kopfschmerzes vom Nacken zur Stirn verständlich zu machen.

Oft wird der Kopfschmerz auch als enges, drükkendes Band um den Kopf oder aber als auf dem Kopf lastendes Gewicht beschrieben. Andere Patienten verspüren einen zu engen Hut auf dem Kopf oder haben das Gefühl, daß ihr Kopf in einer Klammer steckt. Manchmal werden die Beschwerden gar nicht als Schmerz, sondern als dumpfes, leeres Gefühl oder Druck im Kopf verspürt.

Bei körperlicher Tätigkeit, z. B. Treppensteigen oder Koffertragen, verschlechtert sich der Kopfschmerz nicht, im Gegenteil werden die Schmerzen oft beim Spazierengehen besser.

Übelkeit oder Erbrechen bestehen nicht, allenfalls kann Apetitlosigkeit auftreten. Lärm- und Lichtempfindlichkeit treten nicht gemeinsam auf, eine der beiden Störungen kann jedoch bestehen. Die ärztliche Untersuchung ergibt keine Hinweise für symptomatische Kopfschmerzen. Die verschiedenen Merkmale dieser Kopfschmerzform gibt die Tabelle 3 wieder.

Chronischer Kopfschmerz vom Spannungstyp

Eine sehr hartnäckige Unterform des Kopfschmerzes vom Spannungstyp, die die Patienten z.T. täglich bedrückt, wird als *chronischer Kopfschmerz vom Spannungstyp* bezeichnet (Abb. 71).

Dieser Kopfschmerz tritt seit mindestens sechs Monaten an mehr als 15 Tagen pro Monat auf!

Die Kopfschmerzmerkmale sind denen des episodischen Kopfschmerzes vom Spannungstyp sehr ähnlich. Unterschiede bestehen darin, daß der chronische Kopfschmerz vom Spannungstyp keine feste Attackendauer hat, er also prinzipiell ständig bestehen, aber auch zeitlich abgesetzt auftreten kann. Während beim episodischen Kopfschmerz vom Spannungstyp keine Übelkeit auftritt, kann diese bei der chronischen Verlaufsform vorhanden sein. Die Merkmale des chronischen Kopfschmerzes vom Spannungstyp werden zusammenfassend in Tabelle 4 aufgelistet.

273

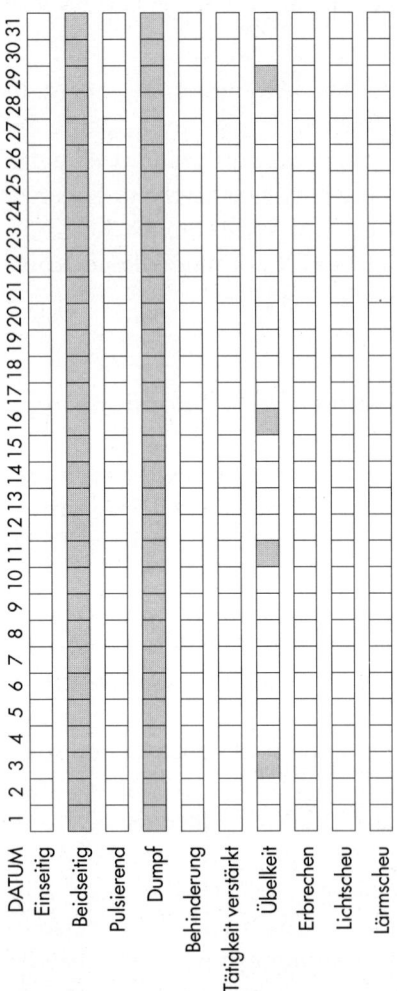

Abb. 71. Der Kieler Kopfschmerzkalender wurde während eines Monats regelmäßig ausgefüllt. Oben sind die Monatstage angegeben, seitlich die Kopfschmerzmerkmale. Bei diesem Patienten läßt sich ein täglicher Kopfschmerz im Sinne des chronischen Kopfschmerzes vom Spannungstyp erkennen.

274

Tabelle 4. Kriterien des chronischen Kopfschmerzes vom Spannungstyp

Hauptkriterien	Teilkriterien
Schmerzcharakteristika (mindestens zwei)	• drückend bis ziehend, nicht pulsierend • übliche Aktivität wird nicht nachhaltig behindert • beidseitiger Kopfschmerz • körperliche Aktivität verstärkt Kopfschmerz nicht
Weitere Bedingungen	• kein Erbrechen • von folgenden drei Symptomen maximal eines: – Übelkeit – Lichtüberempfindlichkeit – Lärmüberempfindlichkeit
Attackenanzahl	• wenigstens 15 Kopfschmerztage pro Monat bestehen seit mindestens 6 Monaten

Störung der Kopfmuskulatur bei Kopfschmerz vom Spannungstyp

Ähnlich wie die Migräne mit oder ohne Aura auftreten kann, können sowohl bei dem episodischen als auch bei dem chronischen Kopfschmerz vom Spannungstyp jeweils zwei weitere Unterformen unterschieden werden, eine Form *mit Störung* und eine Form *ohne Störung der Kopfmuskulatur.*

Die »Störung der Kopfmuskulatur« kann sich durch eine erhöhte Schmerzempfindlichkeit der Kopfmuskeln kennzeichnen (Abb. 72). Bei Druck auf verschiedene Kopfmuskeln, z. B. durch die Hand bei der

275

Abb. 72. Erhöhte Schmerzempfindlichkeit der Muskulatur wird üblicherweise bei der ärztlichen Untersuchung durch Druck auf den Muskel festgestellt.

ärztlichen Untersuchung, geben die betroffenen Patienten bereits Schmerzen an, die normalerweise bei gleichen Druckstärken von anderen Menschen nicht verspürt werden.

Manchmal finden sich auch umschriebene, sehr schmerzhafte und verhärtete Muskelstellen (Muskelknoten oder Triggerpunkte).

Durch die erhöhte Schmerzempfindlichkeit kann sich auch eine Bewegungseinschränkung der Hals- und Nackenmuskulatur einstellen. Druck auf die hochschmerzempfindlichen Muskelknoten kann zu Schwindel, Verstärkung und Ausbreitung der Schmerzen führen.

Bei Untersuchung der elektrischen Muskelaktivität mit einem Elektromyographen durch einen Neurologen kann sich zudem eine erhöhte Muskelaktivität zeigen.

Kopfschmerz vom Spannungstyp in der Bevölkerung

Anfallshäufigkeit und Dauer

67 % der Patienten, die an Kopfschmerz vom Spannungstyp leiden, geben eine Anfallshäufigkeit von ein bis zwei Tagen pro Monat an, der Mittelwert der Kopfschmerzfrequenz beträgt 2,89 Tage pro Monat. Das bedeutet, daß diese Erkrankung im Mittel an ca. 35 Tagen pro Jahr besteht.

3 % der Betroffen leiden zwischen 15 und 30 Tagen pro Monat an dieser Kopfschmerzform und erfüllen damit die Kriterien des sog. chronischen Kopfschmerzes vom Spannungstyp.

Der Kopfschmerz vom Spannungstyp besteht im Mittel 10,3 Jahre bei den betroffenen Menschen. Oft finden sich diese Erkrankungen 20, 30 und mehr Jahre bei den Betroffenen!

Intensität

Der episodische Kopfschmerz vom Spannungstyp weist bei 68 % der Leidenden eine mittelstarke Intensität auf, während beim chronischen Kopfschmerz vom Spannungstyp starke (42 %) und mittelstarke (44 %) Kopfschmerzen fast gleichhäufig anzutreffen sind.

Geschlecht

Sowohl der episodische als auch der chronische Kopfschmerz vom Spannungstyp finden sich bei Männern und Frauen mit nahezu gleicher Häufigkeit.

Der episodische Kopfschmerz vom Spannungstyp tritt in der Bevölkerung bei 36 % der Frauen und bei 34 % der Männer auf, der chronische Kopfschmerz vom Spannungstyp bei 3 % der Frauen und 2 % der Männer.

Alter

Der episodische Kopfschmerz vom Spannungstyp kommt in allen Altersgruppen gleich häufig vor. Im Gegensatz zur Migräne und zur episodischen Verlaufsform des Kopfschmerzes vom Spannungstyp nimmt der chronische Kopfschmerz vom Spannungstyp mit dem Lebensalter zu. In der Gesamtgruppe verteilte sich diese Kopfschmerzform mit einer Häufigkeit von 2 % in der Altersgruppe bis 36 Jahren, 3 % in der Altersgruppe ab 36 bis 55 Jahre und 4 % in der Altersgruppe über 55 Jahre.

Schulbildung

Die Häufigkeit des Kopfschmerztyps unterscheidet sich nicht zwischen Menschen mit Hauptschulabschluß oder höherer Schulbildung.

Kopfschmerz vom Spannungstyp in Mitteleuropa

Episodischer Kopfschmerz vom Spannungstyp in Deutschland tritt während des Lebens bei Frauen zu 36 % und bei Männern zu 34 % auf. Der chronische Kopfschmerz vom Spannungstyp findet sich mit einer Häufigkeit von 3 % sowohl bei Frauen als auch bei Männern.

278

Die individuelle Bedeutung dieses Kopfschmerzleidens wird aus der Tatsache ersichtlich, daß 28 % der Bevölkerung an mehr als 36 Tagen im Jahr an dieser Kopfschmerzform leiden und 3 % der Bevölkerung an 180 bis 360 Tagen pro Jahr.

In Studien anderer Länder fanden sich Auftretenshäufigkeiten des episodischen Kopfschmerzes vom Spannungstyp bei Männern von 28,8 % bis 69 % und bei Frauen von 34,5 % bis 88 %.

Die dänische Forschungsgruppe von Birte Rassmussen fand mit 3 % exakt die gleiche Prävalenz für den chronischen Kopfschmerz vom Spannungstyp wie in Deutschland.

Während die Prävalenz des chronischen Kopfschmerzes vom Spannungstyp mit dem Lebensalter zunimmt, verändert sich die Prävalenz des episodischen Kopfschmerzes vom Spannungstyp nicht mit dem Alter. Geschlechtsunterschiede in der Häufigkeit des Kopfschmerzes vom Spannungstyp fanden sich in Deutschland nicht. Aus anderen Ländern werden dazu unterschiedliche Ergebnisse berichtet. Einige Studien nehmen eine größere Häufigkeit bei Frauen an, andere finden keine bedeutsamen Geschlechtsunterschiede in der Häufigkeit des Kopfschmerzes vom Spannungstyp.

Behinderung durch Kopfschmerz vom Spannungstyp

Auch für Kopfschmerz vom Spannungstyp geben viele Betroffenen eine schwere (64 %) oder sehr schwere (16 %) Behinderung durch ihre Kopfschmerzerkrankung an.

82 % berichten über eine Reduktion ihrer Arbeitsproduktivität von unterschiedlichem Ausmaß. Während

der Kopfschmerzen müssen 2 % der Betroffenen ihre Zeit sogar im Bett verbringen. 4 % müssen sich regelmäßig krankschreiben lassen, 15 % müssen dies gelegentlich tun.

Ebenfalls wie bei der Migräne treten Episoden des Kopfschmerzes vom Spannungstyp am häufigsten am Samstag auf.

Arbeitsunfähigkeit besteht im Mittel an 14 Tagen pro Jahr, und die normale Freizeitaktivität wird an weiteren 13 Tagen pro Jahr verhindert.

Wie Menschen mit Kopfschmerz vom Spannungstyp informiert werden

64 % der Patienten mit Kopfschmerz vom Spannungstyp in Deutschland waren noch nie wegen ihrer Kopfschmerzen bei einem Arzt.

Wie aus Abb. 37 ersichtlich, besteht auch bei dieser Erkrankung mit zunehmendem Alter eine Zunahme der Konsultationshäufigkeit.

Die folgenden Gründe werden am häufigsten für die Vermeidung einer Behandlung durch Ärzte angegeben: 58 % sagen, daß sie die Kopfschmerzen aushalten können, 32 % geben als Grund an, daß sie sich selbst behandeln, und 13 % glauben, daß Ärzte bei ihren Kopfschmerzen nicht helfen können.

Diejenigen, die sich in ärztliche Behandlung begeben, suchen am häufigsten einen Allgemeinarzt (71 %), gefolgt von Orthopäden (27 %), Internisten (25 %) und Neurologen (19 %) auf.

Obwohl die Patienten die Kriterien des Kopfschmerzes vom Spannungstyp erfüllen, wurde nur der verschwindenden Minderheit von 1 % mitgeteilt, daß sie an dieser Kopfschmerzform leiden. 46 % der Betroffenen wurde gesagt, daß sie an einer Erkrankung der Halswirbelsäule leiden.

▨▨▨ Was die Betroffenen über Kopfschmerz vom Spannungstyp wissen

Gerade 2 % dieser Patientengruppe bezeichnen ihre Kopfschmerzen als Kopfschmerz vom Spannungstyp, obwohl die Kriterien bei allen Patienten erfüllt sind. Am häufigsten werden die Kopfschmerzen als »Migräne« oder »Streßkopfschmerz« benannt. 64 % der Patienten haben überhaupt keine Vorstellung darüber, wie sie die Kopfschmerzen benennen sollten.

50 % der Betroffenen nehmen eine körperliche Erkrankung als Ursache ihrer Kopfschmerzen an. Davon vermuten 63 % eine Störung der Halswirbelsäule oder der Nackenmuskulatur und 20 % niedrigen Blutdruck als Krankheitsursache.

▨▨▨ Wie der Kopfschmerz vom Spannungstyp entsteht

▨▨▨ Eine einheitliche Verursachung besteht nicht

Die genauen Abläufe bei der Entstehung des Kopfschmerzes vom Spannungstyp sind bis heute nicht geklärt. Viele Forscher gehen davon aus, daß keine einheitliche Verursachung der vielen Formen des Kopfschmerzes vom Spannungstyp anzunehmen ist.

Der Name »Kopfschmerz vom Spannungstyp« und die früher verwendeten Namen »Muskelkontraktionskopfschmerz« oder »Spannungskopfschmerz« bezie-

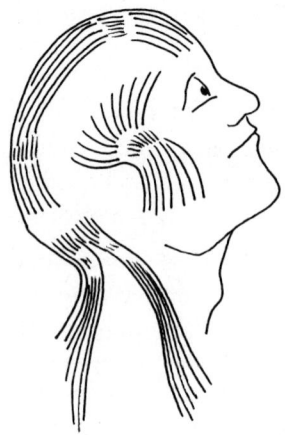

Abb. 73. Früher wurde angenommen, daß eine überhöhte Muskelanspannung Ursache der »Kopfschmerzen« ist.

hen sich auf eine erhöhte Muskelanspannung als Kopfschmerzursache (Abb. 73).

Die Begriffe »psychogener Kopfschmerz« oder »Streßkopfschmerz« deuten auf eine psychische Verursachung hin.

Bezeichnungen wie »normaler Kopfschmerz« wiederum lassen vermuten, daß der Kopfschmerz eine nicht krankheitsbedingte Reaktion des Körpers ist, etwa vergleichbar mit Müdigkeit oder Hunger.

Obwohl der Kopfschmerz vom Spannungstyp die häufigste Kopfschmerzform ist, hat die Wissenschaft bis heute noch keine allgemein akzeptierte Erklärung für die Entstehung dieser Kopfschmerzen erarbeiten können. Dieses »Nichtwissen« ist von besonderer Bedeutung: Wenn eine Ursache nicht bekannt ist, kann auch eine »ursächliche Behandlung« nicht erfolgen. Die nachfolgenden Ausführungen beruhen z. T. auf Annahmen und Hypothesen, sind jedoch auch auf viele einzelne wissenschaftliche Untersuchungsergebnisse begründet.

Störung der körpereigenen Schmerzabwehrsysteme

Viele Untersuchungen weisen darauf hin, daß bei Kopfschmerzen vom Spannungstyp eine Störung des körpereigenen Schmerzabwehrsystems besteht. Die Schmerzempfindung kann nicht nur durch Einwirkungen von außen gesteuert werden, sondern das Gehirn kann auch selbständig regulieren, wie viele Schmerzinformationen in das Gehirn eingelassen werden und wie viele davon bewußt erlebt werden. Solche Steuerungsvorgänge gibt es prinzipiell bei allen Sinnesorganen. Besonders deutlich wird dies beim Sehen. Das Gehirn reguliert hier über die Pupille sehr exakt, wieviel Licht in das Auge eintreten darf. Hier kann man die Funktion des »Lichtfilters« Pupille direkt beobachten. Auch beim Hören sind entsprechende Mechanismen tätig. Liest man z. B. konzentriert in einem Straßencafé ein Buch, kann das Gehirn die gesamte Aufmerksamkeit auf den Inhalt des Buches lenken, und der umgebende Verkehrslärm wird völlig »ausgeblendet«.

Bei der Steuerung der Schmerzinformation können die beteiligten Filter oder Blenden nicht direkt beobachtet werden. Aufgrund vieler Untersuchungen werden diese Schmerzfilter im Hirnstamm, also im unteren Teil des Gehirns, angenommen. Sie arbeiten nicht mechanisch, wie z. B. die Pupille des Auges. Vielmehr steuern sie – ähnlich wie bei einem Lautstärkeregler eines Radios – über elektrische und chemische Mechanismen die Schmerzinformationen der Nerven.

Die Steuervorgänge werden ständig den Umweltbedingungen angepaßt. Es können sowohl Vorgänge außerhalb des Organismus die Schmerzfilter beeinflussen als auch Vorgänge innerhalb des Organismus. Die Steuerung erfolgt über Botenstoffe, die die Filter öffnen und schließen können. Als besonders wichtiger Botenstoff wird das »Serotonin« (chemisch: 5-Hydroxytryptophan, abgekürzt 5-HT) angesehen. Das Serotonin ist im Gehirn in Speichern angelegt, damit es ständig für die Regulation der Filter zur Verfügung steht. Bei Verbrauch des Botenstoffes erfolgt eine Nachbildung, und der Vorrat wird somit normalerweise immer aufrechterhalten.

Der gesamte Vorgang ist den Bremssystemen im Auto sehr ähnlich. Die Geschwindigkeit kann je nach Bedarf durch das Bremspedal reguliert werden. Voraussetzung dafür ist, daß genügend Bremsflüssigkeit im Vorratsbehälter ist, um die Steuerung der Bremsscheiben zu regulieren. Bei einem Mangel an Bremsflüssigkeit versagt das Regulierungssystem, und die Geschwindigkeit kann nicht beeinflußt werden ...

Bestehen kurzzeitige, außergewöhnliche Belastungen für den Organismus, kann es zu einem vorübergehenden zu starken Verbrauch der Botenstoffe kommen. Solche Belastungen können z. B. besonderer körperlicher oder psychischer Streß sein. Möglich sind z. B. zu langes und eintöniges Sitzen am Schreibtisch mit Fehlhaltung der Nackenmuskulatur; die Schmerzinformationen aus den Muskeln müssen permanent reguliert werden, und ein übermäßiger Verbrauch der Nervenbotenstoffe im Gehirn ist die Folge. Auch zu wenig Schlaf mit zu langen Wachzeiten kann dafür verantwortlich sein. Gleiches gilt für andere Belastungen des Organismus, z. B. in Form von Alkohol oder Nikotin. Auch Arbeiten unter ungünstigen Lichtbedingungen oder bei Lärm kann das gleiche bewirken. Weitere Gründe sind, daß zuwenig Botenstoffe im Körper gebildet werden und deshalb ein primärer Mangel besteht.

In diesen Situationen liegt eine vorübergehende Erschöpfung der Nervenbotenstoffe vor, die die Schmerzfilter normalerweise steuern.

284

Die Folge ist eine vorübergehende zu starke Öffnung der Filter und ein ungesteuertes Einströmen der Schmerzinformationen in das Gehirn.

Da die Schmerzinformationen vom Kopf besonders fein reguliert werden, wirken sich die Störungen im Kopfbereich stark aus, und das »Kopfweh« entsteht durch zeitweisen ungehemmten Einstrom der Schmerzinformationen. Ruhe und Entspannung führen zu einem reduzierten Verbrauch der Nervenbotenstoffe und zu einer ungestörten Nachproduktion; die Speicher im Gehirn können sich wieder auffüllen, und eine normale Regulation kann sich wieder einstellen.

Schmerzmittel, z. B. Acetylsalicylsäure, können direkt auf die Schmerzfilter einwirken und die kurzzeitige Erschöpfung durch verstärkte Aktivierung der Nervenbotenstoffe ausgleichen.

Dies gilt jedoch nur für den kurzzeitigen, vorübergehenden Einsatz. Bei ständiger Einnahme wird eine permanente Aktivierung der Botenstoffe bedingt, und es entsteht ein kontinuierlich zu starker Verbrauch.

Die Folge sind eine dauerhafte Erschöpfung und ein ständiger Kopfschmerz, der medikamenteninduzierte Dauerkopfschmerz. Erst ein mehrtägiger Entzug der Schmerzmittel und Zeit zur Nachbildung der Botenstoffe kann die Schmerzfilter wieder normal arbeiten lassen, indem die Nervenbotenstoffe wieder in den Speichern normal aufgefüllt werden.

Beim *chronischen Kopfschmerz vom Spannungstyp* ist der vorübergehende Mangel an Nervenbotenstoffen in einen dauernden Mangel übergegangen. Die Folge ist ein permanenter, zumeist täglicher Kopfschmerz. Die Gründe für diese permanente Erschöpfung können sehr vielfältig sein (Abb. 74):

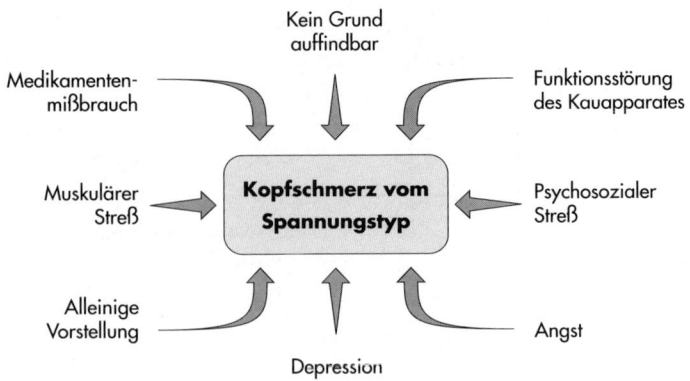

Abb. 74. Ursachen des Kopfschmerzes vom Spannungstyp.

▬ Bei manchen Patienten findet sich kein Grund. Möglicherweise kann ein verstärkter Verbrauch der Nervenbotenstoffe verantwortlich sein, ebenso ein zu langsames Nachbilden. Es ist möglich, daß diese spezifische Eigenart bei den betreffenden Patienten ein angeborenes Charakteristikum ist und nicht durch eine andere Störung bedingt wird.

▬ Funktionsstörung des Kauapparates: Die Regulierung der Kieferbewegung erfordert besonders viele Steuerungsvorgänge im Gehirn. Bei Störungen der Kieferfunktion werden deshalb ständig »Gegenregulationen« mit hohem Verbrauch von Botenstoffen erforderlich. Solche Störungen machen sich bemerkbar durch Kiefergelenkgeräusche bei Bewegungen des Kauapparates oder durch eingeschränkte Bewegungsfähigkeit der Kiefer. Auch Schmerzen bei Bewegungen des Kiefers, Zähneknirschen oder permanentes starkes Zusammenbeißen der Zähne können entsprechende Störungen bedingen.

286

Abb. 75. Psychosozialer Streß am Arbeitsplatz...

Psychosozialer Streß: Dieser Begriff ist sehr weit gefaßt. Ob eine Situation ein psychischer oder ein sozialer Streß ist, kann nur durch die in dieser Situation stehende Person angegeben werden (Abb. 75). Folgende Streßsituationen können prinzipiell unterschieden werden:
– partnerschaftsbezogener Streß
– Familien- und Elternstreß
– anderer auf zwischenmenschliche Beziehungen bezogener Streß
– Streß im Beruf
– Streß aufgrund bestimmter Lebensumstände
– finanzieller Streß
– Streß bei Gesetzeskonflikten
– Streß bei Entwicklungskonflikten (Pubertät etc.)
– Streß bei körperlichen Erkrankungen oder Verletzungen.

Angst: Angst vor Gefahren geht mit einer erhöhten Aktivierung und Arbeitsbereitschaft des Körpers einher. Angst stimmt auf Anspannung, Angriff oder Flucht ein und bereitet solche Reaktionen psychisch und körperlich vor. In dieser Situation werden die oben beschriebenen Nervenbotenstoffe besonders stark aktiviert und ihrem Gebrauch zugeführt.

Ängste können sehr vielfältig ablaufen und lassen sich entsprechend in verschiedene Gruppen einteilen:

– *Existenzängste.* Es handelt sich hier um Ängste vor der Bedrohung oder der Verletzung der körperlichen Unversehrtheit. Beispiele sind Todesangst, Ansteckungsangst, Verletzungsangst, Herzangst, Höhenangst, Tierangst, Flugangst, Angst vor Angreifern, Dunkelangst, Angst vor freien Plätzen, Wasserangst, Gewitterangst etc.

– *Leistungsangst.* Diese betrifft Angst vor Prüfungen, Angst in der Schule oder im Sport etc.

– *Soziale Angst.* Soziale Angst tritt in Situationen ein, in denen man sich der Begutachtung und Beurteilung anderer Personen ausgesetzt fühlt, z. B. als Verlegenheit, Schüchternheit oder Publikumsangst.

Depression: Die Anzeichen und Merkmale der Depression umfassen ein vielfältiges Störungsbild:

– Die Stimmung ist gedrückt und apathisch.

– Das Selbstbild ist negativ durch Selbsttadel und Selbstvorwürfe gefärbt.

– Es besteht der Wunsch sich zurückzuziehen und anderen fern zu bleiben.

– Oft finden sich Schlaf- und Appetitmangel sowie der Verlust des sexuellen Begehrens, manchmal bestehen jedoch auch gesteigerter Appetit und abnorme Müdigkeit.

– Die Aktivität kann entweder stark reduziert sein bis hin zur Interesselosigkeit, bei anderen Menschen jedoch auch stark bis zur aufgeregten Unruhe gesteigert sein.

– Oft bestehen nicht vermeidbare Todes- oder Suizidgedanken.

– Das Denken kann verlangsamt sein; es können Konzentrationsstörungen bestehen.

Es gibt viele Hinweise, daß die Depression ebenfalls durch eine Störung von Nervenbotenstoffen im Gehirn entsteht. Tatsächlich sind auch bestimmte Medikamente gegen Depression, die die verbrauchten Botenstoffe wieder verstärkt zur Verfügung stellen, auch bei chronischem Kopfschmerz vom Spannungstyp wirksam.

- Kopfschmerz als Konversionsreaktion oder alleinige Vorstellung bei psychiatrischen Grunderkrankungen.

- Muskulärer Streß. Diese spezielle Streßform wird durch ungünstige Arbeitspositionen, z. B. Sitzen am Schreibtisch oder durch schlechte Betteinrichtungen verursacht. Ebenso können entsprechende Störungen durch einen Mangel an Schlaf oder Ruhepausen mit Entspannung bedingt sein.

- Medikamentenmißbrauch. Bestimmte Mengen von Schmerz- oder Beruhigungsmitteln können ebenfalls zu einer Störung der Schmerzfilter führen und Kopfschmerz vom Spannungstyp bedingen. Folgende Mengen können als Schwellendosis angesehen werden:

– mehr als 45 g Acetylsalicylsäure pro Monat (d.h. regelmäßig ca. 3 Tabletten pro Tag)

– mehr als 45 g Paracetamol pro Monat (d. h. regelmäßig ca. 3 Tabletten pro Tag)

– opioidhaltige Schmerzmittel (z. B. Morphin): mehr als zweimalige Einnahme pro Monat

– diazepamhaltige Beruhigungsmittel: mehr als 300 mg pro Monat (d. h. ca. 3 Tabletten pro Tag).

Die angegebenen Mengen dürfen nicht als individuell verbindlich angesehen werden. Beim einzelnen Patienten können bereits wesentlich geringere

Mengen mit einem Kopfschmerz vom Spannungstyp einhergehen. Dies trifft insbesondere zu, wenn Medikamente eingenommen werden, die in einer Tablette gleich mehrere Wirkstoffe enthalten, sogenannte

– *Kombinationspräparate.* Diese Medikamente sind besonders fähig, Kopfschmerz vom Spannungstyp auszulösen. *Aus diesen Gründen sollten solche Kombinationspräparate prinzipiell nicht eingenommen werden.* Versichern Sie sich deshalb beim Kauf von Schmerzmitteln immer bei Ihrem Apotheker, daß das verlangte Schmerzmittel kein Kombinationspräparat ist, also nur einen Wirkstoff enthält! Wissenschaftliche Untersuchungen haben auch gezeigt, daß diese Kombinationspräparate nicht besser wirken, als sogenannte Monopräparate, also Medikamente mit nur einem Wirkstoff.

Multifaktorielle Entstehung

Aus den obigen Ausführungen ist zu erkennen, daß der Kopfschmerz vom Spannungstyp viele verschiedene Ursachen haben kann. Die Kopfschmerzwissenschaftler sagen deshalb gerne, daß der Kopfschmerz vom Spannungstyp multifaktoriell entsteht. Aufgrund dieser Tatsache ist es im Einzelfall sehr schwierig, eine spezifische Ursache zu finden.

Die Rolle des Bewegungsapparates

Schmerzen des Bewegungsapparates und insbesondere der Muskeln sind zweifelsfrei die häufigsten Schmerzen überhaupt, die Menschen erleiden. Von diesen Muskelschmerzen sind wiederum die Schmerzen beim Kopfschmerz vom Spannungstyp die häufigsten Schmerzen.

Der Kopf ist über den Hals beweglich am Stamm fixiert, und es müssen kontinuierlich Einflußfaktoren kontrolliert werden, um die Kopfstellung entsprechend zu stabilisieren. Bei den Kopfeinstellungen sind neben der Muskulatur auch Gelenke und Sehnen beteiligt. Entscheidender Punkt aber ist, daß im Hirn ständig die Lage des Kopfes und die Kopfbewegungen kontrolliert und gesteuert werden und mit der Gesamtsituation in Zusammenhang gebracht werden müssen.

Normalerweise reguliert sich dieses System ohne irgendwelche Probleme. Die Abwechslung in der normalen Kopfhaltung und Kopfbewegung sorgt dafür, daß die Regelkreise und die Endorgane, Muskeln, Sehnen und Gelenke normal belastet werden.

Sobald durch eine unveränderte Stellung Schmerzimpulse zum Nervensystem gelangen, kann das zentrale Nervensystem sofort gegensteuern und eine Position finden, die die Schmerzentstehung wiederum abklingen läßt.

Wenn jedoch diese Steuerung vom zentralen Nervensystem her fehlerhaft ist oder gar ausfällt, kann es nun zu einem episodischen oder chronischen Schmerzsymptom im Bereich des Kopfes kommen. Muskelschmerzen, Kautätigkeit, Sprechtätigkeit und auch die Orientierung im Raum durch Augen und Ohren fordern besonders große Ansprüche an das Kontrollsystem.

Darüber hinaus ist die Steuerung der Kopfmobilität auch durch emotionale Faktoren zu beeinflussen. Dies zeigt sich insbesondere durch Ausdrücke wie »man muß die Zähne zusammenbeißen«, »halt den Kopf oben«, »die Nase rümpfen«, »haarsträubend«, »Naseweis« usw. deutlich. So wird sehr schnell erkenntlich, daß sehr, sehr viele unterschiedliche Faktoren bei der Entstehung von Kopfschmerzen beteiligt sind, die alle Organe und Funktionen des Kopfes einschließen. Die Muskelanspannung ist dabei nur ein *minimaler Faktor* und von der Verursachung her gesehen möglicherweise sogar am wenigsten ausschlaggebend.

Deshalb wurde dieser Kopfschmerz in der neuen Klassifikation auch zutreffenderweise nicht mehr Muskelkontraktionskopfschmerz oder Spannungskopf-schmerz genannt, sondern man wählte den Ausdruck Kopfschmerz vom Spannungstyp, um diese Verursa-chung durch eine überhöhte Muskelanspannung nicht in den Vordergrund der Namensgebung zu bringen.

Die Rolle der Vererbung

Während es bei der Migräne einige Hinweise für eine Rolle der Vererbung gibt, fehlen solche Hinweise beim Kopfschmerz vom Spannungstyp. Im Hinblick auf die sehr große Häufigkeit des Kopfschmerzes vom Span-nungstyp muß man vielmehr annehmen, daß es prinzipi-ell bei jedem Menschen möglich ist, einen entsprechen-den Kopfschmerz zu entwickeln.

Es kann angenommen werden, daß der Kopf-schmerz vom Spannungstyp letztlich eine Fehl-funktion der normalen Regulation der Kopffunk-tionen ist und bei fehlerhaftem Gebrauch dieser Regulationsmöglichkeiten prinzipiell bei jedem Menschen entsprechende Kopfschmerzen auftreten können.

Einflußfaktoren auf den Kopfschmerz vom Spannungstyp

Auch hier bestehen im Gegensatz zur Migräne nur wenige Hinweise, daß bestimmte Umweltfaktoren oder Faktoren im Organismus selbst den Kopfschmerz vom Spannungstyp beeinflussen. Ein Zusammenhang mit der Menstruation, Schwangerschaft oder der Pubertät ist bei Spannungskopfschmerz nicht erkennbar. Emotionale Faktoren, wie z. B. Depressivität oder Angst, psychosozialer Streß oder Überlastung, können mit dem Kopfschmerz vom Spannungstyp einhergehen.

Allerdings ist auch auffällig, daß viele Menschen, die über derartige Störungen klagen, keine Kopfschmerzen vom Spannungstyp haben. Die gleichen Überlegungen gelten für Störungen des Kiefer- und Kauapparates. So gibt es Patienten mit massiven Veränderungen der Gebißfunktion, ohne daß Kopfschmerzen vom Spannungstyp auftreten; andererseits wiederum gibt es Patienten, bei denen nur minimale Läsionen aufgedeckt werden und die sich mit einem chronischen Kopfschmerz vom Spannungstyp abplagen müssen.

Es ist gut bekannt, daß ungünstige Arbeitsplatzbedingungen Kopfschmerzen vom Spannungstyp besonders fördern. Dies gilt z. B., wenn ein Computerbildschirm vor einem hellen Fenster plaziert wird und beim Schreiben ständig zwischen der Helligkeit des Bildschirmes, der Helligkeit des Fensters und der des Schreibtisches gewechselt werden muß. Dies kann sehr leicht zu einer Überbeanspruchung der Augenregulation führen und schließlich dann eben zu den oben beschriebenen Störungen der Gehirnfunktion und der Entstehung eines Kopfschmerzes vom Spannungstyp. In diesem Falle kann alleine das Umstellen des Schreibtisches wesentlich die Schwere und Häufigkeit des Kopfschmerzes beeinflussen.

Veränderungen im Gehirn

Im Gegensatz zu den Veränderungen bei der Migräne sind die Veränderungen im Gehirn bei Kopfschmerz vom Spannungstyp noch wenig bekannt. Übereinstimmend besteht die Meinung, daß eine erhöhte Schmerzempfindlichkeit bei Patienten mit Kopfschmerz vom Spannungstyp bestehen kann.

Allerdings gibt es auch hier wiederum Untergruppen, bei denen entweder eine normale oder eine überhöhte Schmerzempfindlichkeit der Kopfmuskulatur besteht.

Die exteroceptive Suppression

Daß bei chronischem Kopfschmerz vom Spannungstyp eine fehlerhafte Regulation der Kopfmuskulatur auf Schmerzreize besteht, ist heute durch viele Untersuchungen bestätigt. Menschen mit einem chronischen Kopfschmerz vom Spannungstyp zeigen eine gestörte Abwehrreaktion auf Schmerzreize im Gesichtsbereich. Beißt man sich z. B. beim Kauen auf die Lippe oder auf die Zunge, muß das Gehirn sehr schnell den Kaumuskel hemmen, damit eine Verletzung verhindert wird. Der Reflex wird von den Wissenschaftlern als »exteroceptive Suppression der Kaumuskelaktivität« bezeichnet (Abb. 76).

Mißt man diesen Reflex im neurologischen Labor, haben Patienten mit chronischem Kopfschmerz vom Spannungstyp deutlich verkürzte oder gar ausgefallene Reflexantworten. Diese Befunde sind ein sehr wichtiger Hinweis für die gestörte Funktion des körpereigenenen Schmerzabwehrsystems.

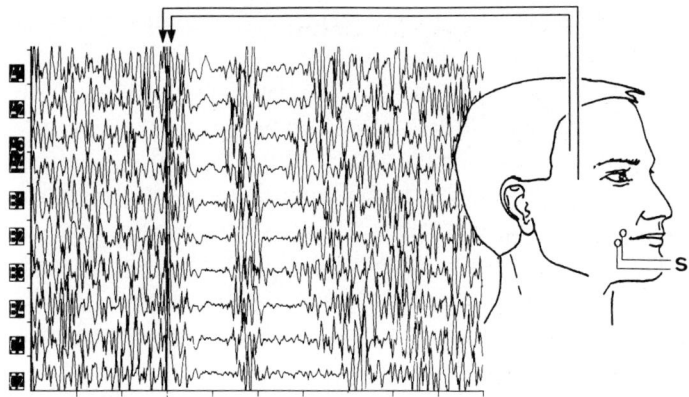

Abb. 76. Messung der muskulären Abwehrreaktion bei Schmerzreizung an der Lippe. Deutlich ist eine erste und zweite Lücke im
Muskelaktivitätsbild (EMG) zu sehen. Bei Patienten mit Kopfschmerz vom Spannungstyp ist oft die zweite Lücke (sog. späte
Suppressionsperiode) verkürzt oder ganz ausgefallen.

Übergang der episodischen in die chronische Form

Hinsichtlich der episodischen Form des Kopfschmerzes vom Spannungstyp, die ja bei einem sonst
völlig gesunden Menschen auftreten kann, ist zu vermuten, daß der Kopfschmerz durch eine zeitweise Irritation
oder Störung normaler Funktionen der Hirnregulation
entsteht.

Solche Störungen können zum Beispiel verursacht
sein durch eine momentane muskuläre Überbeanspru-
chung, z. B. bei einer sehr langwierigen ungünstigen
Sitzposition. In diesem Falle ist der Bewegungs- und
Muskelapparat die direkte Ursache der Kopfschmerzen.
Die Beschwerden können aber auch dadurch entstehen,
daß man z. B. zu wenig geschlafen hat und dadurch die
Regulation normaler Vorgänge gestört ist, und daß

dann ebenfalls durch eine zentrale Regulationsstörung Kopfschmerzen entstehen können. Wenn die episodischen Kopfschmerzen dann in einen Dauerkopfschmerz übergehen, kann man annehmen, daß diese Regulationsstörungen immer häufiger auftreten und schließlich zu einem dauerhaften Regulationsversagen im zentralen Nervensystem führen. Die eigenständige chronische Schmerzkrankheit ist entstanden. Bei Vorliegen solcher Dauerkopfschmerzen ist viel Geduld und Mühe erforderlich, um dieses kontinuierliche Regulationsdefizit wieder ins Lot zu bringen.

Nichtmedikamentöse Behandlung des Kopfschmerzes vom Spannungstyp

Individuelle Vorgehensweise

Die Behandlung des episodischen und des chronischen Kopfschmerzes vom Spannungstyp muß grundsätzlich unterschiedlich gestaltet werden. Für beide gilt jedoch, daß auf Medikamente möglichst verzichtet werden und zunächst immer nichtmedikamentöse Maßnahmen eingeleitet werden sollen. Dazu gehören eine genaue Aufklärung und ein genaues Verständnis über die Mechanismen des Kopfschmerzes (siehe oben). Voraussetzung für eine gute Therapie ist ebenfalls das regelmäßige Führen eines Kopfschmerztagebuches (s. S. 32).

Im Hinblick auf die mannigfaltigen Einflußfaktoren auf den Kopfschmerz vom Spannungstyp muß eine sehr individuelle Beratung erfolgen, um solche Bedingungen herauszuarbeiten. Die Diskussionen müssen die Themenkreise der bisherigen Medikation, der bisherigen nichtmedikamentösen Behandlungsverfahren, mögliche

Tabelle 5. Therapiemöglichkeiten bei Kopfschmerz vom Spannungstyp

---

Episodische Form

Nichtmedikamentöse Verfahren	Entspannungsübungen Ausgleichsgymnastik Biofeedback Wärmeanwendungen
Medikamentöse Verfahren	Acetysalicylsäure Paracetamol Ibuprofen Pfefferminzöl
kein nachgewiesener Effekt	unkonventionelle Verfahren (Akupunktur etc.)
Unwirksam oder gefährlich	Ergotamin, Opioide, Benzodiazepine, Koffein

Chronische Form

Nichtmedikamentöse Verfahren	Entspannungsübungen Ausgleichsgymnastik Biofeedback Wärmeanwendungen Massagen
Medikamentöse Verfahren	Keine regelmäßige Einnahme von Schmerzmitteln! zur Vorbeugung: – Amitryptilin – Doxepin – Imipramin
kein nachgewiesener Effekt	unkonventionelle Verfahren
Unwirksam oder gefährlich	Ergotamin, Codeine, Benzodiazepine, Schmerzmittel, Koffein, Betablocker, Neuroleptika

---

psychische Einflußfaktoren, mögliche vegetative Probleme, wie z. B. Schlafschwierigkeiten und Appetitprobleme, betreffen.

Prinzipiell mögliche Behandlungsverfahren beim Kopfschmerz vom Spannungstyp sind in Tabelle 5 dargestellt.

Entspannungsverfahren

Bereits im Abschnitt Migräne wurden Entspannungstechniken aufgezeigt. Solche Maßnahmen sind auch beim Kopfschmerz vom Spannungstyp einsetzbar. Ob darüber hinaus auch apparative Muskelentspannungsmethoden, wie z. B. das sogenannte EMG-Biofeedback, in der Lage sind, den Kopfschmerz vom Spannungstyp bedeutend und effektiv zu beeinflussen, muß als offene Frage angesehen werden. Vorzuziehen ist immer eine Methode, die unabhängig von einer Arztpraxis oder von einem Labor eingesetzt werden kann.

Muskelentspannungsverfahren

Obwohl Übereinstimmung darüber besteht, daß eine überhöhte Anspannung von Muskeln nicht *die alleinige Ursache* für den Kopfschmerz vom Spannungstyp ist, haben Entspannungsverfahren dennoch ihren Platz in der nichtmedikamentösen Therapie des Kopfschmerzes vom Spannungstyp.

Durch die willentliche Einleitung von Entspannung wird die gestörte Regulation der Hirnvorgänge insgesamt positiv beeinflußt, und es kommt dadurch zu einem therapeutischen Effekt. Ein wichtiges Ziel aller Entspannungsverfahren ist, daß der betroffene Patient sich bewußt macht, ob ein Muskel angespannt ist oder entspannt ist und daß er eine Wahrnehmung über die Zustände in der Muskulatur bekommt.

Entscheidendes Ziel des *Muskelrelaxationstrainings* nach Jacobsen ist insbesondere, die Zustände zwischen maximaler Anspannung und Entspannung *wahrzunehmen.*

Wie so oft im Leben gilt auch für die Entspannungsverfahren, daß die einmalige Anwendung keinen entscheidenden Fortschritt bringt. Korrekterweise werden die meisten Entspannungsverfahren auch Training genannt, womit zum Ausdruck gebracht werden soll, daß nur die stetige Übung zum Erfolg führt. Kurse für Entspannungsverfahren bieten die örtlichen Volkshochschulen an. Entspannungsverfahren lassen sich auch über CD oder Tonbandkassetten (s. Anhang). Auch niedergelassene Nervenärzte oder Psychologen bieten Entspannungstherapien an.

Die Verfahren müssen manchmal über Monate oder auch Jahre durchgeführt werden. Eines der wichtigsten Ziele bei solchen Methoden ist, daß bewußt wird, wie das Leben und die Bewegung gestaltet wird. Der Patient muß sich darüber Gedanken machen, wie er steht, wie er sitzt, wie er in den Spiegel schaut, wie er sein Bett gestaltet und wie er seinen Arbeitsplatz strukturiert. Alle diese Wahrnehmungen sollen dazu führen, daß eine leichtere Regulation des täglichen Lebens gelingt und letztlich damit die Steuerungsvorgänge im Zentralnervensystem nicht so leicht störbar und anfällig sind.

Zum Ausprobieren: Als besonders einfache Methode, um diese Wahrnehmung effektiver zu gestalten, gilt, sich über den Muskel, den man kontrollieren möchte, ein ganz normales Pflaster zu kleben. Das Aufkleben sollte im entspannten Zustand des Muskels erfolgen. Bei einer unnatürlichen Anspannung des Muskels spannt sich das Pflaster, und aufgrund des Spannungsgefühls über die Haut wird eine Wahrnehmung des nicht richtig regulierten Muskels möglich. Wenn dieses Gefühl gemeldet wird, können Sie sofort darauf reagieren und sich wieder in eine normale, entspannte Position bringen.

Eine andere einfache Methode ist, mit sich selbst zu vereinbaren, daß man bei bestimmten Signalen sich bewußt macht, wie der Hals oder der Kopf gerade in seiner Stellung reguliert wird. Solche Signale können z. B. ein Telefonklingeln sein oder der Glockenschlag einer Turmuhr zur vollen Stunde. Immer wenn solche Signale ertönen, soll man sich für eine kurze Zeit von seiner momentanen Tätigkeit entspannen und versuchen, seinen Körper wahrzunehmen und die Regulation der Muskulatur im Bereich des Kopfes wieder zu optimieren.

Solche Möglichkeiten können auch dann eingesetzt werden, wenn z. B. ein überstarkes Zähneknirschen oder Zähnereiben häufig durchgeführt wird. Beim vereinbarten Signal kann man sich bewußt machen, ob man die Zähne gerade zu stark zusammenbeißt oder mit den Zähnen knirscht und dann bewußt den Kiefer öffnen.

Eine ungestörte Regulation der Abläufe erfordert auch, daß man sich im normalen Arbeitsablauf definierte Pausen gönnt und diese auch einhält. Tatsächlich gehören zu einem gut strukturierten Arbeitsablauf auch und gerade gut geplante Pausen. Man kann diese Pausen nutzen, um bewußte Entspannungsübungen durchzuführen. In einer solchen Pause kann man sich zum Beispiel auf einen vom Arbeitsplatz abseits stehenden, bequemen Stuhl setzen. Man versucht dabei, eine optimale Körperwahrnehmung zu erhalten, indem man sich bewußt mit dem Rücken anlehnt, bewußt die Füße auf den Boden stützt und die Hände auf die Stuhllehne auflegt und dann die Wahrnehmungen an den entsprechenden Körperteilen erspürt. Anschließend läßt man den Kiefer leicht fallen, damit die Zähne nicht aufeinander gepreßt sind. Man kann die Augen schließen, regelmäßig und ruhig ein- und ausatmen, dabei in sich hineinhorchen und die Atemzüge wahrnehmen. Wenn man nun noch eine Entspannungsformel spricht, wie z. B. »Ich entspanne mich jetzt« und diese Formel in der Minute zwei- oder dreimal wiederholt, kann man sehr schnell zu einem Entspannungsgefühl kommen, das man sonst im Alltag nicht erzielen kann. Wichtig ist, solche Übungen regelmäßig durchzuführen, sie brauchen jedoch nicht sehr lange zu sein. Auch hier gilt: »Übung macht den Meister«.

Entspannungsverfahren über Tonträger

In den Buchhandlungen gibt es heute Kassetten oder CDs zu erwerben, auf denen ausgearbeitete Entspannungsübungen aufgesprochen sind, die man sich mit einem Kopfhörer anhören und deren Anweisungen man folgen kann. Häufig wird auch eine sehr beruhigende und angenehme Musik den Anweisungen unterlegt, so daß auch über diese einfachen Möglichkeiten musiktherapeutisch Entspannung herbeigeführt wird (Abb.

Abb. 77. Tonbandprogramme zur Entspannung sind im Buchhandel erhältlich (s. Anhang).

77). Spezielle CDs für den Einsatz bei Kopfschmerzen sind im Anhang aufgelistet.

▨ Wie man sich entspannen kann

Entspannung kann man passiv geschehen lassen, etwa indem man sich auf das Sofa legt, ein Bad nimmt, ins Kino geht oder sonst etwas Angenehmes unternimmt. Entspannung kann man jedoch auch aktiv üben und einleiten. Dieser Aspekt der Entspannung kann gelernt werden – allerdings nicht von heute auf morgen. In vielen Situationen kommen der Streß und die Verspannung automatisch. Wenn Sie dann eine aktive Entspannungsmethode einsetzen, können Sie dem Druck etwas entgegensetzen: das kann beim Anstehen an der Kasse im Supermarkt, beim Halten an der roten Ampel, im Wartezimmer oder anderswo sein.

▨ Vorbereitung für aktive Entspannung

Für die ersten Entspannungsübungen sollten Sie sich *gesondert* Zeit nehmen. Suchen Sie einen ruhigen Raum, achten Sie darauf, daß Sie dort nichts stört und nicht gestört werden.

Planen Sie dafür jeden Tag eine feste Zeit in Ihrem Tagesablauf ein. Das kann z. B. nach dem Mittagessen oder 15 Minuten vor den 20.00 Uhr-Nachrichten sein.

Ihr Gehirn entspannt sich, wenn Ihr Bewußtsein das will, und es ihm sagt. Suchen Sie sich dafür eine feste Formel. Sagen Sie sich selbst z. B.: »Ich bin jetzt ganz ruhig« oder »Ich bin ganz unbesorgt« oder einfach »Ich bin so wohltuend entspannt«. Sie finden das lächerlich? Die Werbewirtschaft gibt täglich Millionen aus, um unseren Gehirnen solche Formeln einzuflößen – allerdings soll sich das Gehirn nicht entspannen, sondern Sie zum Kauf stimulieren. Entspannung funktioniert genauso, keine Sorge ...

302

Versuchen Sie, im Alltag die Anspannung und den Streß wahrzunehmen. Fassen Sie dies als Hinweis auf, die Entspannungsübungen einzuleiten!

Anleitung zur progressiven Muskelentspannung

Ihre »Entspannungssitzung« können Sie im Sitzen oder im Liegen durchführen. Unbequeme, enge Kleidung können Sie lockern. Versuchen Sie es sich möglichst bequem zu machen. Lassen Sie die Arme herunter- und die Beine leicht auseinanderfallen.

Schließen Sie die Augen oder, wenn Sie wollen, fixieren Sie mit geöffneten Augen einen Punkt.

Atmen Sie jetzt aktiv in Ihren Bauch. Sprechen Sie dabei Ihre Entspannungsformel. Wiederholen Sie alles sehr langsam und regelmäßig.

Spannen Sie jetzt die verschiedenen Muskelgruppen beim Einatmen fünf Sekunden lang an. Beim Ausatmen nehmen Sie die Anspannung zurück und entspannen die betreffende Muskelgruppe.

Nehmen Sie sich jede Muskelgruppe einzeln in der Reihenfolge der Abbildungen 78 bis 83 vor. Verwenden Sie immer wieder Ihre Entspannungsformel beim Einatmen, und spannen Sie die Muskelgruppe fest an, entspannen Sie beim Ausatmen.

Wenn Sie alle Muskeln durchgegangen sind, werden Sie jetzt ein angenehmes, ruhiges, warmes und wohliges Gefühl im Körper verspüren. Konzentrieren Sie sich darauf, und genießen Sie es noch eine Weile!

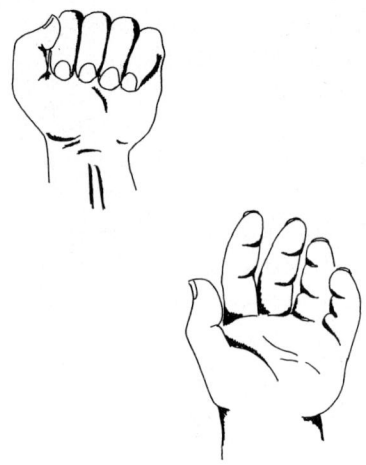

Abb. 78. Hand.
Spannen Sie die Muskeln
der rechten Hand so fest wie
möglich an. Ballen Sie die
Hand zur Faust!
Spüren Sie die Spannung
5 Sekunden. Jetzt: ...entspan-
nen!
Wiederholen Sie die Übung
fünfmal. Dann führen Sie
die Übung mit der linken
Hand durch!

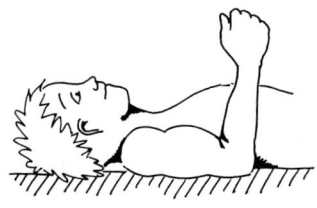

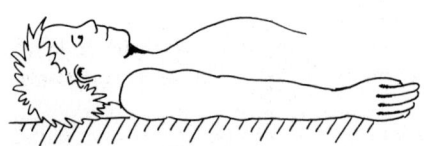

Abb. 79. Oberarm.
Drücken Sie Ihren Oberarm gegen die Liege oder Lehne Ihres
Stuhles. Spannen Sie die Oberarmmuskulatur so fest wie möglich
an. Halten Sie die Spannung 5 Sekunden. Jetzt: ...entspannen!
Wiederholen Sie die Übung fünfmal. Dann führen Sie die Übung
mit dem linken Arm durch!

304

Abb. 80. Stirn.
Jetzt versuchen Sie so
fest wie möglich die
Stirn zu runzeln. Hal-
ten Sie die Spannung
5 Sekunden. Jetzt:
...entspannen!

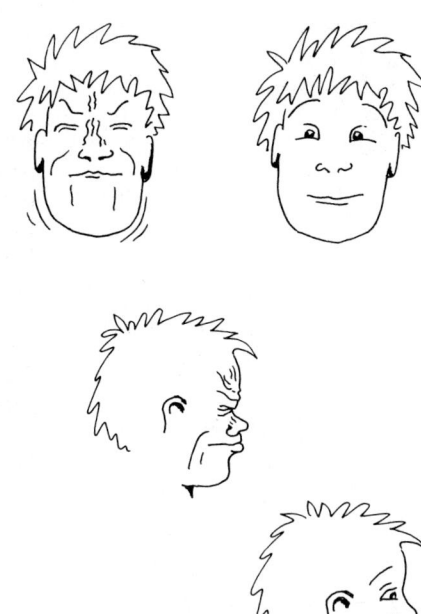

Abb. 81. Nase.
1. Nun ziehen Sie die Augenbrauen hoch und rümpfen die Nase!
Halten Sie die Spannung 5 Sekunden. Jetzt: ...entspannen!
2. Jetzt Wangen- und Kaumuskeln anspannen! Zähne zusammenbeißen und Mundwinkel anspannen! Halten Sie die Spannung 5 Sekunden. Jetzt: ...entspannen!
3. Jetzt den Hals gegen die Liege so fest wie nur möglich
drücken! Halten Sie die Spannung 5 Sekunden. Jetzt: ...entspan-
nen!
4. Atmen Sie nun ganz tief durch. Atem anhalten! Schulterblätter
fest anlegen! Halten Sie die Spannung 5 Sekunden. Jetzt: ...ent-
spannen!

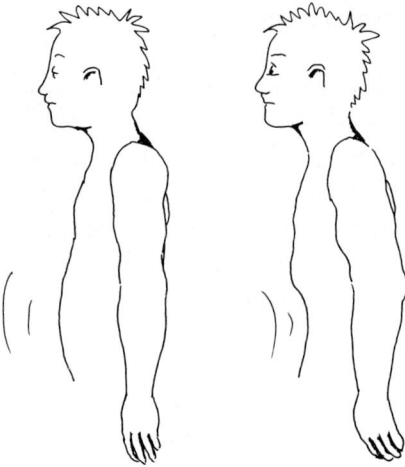

Abb. 82. Körper. Nächster Schritt: Brust raus, Bauch rein, so fest es geht! Spüren Sie die Spannung 5 Sekunden. Jetzt: ...entspannen! Wiederholen Sie die Übung fünfmal.

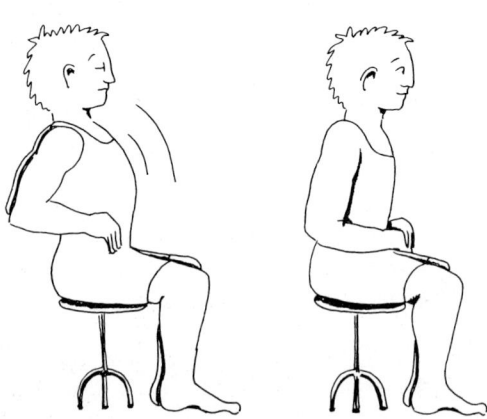

Abb. 83. Beine.

1. Jetzt fest die rechte Ferse auf den Boden pressen! Spüren Sie die Spannung 5 Sekunden. Jetzt: ...entspannen! Wiederholen Sie die Übung fünfmal. Dann führen Sie die Übung mit der linken Ferse durch!

2. Spannen Sie die rechte Wade an! Spüren Sie die Spannung 5 Sekunden. Jetzt: ...entspannen! Wiederholen Sie die Übung fünfmal. Dann führen Sie die Übung mit der linken Wade durch!

Streßbewältigungstraining

Aufgrund der großen emotionalen Beeinflussung des Kopfschmerzes vom Spannungstyp ist es von besonderer Bedeutung, daß Patienten in der Lage sind, ihre Emotionen, Ängste und psychosoziale Situation zu kontrollieren (Abb. 84). Das Streßbewältigungstraining kann dazu einen guten Beitrag leisten. Einzelheiten zum Streßbewältigungstraining wurden auf den Seiten 164–172 bereits ausgeführt.

Behandlung von Begleiterkrankungen

Wenn der Kopfschmerz vom Spannungstyp mit Begleiterkrankungen, z. B. psychiatrischen Störungen wie Depressionen, einhergeht, sollten entsprechende Spezialisten, hier ein Psychiater, aufgesucht werden. Bei Kiefererkrankungen oder Zahnfehlstellungen ist ein Zahnarzt oder ein Kieferorthopäde zu Rate zu ziehen.

Abb. 84. Durch das Streßbewältigungstraining sollen soziale Ängste und psychosozialer Streß beseitigt werden.

Krankengymnastik und Physiotherapie

Neben den mehr psychologisch orientierten Therapieformen, die insbesondere über die emotionalen Einflußfaktoren auf die Regulation der Nervenvorgänge Einfluß nehmen, können auch physikalische Maßnahmen und Übungsbehandlungen positive Effekte bewirken (Abb. 85).

Dies gilt insbesondere für Arbeitsplatzveränderungen, Massagen, die transkutane elektrische Nervenstimulation (TENS), die Anwendung von Wärme oder Kälte auf die Haut, das Auftragen von ätherischen Pflanzenölen (Pfefferminzöl) und manualtherapeutische Maßnahmen.

Gestaltung des Arbeitsplatzes

Die Gestaltung des Arbeitsplatzes ist maßgeblich an der Vermeidung von Kopfschmerzen vom Spannungstyp beteiligt. Eine wesentliche Rolle spielt sicherlich der Stuhl, auf dem man bei der Arbeitstätigkeit sitzt. Arm-

Abb. 85. Behandlung in wahrsten Sinne des Wortes: Massagen tun Muskeln und Seele gut...

308

lehnen sollten an jedem Arbeitsplatzstuhl angebracht sein, der Stuhl sollte leicht beweglich und mit einer flexiblen Andruckfeder ausgestattet sein. Das Licht darf nicht blenden und ist so einzurichten, daß die Augen nicht überlastet werden. Streßfaktoren, wie z. B. Lärm, Passivrauchen oder ständig wechselnde Lichteinflüsse, sollten vom Arbeitsplatz entfernt gehalten werden. Dinge, die man häufig am Arbeitsplatz braucht, sollten möglichst nahe zum Standpunkt oder Sitzplatz plaziert werden, um hier einen ermüdungsfreien Zugang zu gewährleisten.

Physikalische Maßnahmen

Es gibt eine Reihe von physikalischen Maßnahmen, die eingesetzt werden können. Die meisten sind nicht wissenschaftlich hinsichtlich ihres Effektes auf den Kopfschmerz vom Spannungstyp untersucht. Trotzdem berichten viele Patienten, daß die Methoden wohltuend sein können.

Eine der wichtigsten Maßnahmen ist sicherlich die Massage. Die Massage kann zu einer besonders guten Wahrnehmung der Körperregulation führen und zu einer Entspannung beitragen. Darüber hinaus können Massagemanöver natürlich auch zu einer Reduktion von lokalen Muskelüberanspannungen (Spasmen) führen. Außerdem wird durch die Massage über die Haut die Schmerzempfindlichkeit im Zentralnervensystem reduziert.

Ähnliche Effekte sind auch von der transkutanen elektrischen Nervenstimulation und möglicherweise von einigen Akupunkturverfahren bekannt. Entscheidend ist, daß nicht schmerzhafte Reize auf die Haut einwirken. Diese können dann zu einer Reduktion der allgemeinen

Schmerzempfindlichkeit führen. Das gleiche gilt für Wärmeeinsatz wie Rotlicht oder Fango oder auch für Kälteanwendungen.

Ätherische Pflanzenöle

Ätherische Pflanzenöle, insbesondere das Pfefferminzöl, werden seit vielen Jahrzehnten sehr oft bei chronischem und episodischem Kopfschmerz vom Spannungstyp eingesetzt. In neueren Untersuchungen zeigte sich, daß Pfefferminzöl tatsächlich zu einer Reduktion der Schmerzempfindlichkeit der Haut führen kann und ebenso wie Schmerzmittel zu einer deutlichen Linderung des Kopfschmerzes beitragen kann. Pfefferminzöl muß großflächig auf die Haut mehrmals aufgetragen werden (s. S. 313). Es ist eine sehr einfache und verträgliche Behandlungsmaßnahme, die auch bei häufigen Kopfschmerzen ohne Langzeitnebenwirkungen wirksam zu sein scheint.

Maßnahmen bei Störungen der Kiefer- und Kaufunktion

Häufig werden bei Störungen der Gebißfunktion sogenannte Aufbißschienen von Zahnärzten angepaßt. Man muß dabei jedoch berücksichtigen, daß solche Maßnahmen an der allerletzten Stelle in der fehlerhaften Regulation eingreifen und die möglichen Ursachen für diese fehlerhafte Regulation nicht verändern. Aufbißschienen bestehen normalerweise aus einem sehr dünnen Kunststoffilm, der individuell an die Zähne angepaßt wird.

Man trägt diese Aufbißschiene, um eine neue Gebißeinstellung und ein Unterdrücken von Zähneknir-

310

schen herbeizuführen. Möglicherweise entscheidend bei der Wirksamkeit solcher Therapiemaßnahmen ist, daß eine ständige Fehlregulation unterbrochen wird. Eine weitere Methode zur Behebung von Zahnkontaktstörungen oder Kieferfehlstellungen ist das Einschleifen des Gebisses. Es wird dabei versucht, mögliche Unebenheiten in den Kontakten der Zähne auszugleichen. Ob solche Maßnahmen wirksam sind, kann man in der Regel nicht voraussagen, weshalb entsprechende Einschleifmaßnahmen mit Sorgfalt und großer Zurückhaltung durchgeführt werden sollten.

Von sehr untergeordneter Bedeutung sind kieferchirurgische Maßnahmen am Kiefergelenk beim Kopfschmerz vom Spannungstyp. Entsprechende Operationen sind allerdings bisher nur sehr wenig hinsichtlich ihrer Effektivität bei diesen Kopfschmerzformen untersucht. Prinzipiell gilt, daß solche Maßnahmen nur nach sorgfältiger Voruntersuchung bei einem erfahrenen Arzt durchgeführt werden sollten.

Bei den Kieferfehlstellungen muß beachtet werden, daß es eine große Zahl von Patienten gibt, die erhebliche Anomalien im Bereich des Gebisses und im Bereich der Kieferfunktion haben, ohne daß bei ihnen ein Kopfschmerz vom Spannungstyp besteht. Die Interpretation solcher Fehlstellungen als Kopfschmerzursache muß deshalb sehr zurückhaltend geäußert werden.

Auch hier gilt, daß man sich hüten sollte, einen einzigen Faktor für das gesamte Kopfschmerzleiden verantwortlich zu machen. Die Hoffnung, daß die Behebung einer *einzigen Ursache* das gesamte Problem lösen kann, ist in der Regel illusionär.

Medikamentöse Therapie des Kopfschmerzes vom Spannungstyp

Behandlung der akuten Kopfschmerzepisode

Bei der Behandlung der akuten Kopfschmerzepisode ist zu berücksichtigen, daß die wenigsten Patienten einen Arzt aufsuchen und sich in aller Regel selbständig in der Apotheke ein Medikament besorgen. Die Auswahl der Medikamente ist jedoch sehr wichtig, da bei einer ungünstigen Einnahme die Kopfschmerzen häufiger oder intensiver auftreten können. Aus diesem Grunde ist es wichtig, sich Gedanken zu machen, welches Medikament man einnimmt. Einzelheiten zum Einsatz, Vorsichtsmaßnahmen und Nebenwirkungen finden sich auf den Merkblättern im Anhang.

Acetylsalicylsäure

Acetylsalicylsäure (Aspirin) ist das am häufigsten beim Kopfschmerz vom Spannungstyp eingenommene Schmerzmittel. Die Substanz existiert bereits seit über 100 Jahren. Die Dosierung sollte 500 bis 1000 mg betragen. Aufgrund der besseren Verträglichkeit ist wie bei der Migräne die Brausetablette vorzuziehen. Darüber hinaus ist die Substanz auch als Kautablette erhältlich und kann somit auch da eingenommen werden, wo ein Wasserhahn und ein Trinkgefäß gerade nicht zur Verfügung stehen.

Paracetamol

Als Alternative zur Acetylsalicylsäure kann das Paracetamol eingenommen werden. Auch Paracetamol ist ein gut verträgliches Schmerzmittel, das in einer Dosis von 500 bis 1000 mg verabreicht werden sollte. Paracetamol ist hinsichtlich seiner schmerzlindernden Wirksamkeit möglicherweise nicht so wirksam wie Aspirin.

312

Ibuprofen

Das Medikament Ibuprofen wird zu den sogenannten nichtsteroidalen Antirheumatika gezählt. Die schmerzlindernde Wirksamkeit ist ähnlich wie die des Aspirins.

Naproxen

Auch Naproxen gehört zu den nichtsteroidalen Antirheumatika und führt zu ähnlichen schmerzlindernden Effekten wie das Ibuprofen.

Pfefferminzöl

In Anbetracht der Tatsache, daß 85% der Schmerzmittel, die in der Bundesrepublik zur *Selbstmedikation* gekauft werden, gegen Kopfschmerzen eingenommen werden, ist die Suche nach erweiterten Therapiemöglichkeiten für dieses Alltagsleiden dringend notwendig. Die sehr häufige oder gar tägliche Einahme von Schmerzmitteln zur Kopfschmerzbehandlung verbietet sich, da eine Potenzierung und Chronifizierung der Kopfschmerzen die Regel ist.

Die wirksamsten Medikamente zur Schmerz- und insbesondere Kopfschmerztherapie haben ihren Ursprung in der Natur. Beispiele hierfür sind: die Salicylsäure aus dem Saft der Saalweide, das Morphin aus dem Saft des Schlafmohns, die Ergotalkaloide aus dem Mutterkorn und das Capsaicin aus dem Cayenne-Pfeffer.

Die *Pfefferminze* ist eine seit dem Altertum bekannte und bis heute in der Medizin für verschiedene Erkrankungen eingesetzte Heilpflanze. Eines der Hauptanwendungsgebiete von Pfefferminzpräparaten sind Kopfschmerzen, zu deren Therapie schon Plinius der Ältere die Anwendung von Auflagen aus frischen Pfefferminzblättern auf die Schläfen empfahl. Pfefferminzöl wird außerdem bei Erkrankungen des Magen-

Darm-Traktes, die vermehrt mit krampfhaften Blähungen, schmerzhaften Spasmen und Koliken einhergehen, angewandt. Weiterhin wird Pfefferminzöl bei Schmerz- und Verspannungszuständen der Muskulatur lokal eingesetzt.

Die Anwendung bei Kopfschmerzen vom Spannungstyp erfolgt durch großflächiges Auftragen des *Pfefferminzöls in alkoholischer Lösung* auf Stirn- und Schläfenhaut. Im Abstand von 15 Minuten kann dies bis zum Abklingen der Schmerzen wiederholt werden.

Pfefferminzöl in alkoholischer Lösung ist ein äußerlich anzuwendendes pflanzliches Schmerzmittel. Der Wirkstoff ist ein standardisiertes ätherisches Öl (Menthae piperitae aetheroleum) aus den blühenden, oberirdischen Teilen der Pfefferminze (Mentha piperita L.). Die therapeutische Wirksamkeit von Pfefferminzöl in alkoholischer Lösung wurde in kontrollierten klinischen Studien geprüft. Bereits 15–30 Minuten nach der Applikation auf Stirn- und Schläfenhaut konnte im Vergleich zu Placebo eine signifikante Reduktion der Kopfschmerzintensität nachgewiesen werden. Die äußerliche Therapie mit Pfefferminzöl in alkoholischer Lösung weist im Vergleich zur Einnahme von 1 g Paracetamol oder 1 g Acetylsalicylsäure hinsichtlich der Wirksamkeit keinen bedeutsamen Unterschied auf. Pfefferminzöl in alkoholischer Lösung wirkt lokal, schont Magen, Leber sowie Nieren und ist sehr gut verträglich.

Pfefferminzöl stellt somit eine verträgliche und kostengünstige Alternative zu anderen medikamentösen Therapieverfahren dar und ist hinsichtlich seiner Wirksamkeit und Verträglichkeit der Standardmedikation ebenbürtig. Pfefferminzöl sollte in alkoholischer Lösung angewendet werden.

Praktischer Einsatz der Medikamente

Besonders wichtig beim praktischen Einsatz ist, daß die Substanzen normalerweise nicht vom Arzt verschrieben werden, sondern selbständig über die Apotheke besorgt werden. Eine intensive Beratung ist hier besonders wichtig, damit eine richtige Einnahme erfolgt. In erster Linie gehört dazu, daß eine ausreichende Dosis verabreicht wird. In der Regel muß man sowohl von Aspirin als auch von Paracetamol 1 g, d. h. zwei Tabletten, einnehmen. Auch müssen die Nebenwirkungen der Medikamente und die Kontraindikationen beachtet werden (siehe Merkblätter im Anhang).

Muskelrelaxanzien

Muskelrelaxanzien dienen dazu, bei krankhaft erhöhter Muskelanspannung eine Reduktion der Anspannung zu bewirken. Allerdings ist aus den vorgenannten Ausführungen ersichtlich, daß Muskelanspannung nur in den wenigsten Fällen die Kopfschmerzen verursacht und deshalb eine spezifische Beeinflussung der Kopfschmerzen durch Muskelrelaxanzien in der Regel nicht zu erwarten ist.

Da die meisten Muskelrelaxanzien psychische Nebenwirkungen haben, wie z. B. Müdigkeit, Schwindel, oder auch zur Abhängigkeit führen können, sollten diese beim Kopfschmerz vom Spannungstyp nur in seltenen Ausnahmefällen verabreicht werden.

Vorsicht vor Kombinationspräparaten

Kombinationspräparate sind die Medikamente, die neben einem eigentlichen schmerzlindernden Wirkstoff auch noch andere Substanzen beinhalten. Häufig sind dieses beruhigende und muskelentspannende oder auch anregende Substanzen. Dazu zählen z. B. Koffein, Barbiturate oder Codein.

Diese Kombinationspräparate wurden unter der Vorstellung entwickelt, daß die Kopfschmerzformen multifaktoriell entstehen und entsprechend auch multifaktoriell behandelt werden sollten.

Die meisten Medikamente der früheren Jahre beinhalten mehrere Wirkstoffe. Die Kombinationspräparate zeigen sich in ihrer Wirksamkeit den Präparaten mit nur einer Substanz nicht überlegen. Sie führen jedoch zu einem ganz entscheidenden Hauptproblem mit wesentlich größerer Wahrscheinlichkeit als die Monopräparate, nämlich *dem medikamenteninduzierten Dauerkopfschmerz.* Aufgrund der psychischen Wirkdimensionen der zugefügten Kombinationspartner ist ein Mißbrauch dieser Medikamente sehr häufig zu beobachten. Die Patienten nehmen dann die Medikamente zur Beruhigung oder auch zur Anregung, je nach Wirkstoffinhalt. Oft kommt es dann zu einer Dosissteigerung und dann zu einer Mehreinnahme der Medikamente. Die Folge ist eine Medikamentenabhängigkeit und schließlich ein medikamenteninduzierter Dauerkopfschmerz.

Aus diesem Grunde sollte unter allen Umständen vermieden werden, Kombinationspräparate zu verwenden.

Vorbeugende Behandlung des Kopfschmerzes vom Spannungstyp

Bei täglich oder sehr häufig auftretendem Kopfschmerz vom Spannungstyp sollte unter allen Umständen die kontinuierliche Einnahme von Schmerzmitteln vermieden werden, da es dann mit größter Wahrscheinlichkeit zu einer Verschlechterung des Kopfschmerzleidens mit häufigeren Attacken und stärkeren Kopfschmerzintensitäten kommt. Deshalb sind gerade bei dieser Kopfschmerzform nichtmedikamentöse Maßnahmen primär einzusetzen.

Darüber hinaus können jedoch auch Medikamente zur Vorbeugung der Kopfschmerzen kontinuierlich eingesetzt werden. Eine solche vorbeugende Behandlung ist immer dann zu überlegen, wenn der Kopfschmerz an mindestens 15 Tagen pro Monat besteht, also ein zunehmender chronischer Kopfschmerz vom Spannungstyp vorliegt.

Als Möglichkeit bieten sich in dieser Situation sogenannte trizyklische Antidepressiva, die von einem Arzt verschrieben werden müssen, an.

Als besonders wirksam hat sich dabei das *Amitriptylin* erwiesen. Es handelt sich dabei um ein Medikament, das eigentlich primär bei Depressionen verabreicht wird.

Im Beipackzettel ist die Anwendung Kopfschmerz vom Spannungstyp auch nicht explizit ausgewiesen. Die Patienten können dabei bei mangelnder Beratung den Eindruck gewinnen, daß sich der Arzt bei der Verschreibung des Medikamentes geirrt hat. Tatsächlich gibt es jedoch eine Reihe von Studien, die zeigen, daß die kontinuierliche Gabe von Amitriptylin zu einer Verbesserung des Kopfschmerzleidens führen und zu einer deutlichen Reduktion der Kopfschmerzdauer beitragen kann. Allerdings gilt auch hier:

Die medikamentöse Vorbeugung kann nur *ein Baustein* des Gesamtkonzeptes einer erfolgreichen Therapie sein und muß immer von flankierenden nichtmedikamentösen Maßnahmen begleitet werden.

317

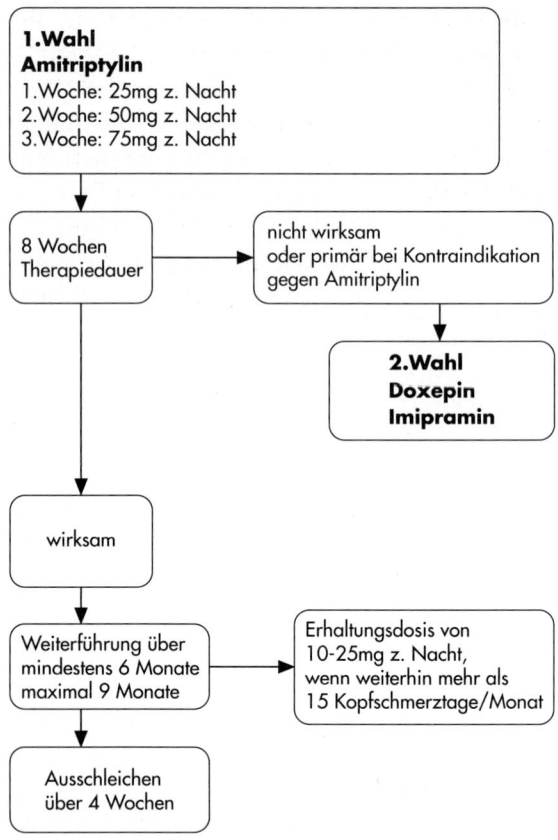

Abb. 86. Ablaufplan der vorbeugenden medikamentösen Therapie des chronischen Kopfschmerzes vom Spannungstyp.

Es ist wichtig, daß bei der Therapie mit Amitriptylin eine einschleichende Dosierung erfolgt (Abb. 86). Üblicherweise beginnt man mit 25 mg in der ersten Woche am Abend, steigert in der zweiten Woche auf 50 mg am Abend und ab der dritten Woche gibt man dann 75 mg am Abend. Häufig wird diese Therapie über 3 bis 6 Monate aufrechterhalten. Die eigentliche Wirkung stellt sich frühestens nach 2 Wochen ein. Wichtig ist die Kenntnis, daß Nebenwirkungen wie Mundtrockenheit, Müdigkeit und manchmal auch Gewichtszunahme eintreten können. Ist Amitriptylin nicht wirksam, können als Alternativmedikamente das Doxepin oder das Imipramin versucht werden.

7 Medikamenteninduzierte Kopfschmerzen

Eine sehr große Gefahr bei chronischer Anwendung von Medikamenten zur Behandlung der Migräneattacke ist, daß nach zu häufigem Gebrauch der Medikamente das Kopfschmerzleiden verschlimmert werden kann. Dies gilt sowohl für Schmerzmittel (Analgetika) als auch für Ergotalkaloide. Für das Vorliegen eines analgetikainduzierten bzw. ergotamininduzierten Dauerkopfschmerzes nennt die Kopfschmerzklassifikation der Internationalen Kopfschmerzgesellschaft eine oder mehrere der folgenden Bedingungen:

Allgemeine Kriterien des medikamenteninduzierten Kopfschmerzes:
A. Entstehung nach täglicher Medikamenteneinnahme seit mehr als 3 Monaten.
B. Eine erforderliche Mindestdosis der Medikamente muß eingenommen werden.
C. Der Kopfschmerz tritt an mindestens 15 Tagen pro Monat auf.
D. Der Kopfschmerz klingt innerhalb von einem Monat nach Absetzen der Medikamente ab.

Prinzipiell scheint jedes Medikament, das in der Akuttherapie primärer Kopfschmerzen wirksam ist, bei falscher Anwendung selbst Kopfschmerzen erzeugen zu können. Entscheidend ist dabei das Einnahmeverhalten. Es werden sowohl schmerzmittel- als auch ergotamininduzierte Kopfschmerzen unterschieden.

Schmerzmittelinduzierte Kopfschmerzen
A. Mindestens 50 g Acetylsalicylsäure pro Monat oder die vergleichbare Menge eines anderen Schmerzmittels (z. B. Paracetamol, Ibuprofen etc.)
B. Mindestens 100 Tabletten eines Kombinationspräparates mit Barbituraten oder anderen Nichtopioidanalgetika pro Monat.
C. Ein oder mehrere Opioidanalgetika

Ergotamininduzierte Kopfschmerzen
A. Tägliche Einnahme von Ergotalkaloiden
B. Am gesamten Kopf spürbarer, pulsierender Kopfschmerz ohne Anfallscharakter und ohne typische Begleitsymptome der Migräne.

Die Diagnose eines medikamenteninduzierten Dauerkopfschmerzes kann oft erst gestellt werden, wenn sich der substanzinduzierte Kopfschmerz nach dem Absetzen des Medikamentes bessert.

Häufigkeit des medikamenteninduzierten Kopfschmerzes in der Bevölkerung

In spezialisierten Kopfschmerzzentren ist der medikamenteninduzierte Kopfschmerz ein alltägliches Problem. Ca. 5–10 % der Patienten stellen sich wegen dieser Beschwerden vor. Die Zahl der stationären Behandlungen wegen medikamenteninduzierter Kopfschmerzen an

Kliniken mit spezialisierter Kopfschmerzbehandlung, wie z. B. der Schmerzklinik Kiel, steigt zudem kontinuierlich. Wöchentlich werden ca. 8 Patienten wegen einer stationären Entzugsbehandlung eingewiesen.

Aus einer Untersuchung in der Schweiz ist bekannt, daß 4,4 % der Männer und 6,8 % der Frauen pro Woche mindestens einmal ein Schmerzmittel einnehmen. Täglich nehmen 2,3 % der Schweizer Schmerzmittel ein! Aus Untersuchungen in Krankenhäusern, in denen Sucht- und Abhängigkeitserkrankungen behandelt werden, ist bekannt, daß Schmerzmittelabhängigkeit wesentlich häufiger vorkommt als Abhängigkeit von anderen Medikamenten, wie z. B. Beruhigungs-, Schlaf- oder Aufputschmitteln.

Unter den 20 meistverkauften Medikamenten in Deutschland finden sich acht Schmerzmittel. Die Bestseller sind die Kombinationspräparate, bei denen die Gefahr von medikamenteninduzierten Kopfschmerzen besonders groß ist. Geht man von den Verkaufszahlen aus, kann man annehmen, daß ca. 1 % der deutschen Bevölkerung täglich Schmerzmittel einnimmt – dies bis zu zehnmal pro Tag. An täglichen Kopfschmerzen leiden 3 % der Deutschen. Das sind ca. 2,4 Millionen Menschen. Wie viele davon dieses tägliche Leiden aufgrund medikamenteninduzierter Kopfschmerzen haben, oder bei wie vielen es durch falsche Einnahme von Medikamenten unterhalten wird, ist unbekannt.

Bei einer Auswertung der Daten von 100 Patienten, die im Jahr 1990 an der Neurologischen Universitätsklinik Kiel wegen medikamenteninduzierter Kopfschmerzen stationär behandelt wurden, zeigte sich, daß die Frauen mit einem Anteil von 77 % wesentlich häufiger betroffen sind als die Männer. 65 % der Menschen haben die Medikamente wegen einer Migräne als primäre Kopfschmerzerkrankung eingenommen, bei weiteren

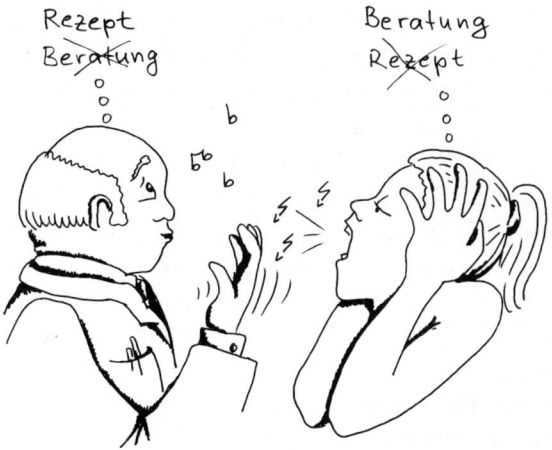

Abb. 87. Ohne gute Beratung und nur mit Medikamentenverordnung geht eine Kopfschmerzbehandlung nicht lange gut...

30 % war ein Kopfschmerz vom Spannungstyp die primäre Kopfschmerzform. Bei den meisten Patienten bestehen diese primären Kopfschmerzformen bereits mindestens 20 Jahre. Im Mittel sind die Patienten 47 Jahre alt. Im Durchschnitt wurden bereits mehr als fünf verschiedene Ärzte wegen der Kopfschmerzen aufgesucht (Abb. 87). Am häufigsten wurde ein Erfolg in der Akupunkturbehandlung erhofft – leider vergeblich.

Symptome des medikamenteninduzierten Kopfschmerzes

Bei 80 % der betroffenen Menschen besteht ein täglicher Dauerkopfschmerz an jedem Tag des Monats, vom Aufwachen bis zum Schlafengehen (Abb. 88). Die restlichen Patienten haben Kopfschmerzen an mehr als

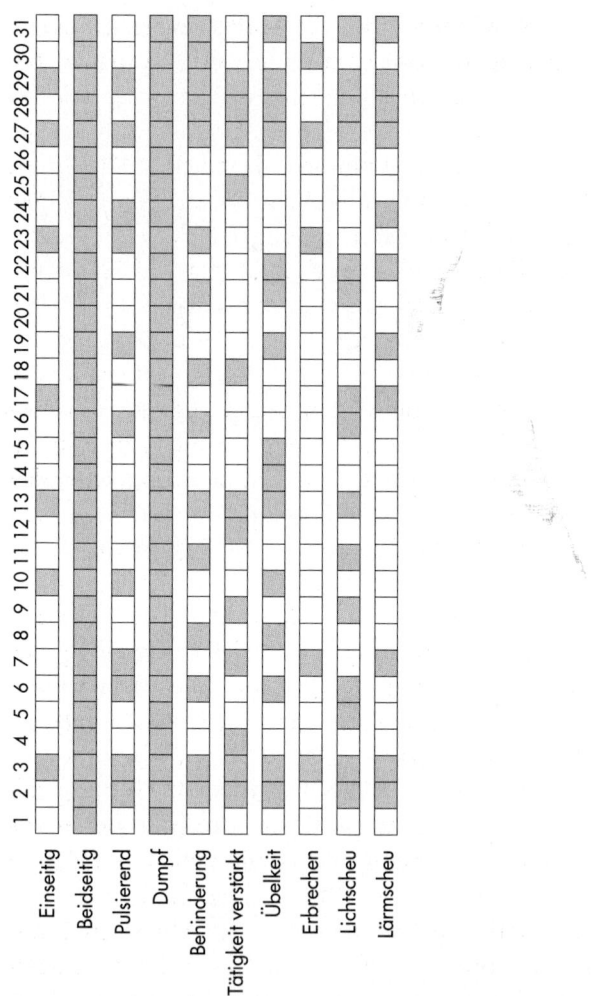

Abb. 88. Der Kieler Kopfschmerzkalender wurde während eines Monats regelmäßig ausgefüllt. Oben sind die Monatstage angegeben, seitlich die Kopfschmerzmerkmale. Die Patientin leidet an einem medikamenteninduzierten Dauerkopfschmerz.

20 Tagen pro Monat. Über die Hälfte leidet an einem dumpf-drückenden Kopfschmerz, bei den restlichen hat der Kopfschmerz einen pulsierenden Charakter oder er wird sowohl als dumpf als auch als pulsierend beschrieben. Bei über 80 % kommen Übelkeit, Erbrechen, Lärm- und Lichtempfindlichkeit hinzu. Es können Schwindel, Konzentrationsstörungen, Vergeßlichkeit, Müdigkeit, Kältegefühl, Verstimmungen, Schlafstörungen und andere Begleitsymptome beobachtet werden. Diese Krankheitszeichen erlauben eine sichere Abgrenzung des medikamenteninduzierten Kopfschmerzes vom chronischen Kopfschmerz vom Spannungstyp. Ein beträchtlicher Teil der Menschen leidet zudem an erheblichen psychosozialen Problemen, entweder im Beruf oder in der Familie. 65 % der Menschen geben einen sehr schweren Grad der Behinderung ihres Lebens durch die Dauerkopfschmerzen an. Im Mittel sind die Menschen an 25 Tagen pro Jahr arbeitsunfähig. 9 % mußten sogar ihren Beruf deswegen aufgeben. Viele Patienten geben neben den medikamenteninduzierten Kopfschmerzen auch noch weitere Erkrankungen an, insbesondere im Bereich des Bewegungsapparates und der Psyche.

94 % der untersuchten Patienten berichten, daß sie an 30 Tagen pro Monat Medikamente gegen die Kopfschmerzen einnehmen. Die restlichen 6 % nehmen an 12 bis 20 Tagen pro Monat Schmerzmittel ein.

Kombinationspräparate, d. h. Medikamente mit zwei und mehr Inhaltsstoffen, werden von 88 % der Betroffenen täglich eingenommen!

Die wenigsten Menschen wissen, daß ihr Kopfschmerz durch die regelmäßige Einnahme von Kopfschmerzmedikamenten in seiner Häufigkeit, Hartnäckigkeit und Dauer so zugenommen hat. Im Gegenteil versuchen die Betroffenen sogar, irgendwann einmal das Medikament zu finden, das alle ihre Beschwerden löst.

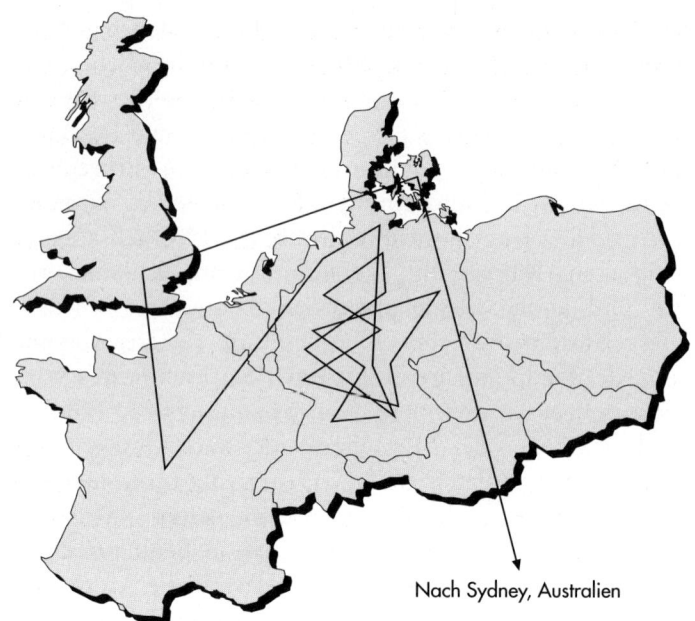

Nach Sydney, Australien

Abb. 89. Der Kopfschmerztourist auf der Suche nach dem Arzt, der endlich die Wundertherapie verschreibt...

Aus diesem Grunde werden sehr häufig die Medikamente gewechselt und neue Substanzen ausprobiert. Dabei kann sich ein richtiger »Kopfschmerztourismus« entwikkeln. Die Menschen fahren von Kopfschmerzspezialist zu Kopfschmerzspezialist, scheuen keine Zeit und keine Kosten, um von ihren Leiden befreit zu werden (Abb. 89).

Am Anfang der Tournee glauben viele Patienten nicht, daß ihre Kopfschmerzen durch die Medikamente unterhalten werden: Sie haben gelernt, daß das Weglassen mit sicherer Regelmäßigkeit nach ein paar Stunden zu schlimmen Kopfschmerzen und die Einnahme von Kopfschmerzmedikamenten zu einer genauso sicheren

Kupierung führt – zumindest stundenweise. Viele Patienten trauen sich ohne Kopfschmerzmittel nicht auf die Straße. So wird z. B. rituell bei Verlassen des Hauses nochmals die Handtasche kontrolliert, ob auch wirklich die Migränezäpfchen dabei sind – denn nach vier bis fünf Stunden kommen die Kopfschmerzen wieder, und nur durch einen schnellen Gang in die Kaufhaustoilette mit erneuter Einnahme kann man den Tag bestehen. Bei der ärztlichen Untersuchung ist der Satz typisch:

»Herr Doktor, jetzt nehme ich doch schon so viele Medikamente, und trotzdem wird mein Kopfschmerz nicht besser!«

In dieser Situation hilft nur die ausführliche Beratung. Manche Patienten erahnen den Zusammenhang zwischen ihrem Leid und der Medikamenteneinnahme, die meisten jedoch nicht. Verantwortungsvolle Apotheker, die bei Einkauf der Medikamente zu einem Arztbesuch oder gar zu einer Schmerzmittelreduktion raten, werden gemieden. Um den Eindruck zu wahren, gehen manche Patienten am Montag in die Apotheke A, am Mittwoch in die Apotheke B und am Samstag in die Apotheke C. Wenn möglich werden Groß- oder gar Klinikpackungen geordert, um immer etwas im Haus zu haben (Abb. 90).

Neben dem eigentlichen Schmerzmittel werden häufig auch noch Beruhigungs-, Abführ-, Schlafmittel, Nasentropfen und andere Medikamente eingenommen. Bei der ärztlichen Untersuchung finden sich bei vielen Menschen bereits die Auswirkungen des Medikamentenmißbrauches, wie z. B. Magenschleimhautentzündung, Magengeschwüre, Blutarmut oder Nervenschäden (sog. Polyneuropathie). Oft kann man das Leiden schon vom ersten Eindruck her erkennen. Die Menschen sind bleich, haben ein fahles Gesicht und graue Augenränder. Die Lippen sind blaß, die Haut hat ihre Spannung verlo-

Abb. 90. Manche Patienten spüren, daß sie etwas mit der Medikamenteneinnahme falsch machen und versuchen durch Apothekenwechsel ihren Mißbrauch zu verbergen.

ren und wirkt welk. Die meisten Patienten kommen erst nach ca. 10 bis 15 Jahren Leidensweg zur Einsicht, etwas Grundlegendes unternehmen zu müssen.

Der wichtigste Schritt in der Therapie ist die Erkenntnis des Patienten:

> »Gerade weil ich so oft und so viele Medikamente nehme, sind meine Kopfschmerzen so schlimm!«

Grund für die kontinuierliche Medikamenteneinnahme ist der *Entzugskopfschmerz*, der bei Nachlassen der Medikamentenwirkung mit gesetzmäßiger Härte eintritt. Bei 90 % der an der Schmerzklinik Kiel untersuchten Patienten ist dieser Kopfschmerz von mittlerer bis starker Intensität, er wird von Übelkeit, Erbrechen, Angst und Unruhe, Kreislaufstörungen, Schwindel und teilweise sogar Fieber begleitet. Die Einnahme von einer bis zwei Tabletten behebt diese Qual – leider nur vorübergehend – und führt gleichzeitig dazu, daß es von Mal zu Mal immer schlimmer wird.

Höchste Gefahr bei Kombinationspräparaten!

Bei regelmäßiger und überhöhter Einnahme von Migränekupierungsmitteln kann eine stetige Dosissteigerung erfolgen. Da insbesondere der Entzug von Ergotamin zu einem schweren Ergotamin-Entzugskopfschmerz führt, entsteht ein Rückkopplungs-Mechanismus mit immer größerem Bedarf. Die weitere Anwendung von Ergotamin führt kurzfristig zu einer vorübergehenden Besserung. Das Problem wird durch den Einsatz von Kombinationspräparaten oder auch Mehrfachmedikation verstärkt. Dies betrifft insbesondere die Kombination mit Phenobarbital, Benzodiazepinen und anderen im zentralen Nervensystem wirksamen Substanzen.

Aufgrund dieser Gefahr sind sowohl die Gabe von Kombinationspräparaten als auch die Vorgehensweise nach dem Gießkannenprinzip mit gleichzeitigem Einsatz mehrerer Medikamente zu vermeiden. Die Patienten sind insbesondere auf die Gefahr des medikamenteninduzierten Dauerkopfschmerzes hinzuweisen. Um die Wahrscheinlichkeit des Entstehens eines medikamenteninduzierten Dauerkopfschmerzes möglichst gering zu halten, ist bei der Einnahme von Ergotamintartrat und anderen Migränemedikamenten eine Obergrenze einzuhalten.

So sollten Schmerzmittel und spezifische Migränemittel, die sog. Triptane, maximal an 10 Tagen pro Monat verwendet werden. 20 Tage pro Monat sollten also frei von deren Einnahme sein.

Auf Ergotaminpräparate und Schmerzmittel-Kombinationspräparate sollte vollständig verzichtet werden. Beim Ergotismus aufgrund übermäßigen Gebrauch von Ergotaminpräparaten können sich Durchblutungsstörungen innerhalb der verschiedensten Gefäßabschnitte entwickeln. Leitsymptome sind Verschlußerscheinungen von Blutgefäßen mit Zeichen von Kälte, Blässe, Bewegungsschmerzen und im Endstadium Absterben von Körperteilen (Gangrän-Entwicklung). Der Ergotismus äußert sich in

Nierenerkrankungen bis zum vollständigen Nierenversagen und Dialysepflichtigkeit,

Magen-Darm-Erkrankungen bis hin zum Absterben von Darmteilen,

Herz-Kreislauf-Krankheiten bis hin zu tödlich verlaufenden Herzinfarkten,

Blutarmut.

In verschiedenen Dialysezentren haben zwischen 1 % und 32 % der behandelten Patienten einen Schmerzmittelmißbrauch betrieben, der als Grund für die dialysepflichtige Nierenerkrankung angesehen wird.

Aus diesem Grund sollte heute Ergotamin nicht mehr bei Migräne eingenommen werden.

Die häufigsten Übeltäter

Bei der Auswertung der Daten von 100 Patienten, die im Jahr 1990 an der Neurologischen Universitätsklinik Kiel wegen medikamenteninduzierter Kopfschmerzen stationär behandelt wurden, ergibt sich, daß mit größtem Abstand

Coffein in Verbindung mit verschiedenen Migrä-
nemitteln am häufigsten eingenommen wurde.
Diese Substanz war früher in fast allen Migränemedikamenten enthalten und ist wahrscheinlich
deshalb nur zufällig der am häufigsten eingenommene Grundstoff. Ob Coffein von sich aus Kopfschmerzen erzeugen kann, ist umstritten. Allerdings wissen Kaffee- und Teetrinker, daß sie ihr
Getränk regelmäßig zu sich nehmen müssen
(»Fünf-Uhr-Tee«), um sich wohl zu fühlen. In der
Wechselwirkung mit einem Schmerzmittel könnte
möglicherweise ein sonst harmloser Stoff unkontrollierte Wirkungen erzielen.
Weitere Substanzen mit großer Einnahmehäufigkeit bei Patienten mit medikamenteninduziertem
Kopfschmerz sind
Paracetamol und Ergotalkaloide.
Die sonstigen Substanzen, die in der Kopfschmerztherapie eingenommen werden, folgen
dann mit relativ gleicher Häufigkeit. Aufgrund der
Ergebnisse muß angenommen werden, daß poten-
tiell jedes Kopfschmerzmedikament bei falscher
Einnahme zu medikamenteninduzierten Kopfschmerzen führen kann.
Die gleiche Aussage gilt auch für die Triptane!
Im Mittel nehmen die Menschen mit medikamenteninduziertem Dauerkopfschmerz 1 bis 20 Dosis-
einheiten der verschiedensten Präparate pro Tag
ein. Im Einzelfall werden zwischen einem und 14
unterschiedliche Präparate täglich eingesetzt.

Wann es kritisch wird

Aus der Untersuchung an der Klinik für Neurologie der Universität Kiel und auch aus anderen Studien wird deutlich, daß es kritische Schwellen für die Entstehung von medikamenteninduzierten Kopfschmerzen gibt. Diese Schwellen sind:

- Schwelle Nr. 1: das Wechseln von einem Medikament mit einem Inhaltsstoff auf Medikamente mit zwei oder mehreren Inhaltsstoffen.
- Schwelle Nr. 2: die Einnahme von Kopfschmerzmitteln an mehr als 10 Tagen pro Monat.
- Schwelle Nr. 3: das Entstehen von Kopfschmerzen an mehr als 14 Tagen pro Monat.

Versuchen Sie unter der ersten Schwelle zu bleiben. Wenn Sie bereits eine oder gar mehrere Schwellen überschritten haben, sollten Sie dringend einen in der Kopfschmerztherapie erfahrenen Neurologen aufsuchen. Warten Sie nicht zehn und mehr Jahre damit wie die meisten der Betroffenen.

Wie medikamenteninduzierte Kopfschmerzen entstehen

Bei der Entstehung des medikamenteninduzierten Kopfschmerzes scheinen zwei Hauptfaktoren zusammenzuwirken, nämlich

- psychische Faktoren und
- Veränderungen des Schmerzwahrnehmungssystems.

Psychische Faktoren: Angst vor der Folter im Kopf

Patienten mit primären Kopfschmerzen kennen die leidvolle Behinderung durch ihre Schmerzen. Sie haben Angst vor der nächsten Attacke. Angst vor den Schmerzen, Angst vor dem Naserümpfen der sozialen Umwelt, Angst vor beruflichen Konsequenzen, Angst, den eigenen Leistungsansprüchen nicht zu entsprechen oder einfach Angst, die Hausarbeit und die Versorgung der Familie nicht zu schaffen. Außerdem wissen sie, daß die Medikamente nur hinreichend wirken, wenn sie möglichst früh eingenommen werden.

Kopfschmerzmedikamente können diese Ängste reduzieren, indem sie die Sicherheit geben, die Schmerzen kurzfristig am Entstehen zu hindern. Damit werden Kopfschmerzmedikamente schnell zu unentbehrlichen Begleitern im Alltag. Um wirklich sicher zu gehen, werden manchmal die Medikamente schon eingenommen, wenn noch gar keine Schmerzen vorhanden sind oder diese sich mit geringen Ankündigungssymptomen anmelden. Das führt dann zu einer allmählichen Dosissteigerung. Kombinationspräparate enthalten zudem teilweise anregende Mittel, wie das Coffein, das kurzfristig erfrischt. Andere Mittel enthalten beruhigend oder euphorisierend wirkende Bestandteile neben dem Schmerzmittel und helfen besonders, mit der Angst vor der Folter im Kopf umzugehen. Diese Substanzen sind teilweise auch von sich aus sucht- oder abhängigkeitserzeugend (Abb. 91).

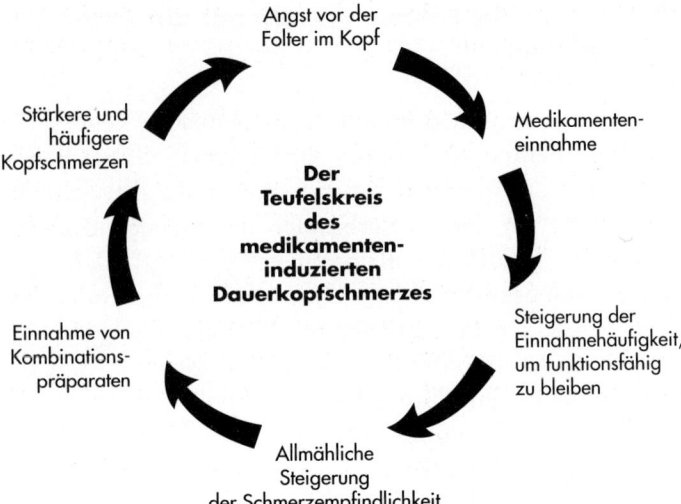

Angst vor der
Folter im Kopf

Medikamenten-
einnahme

Stärkere und
häufigere
Kopfschmerzen

**Der
Teufelskreis
des
medikamenten-
induzierten
Dauerkopfschmerzes**

Einnahme von
Kombinations-
präparaten

Steigerung der
Einnahmehäufigkeit,
um funktionsfähig
zu bleiben

Allmähliche
Steigerung
der Schmerzempfindlichkeit

Abb. 91. Der Teufelskreis des medikamenteninduzierten Dauerkopfschmerzes.

Veränderungen im Schmerzwahrnehmungsapparat

Durch diese Verhaltensfaktoren steigt die Einnahmehäufigkeit und die verabreichte Menge von Kopfschmerzmitteln. Die Wirkung der Medikamente wird
durch Bindung an bestimmte Rezeptoren vermittelt.
Durch die zunehmende Zufuhr der Substanzen müssen
diese Rezeptoren ihre Empfindlichkeit reduzieren, um
sich an diese erhöhte Konzentration zu gewöhnen. An-
dernfalls wäre eine kontinuierliche Fehlregulation die
Folge. Die Rezeptoren regulieren jedoch unter anderem
auch die Schmerzempfindlichkeit. Aufgrund der »Ab-
stumpfung« der Rezeptoren werden die körpereigenen
Schmerzfilter nicht richtig gesteuert, und es kommt zu
einem ungehinderten Einströmen von Schmerzinforma-

tionen in das Bewußtsein. Die Folge ist eine kontinuierlich erhöhte Schmerzempfindlichkeit: Der Dauerkopfschmerz entsteht.

In der Folge werden die Kopfschmerzen immer stärker erlebt. Deshalb steigt die Angst vor den Beschwerden. Medikamente werden immer häufiger, immer mehr und immer schneller eingenommen. Diese stimulieren kurzfristig die Regulationsrezeptoren und führen somit für die Wirkzeit der Medikamente zu einer Normalisierung der Schmerzempfindlichkeit, langfristig aber bewirken sie eine weitere Reduktion der Rezeptorempfindlichkeit und damit eine stetige Zunahme der Kopfschmerzanfälligkeit. Nach Abklingen der Medikamentenwirkung entsteht ein sogenannter Entzugskopfschmerz, der Teufelskreis hat sich geschlossen.

Behandlung der medikamenteninduzierten Kopfschmerzen

Für die Therapie gibt es nur eine Lösung: Die stetige Medikamentenzufuhr muß gestoppt werden!

Solange der kontinuierliche Schmerzmittelfehlgebrauch weiter betrieben wird, kann kein Behandlungsverfahren eine Besserung erzielen. Es gibt keine andere Lösung des Problems als eine Schmerzmittelpause oder einen sog. »drug-holyday« durchzuführen.

Stationäre Behandlung

Langjährige Erfahrungen zeigen, daß eine Medikamentenpasuse außerhalb einer Klinik in aller Regel erfolglos bleibt. Aus diesem Grunde sollte die Pause immer stationär durchgeführt werden. Leider gibt es in Deutschland bei den Kostenträgern nur eine sehr gering verbreitete Einsicht, daß in einem normalen Routinekrankenhaus weder Erfahrung noch Zeit für einen adäquaten Schmerzmittelentzug vorauszusetzen sind.

Die Etablierung von spezialisierten Kopfschmerzkliniken, in denen nach wissenschaftlichem Standard behandelt wird, ist in wesentlich größerer Zahl als bisher notwendig!

Die stationären Behandlungsmöglichkeiten in neurologischen Universitätskliniken sind nur ein Tropfen auf den heißen Stein. Deshalb besteht dringender Bedarf für die Einrichtung von weiteren spezialisierten Kopfschmerzabteilungen und -kliniken in Deutschland.

Durchführung der Medikamentenpause

Am Tag nach der Klinikaufnahme werden sämtliche Kopfschmerzmedikamente abgesetzt. Nach wenigen Stunden treten Entzugskopfschmerzen auf, die in der Regel als mittel bis sehr stark erlebt werden. Dazu können Begleitsymptome wie Übelkeit, Erbrechen, Schwindel, Herzrasen, Unruhe, Schlafstörungen, Erregbarkeit, Angstzustände, gelegentlich Trugwahrnehmungen und auch Fieber kommen.

Im Mittel erreichen diese Beschwerden ihr Maximum nach drei bis vier Tagen. In der Regel dauert diese erste Phase der stationären Behandlung mit Entzugs-kopfschmerzen sieben bis zehn Tage, spätestens nach vierzehn Tagen ist diese schwere erste Phase auf dem Weg zur Besserung vorbei.

Die Zeit des Entzugs ist für viele Patienten sehr schwer. Durch ärztliche Maßnahmen muß versucht werden, die Beschwerden etwas zu lindern und die Auswirkungen soweit wie möglich zu reduzieren. Überläßt man die Patienten sich selbst, wird diese Phase in der Regel nicht durchgehalten, und der Griff zu den Medikamenten ist vorprogrammiert.

Für fast alle Patienten kommt innerhalb von 14 Tagen der Morgen, an dem sie fassungslos aufwachen und keine Kopfschmerzen mehr haben. Dieses für die Betroffenen unglaubliche Gefühl stellt sich erstmals wieder nach vielen Dauerkopfschmerz-Jahren ein, und viele realisieren mit glücklichem Staunen, daß dies ohne Medikamenteneinnahme möglich ist.

> In dieser Phase ist besonders wichtig, daß die Patienten verstehen und lernen, daß die Kopfschmerzfreiheit wieder zurückgekehrt ist, weil sie *keine* Medikamente mehr genommen haben.

In einer Langzeituntersuchung an der Universität Kiel zeigte sich, daß 96 % der mit medikamenteninduzierten Kopfschmerzen aufgenommenen Patienten die Klinik ohne Dauerkopfschmerz wieder verlassen konnten.

Was nach der Medikamentenpause passiert

Nach Abklingen der akuten Entzugsphase ist der medikamenteninduzierte Dauerkopfschmerz unterbrochen. Damit ist das Problem der Patienten jedoch nur zur Hälfte gelöst.

Abb. 92. Kopfschmerzen müssen nicht einfach hingenommen werden, sie können erfolgreich überwunden werden...

Das primäre Kopfschmerzleiden besteht nämlich weiterhin und muß jetzt intensiv einer optimalen Behandlung unterzogen werden, damit nicht wieder das falsche Einnahmeverhalten von Kopfschmerzmedikamenten eingeleitet wird.

Die Migräne, der häufigste Grund für medikamenteninduzierte Kopfschmerzen, muß nach den migränespezifischen Richtlinien therapiert werden, das gleiche gilt für den Kopfschmerz vom Spannungstyp. Dabei müssen alle nichtmedikamentösen und medikamentösen Möglichkeiten (Prophylaxe!) je nach individuellen Gegebenheiten ausgeschöpft werden. Ziel ist, möglichst viele Kopfschmerzanfälle zu vermeiden. Wenn Anfälle auftreten, sollen sie effektiv behandelt werden ohne negative Langzeitfolgen (Abb. 92). Besonders wichtig ist dabei darauf zu achten, Kopfschmerz-Akutmedikamente nur maximal an 10 Tagen pro Monat einzunehmen.

338

8 Clusterkopfschmerzen

Kopfschmerzen haufenweise

Der Clusterkopfschmerz ist durch schwere, einseitig im Bereich der Augen, der Stirn oder der Schläfe auftretende Schmerzattacken von 15–180 Minuten Dauer gekennzeichnet. Die Attacken treten mit einer Häufigkeit von einer Attacke jeden zweiten Tag bis zu acht Attacken pro Tag auf. Die Schmerzen werden durch mindestens eines der folgenden Symptome begleitet, die auf der gleichen Seite auftreten: Augenrötung, Augentränen, Verstopfung der Nase, Nasenlaufen, vermehrtes Schwitzen im Bereich von Stirn und Gesicht, Verengung der Pupille, Hängen des Augenlides oder Schwellung der Augenlider. Die Attacken treten *periodisch gehäuft* auf; man spricht deshalb von einem Cluster (engl. Haufen). Zwischengeschaltet sind kopfschmerzfreie Zeiten unterschiedlicher Dauer.

Die diagnostischen Kriterien des Clusterkopfschmerzes

A: Wenigstens 5 Attacken entsprechend den unter B–D angeführten Bedingungen.

B: Sehr starker einseitiger Schmerz im Augenbereich, über dem Auge und/oder über der Schläfe ohne Behandlung mit einer Dauer von 15–180 Minuten.

C: In Verbindung mit dem Kopfschmerz tritt gleichzeitig wenigstens eines der nachfolgend angeführten Zeichen auf: Augenrötung, Tränenlaufen, Verstopfung der Nase, Nasenlaufen, starkes Schwitzen im Bereich der Stirn und des Gesichts, Verengung der Pupille (Miosis), hängendes Augenlid (Ptosis), Schwellung des Augenlides

D: Attackenfrequenz zwischen einer Attacke jeden zweiten Tag und acht Attacken pro Tag.

E: Wenigstens eine der nachfolgend angeführten Bedingungen trifft zu: 1) Vorgeschichte, körperliche und neurologische Untersuchung ergeben keinen Hinweis auf einen sekundären Kopfschmerz. 2) Vorgeschichte und/oder körperliche und/oder neurologische Untersuchung lassen an eine derartige Erkrankung denken, die aber durch ergänzende Untersuchungen ausgeschlossen wird. 3) Eine Erkrankung, die zu sekundären Kopfschmerzen führt, liegt vor, aber der Clusterkopfschmerz ist nicht erstmalig in einer engen zeitlichen Verbindung mit dieser Erkrankung aufgetreten.

Episodischer und chronischer Clusterkopfschmerz

Der *episodische Clusterkopfschmerz* tritt in Perioden von 7 Tagen bis zu einem Jahr Länge auf, die durchschnittliche Dauer beträgt 4–12 Wochen. Die schmerzfreien Intervalle betragen mindestens 14 Tage.

Der *chronische Clusterkopfschmerz* äußert sich durch das Auftreten von Clusterattacken über ein Zei-

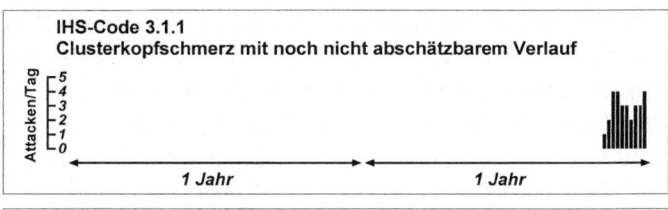

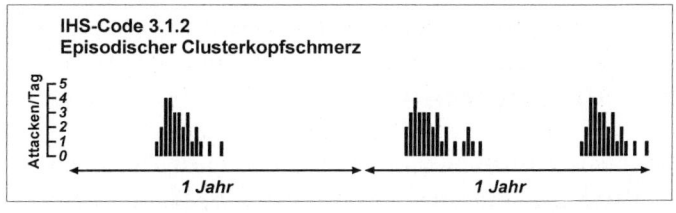

Abb. 93. Die Subtypen des Clusterkopfschmerzes nach der IHS-Klassifikation

tintervall von mehr als einem Jahr ohne kopfschmerz-freie Zeit oder mit einer nur kurzfristig kopfschmerzfrei-en Zeit von weniger als 14 Tagen. Die verschiedenen Formen des Clusterkopfschmerzes sind in Abb. 93 dargestellt.

Früher verwendete Begriffe für dieses Kopf-schmerzleiden, die heute nicht mehr benutzt werden

341

sollten, sind Bingsche Erythroprosopalgie, ziliare oder migränöse Neuralgie nach Harris, Erythromelalgie des Kopfes, Horton-Syndrom, Histaminkopfschmerz, Petrosus-Neuralgie nach Gardner, Neuralgie des Ganglion sphenopalatinum, Vidianus-Neuralgie, Sluder-Neuralgie, Hemicrania periodica neuralgiformis.

▓ Vorkommen

Die Patienten sind beim erstmaligen Auftreten des Clusterkopfschmerzes durchschnittlich *28–30 Jahre* alt. Allerdings läßt sich der Clusterkopfschmerz auch in deutlich späteren Lebensjahren erstmals beobachten. Bei Kindern und Jugendlichen findet sich der Clusterkopfschmerz dagegen nur im sehr seltenen Ausnahmefall.

Die Neuerkrankungsrate beträgt 15,6 auf 100.000 Personen pro Jahr für Männer und 4,0 auf 100.000 Personen pro Jahr für Frauen. Die durchschnittliche Erkrankungsrate beträgt 9,8 auf 100.000 Personen pro Jahr. Die *Erkrankungshäufigkeit in der Gesamtbevölkerung* beträgt nach verschiedenen Studien etwa *0,9%*.

Der Clusterkopfschmerz weist als einzige Form der primären Kopfschmerzerkrankungen ein deutliches *Überwiegen der Männer* auf. Ihr *Anteil* unter den Patienten mit chronischem und episodischem Clusterkopfschmerz liegt zwischen *70 und 90%*.

▓ Symptome

Namensgebendes Charakteristikum des Clusterkopfschmerzes ist das *periodisch gehäufte Auftreten* der Kopfschmerzattacken. Diese Perioden mit Kopfschmerzattacken werden von Phasen mit völliger *Kopfschmerz-*

freiheit unterbrochen. Beim *episodischen* Clusterkopf-schmerz erstrecken sich die Clusterperioden über eine Woche bis zu höchstens einem Jahr, im Mittel halten sie zwischen ein und zwei Monaten an. In der Regel treten pro 24 Monate ein bis zwei Clusterphasen auf.

Die schmerzfreien Zeiträume zwischen den Kopf-schmerzperioden betragen definitionsgemäß mindestens 14 Tage. Die mittlere Dauer der schmerzfreien Zeiträu-me zwischen den Kopfschmerzperioden liegt zwischen 6 Monaten und 2 Jahren. Bei einigen Patienten lassen sich konstante Muster dieser Zeiträume zwischen den Kopf-schmerzperioden beobachten. Allerdings gibt es bei an-deren Patienten wiederum ganz unterschiedliche Phasen-längen. In Ausnahmefällen lassen sich Zeiträume zwischen den Kopfschmerzperioden beobachten, die länger als 20 Jahre dauern.

Halten Clusterperioden über ein Jahr an, ohne daß es zu einer kopfschmerzfreien Phase von mindestens 14 Tagen Länge gekommen ist, spricht man von einem *chronischen* Clusterkopfschmerz.

Es ist möglich, daß ein chronischer Clusterkopf-schmerz bereits von Beginn an diesen nicht durch freie Intervalle unterbrochenen Verlauf zeigt. Man spricht dann vom sog. *primären* chronischen Clusterkopf-schmerz. Besteht zunächst ein episodischer Clusterkopf-schmerz mit kopfschmerzfreien Intervallen, der dann im späteren Zeitverlauf in einen chronischen Clusterkopf-schmerz übergeht, spricht man von einem chronischen Clusterkopfschmerz nach primär episodischem Verlauf.

Erfüllen die Attacken eines Patienten die Kriterien des Clusterkopfschmerzes mit nur einer Ausnahme, wird die Diagnose einer *clusterkopfschmerzartigen Störung* gestellt.

Zeitmuster der Attacken

Clusterattacken haben eine spontane Dauer von 15–180 Minuten. Im Mittel dauert eine Attacke 30 bis 45 Minuten.

Die Attackendauer ist zu Beginn und am Ende der Clusterepisode kürzer als in der Mitte. Bei fast allen Patienten ist der *Gipfel der Schmerzintensität bereits nach 10 Minuten* erreicht. Dieses *Plateau* wird *für etwa 30 Minuten* eingehalten, anschließend klingt die Attacke ab.

Die Attackenfrequenz variiert zwischen einer Attacke jeden zweiten Tag und bis zu acht Attacken pro Tag. Die mittlere Attackenfrequenz während der Clusterphase beträgt *2 Attacken pro Tag.* Mehr als 3–4 Attacken pro Tag sind selten.

Bei der Mehrzahl der Patienten zeigt sich eine typische *tageszeitliche* Bindung des Auftretens der Clusterattacken. *Am häufigsten* sind die Attacken *nachts zwischen 1.00 und 2.00 Uhr* zu beobachten, *ein zweiter Gipfel tritt zwischen 13.00 und 15.00 Uhr* am Nachmittag auf und ein dritter *um 21.00 Uhr* am Abend. Eindeutig überwiegt jedoch das nächtliche Auftreten zwischen 1.00 und 3.00 Uhr. Bei über 50% der Patienten beginnen die Attacken aus dem Schlaf heraus.

Schmerzcharakteristika

Bei nahezu allen Patienten besteht ein streng seitenkonstantes Auftreten der Clusterattacken. Clusterkopfschmerz tritt praktisch *immer auf derselben Seite* auf und *nie(!) simultan beidseitig.* Nur in extrem seltenen Ausnahmefällen wechselt das Auftreten zwischen den verschiedenen Clusterperioden von der einen zur anderen Seite.

Bei *über 90%* der Patienten beginnt der Schmerz in der *Augenregion*, entweder hinter, über oder seitlich neben dem Auge. Der Schmerz kann auch zur Stirn, zum Kiefer, zum Rachen, zum Ohr, zum Hinterhaupt oder in seltenen Fällen auch zum Nacken und zur Schulter ausstrahlen. Der Anstieg der Schmerzintensität ist sehr schnell. Aus dem Wohlbefinden heraus kommt es innerhalb von 10 Minuten zu einem extrem schweren, oft als vernichtend erlebten Schmerz. Die Patienten beschreiben den Schmerz als ein glühendes Messer, das in das Auge gestochen oder als einen brennenden Dorn, der in die Schläfe gerammt wird.

Begleitstörungen

Begleitstörungen treten ausschließlich *auf der vom Schmerz betroffenen Seite* auf.

Am häufigsten findet sich in circa 80% ein *Tränenfluß* am betroffenen Auge. *Augenrötung* zeigt sich als zweithäufigstes Begleitsymptom mit einer Häufigkeit zwischen 50 und 80%.

Ein *hängendes Lid* oder eine *Pupillenverengung* kann während der Attacke bei nahezu bis zu 70% der Patienten beobachtet werden, bei längeren Verläufen kann auch während der Zeiträume zwischen den Kopfschmerzperioden bei einigen Patienten diese Symptomatik beobachtet werden.

Bei etwa 60–80% zeigt sich eine *Verstopfung der Nase* oder ein *Nasenlaufen* auf der betroffenen Seite. *Gesichtsschwitzen* und *-röte* läßt sich ebenfalls auf der betroffenen Seite finden, allerdings tritt diese Störung mit deutlich geringerer Häufigkeit als die vorgenannten Beschwerden auf. Bei einigen wenigen Patienten sind diese Begleitstörungen so gering ausgeprägt, daß die Pa-

345

tienten ihr Auftreten nicht wahrnehmen. Solche gering-
gradigen Störungen sind bei weniger als 3–5% der Patienten zu erwarten.

Körperliche Aktivität

Ein wichtiges Merkmal des Clusterkopfschmerzes
in der Abgrenzung zur Migräne ist der Bewegungsdrang
der Patienten während der Attacke. Im typischen Fall
laufen sie während der Schmerzattacken ruhelos umher,
hüpfen auf der Stelle und schlagen schmerzgeplagt mit
der Faust auf den Tisch oder mit dem Kopf gegen die
Wand. Bettruhe wird selten eingehalten und wenn, dann
meist mit erhöht liegendem Oberkörper.

Auslösefaktoren

Eine Reihe von Auslösefaktoren kann während der
Clusterperiode Kopfschmerzattacken hervorrufen, während diese Faktoren in den Zeiträumen zwischen den
Kopfschmerzperioden ohne Konsequenzen bleiben. Der
bekannteste Auslösefaktor für den Clusterkopfschmerz
ist *Alkohol*. Wichtig ist, daß nicht der Alkohol per se die
einzelnen Clusterattacken auslöst, sondern daß es auf
die *Menge* des eingenommenen Alkohols ankommt.

Kleine Mengen Alkohol können während der Clusterperiode *sehr potent und zuverlässig* die
Clusterattacken auslösen, während *größere* Mengen von Alkohol teilweise sogar Clusterattacken
verhindern.

Neben Alkohol können eine Reihe weiterer Substanzen Clusterattacken auslösen. Dazu gehören insbe-

346

sondere *Histamin, Nitroglyzerin und Calciumantagonisten wie z. B. Nifedipin.* Auch blendendes Licht wird als Auslösefaktor angegeben. Das zeitweilige Tragen von Sonnenschutzgläsern während der Clusterepisode kann daher vorbeugend wirken.

Diagnose

In aller Regel können Patienten mit Clusterkopfschmerz das Auftreten ihrer Attacken sehr detailliert beschreiben. Problematisch ist manchmal die Erfassung der Dauer der Clusterkopfschmerzattacke. Wenn 2, 3 oder 4 Kopfschmerzattacken auftreten, sind die Patienten unsicher, ob es sich um eine einzelne Attacke handelt, die mit Unterbrechungen 8 Stunden andauert, oder ob es mehrere Attacken sind. In solchen Fällen kann das Führen eines *Kopfschmerzkalenders* nähere Auskunft geben. Solange die Patienten sich nicht in ärztlicher Behandlung befinden, nehmen sie in aller Regel verschiedenste Schmerzmittel. Da die Clusterkopfschmerzattacke zumeist nach einer Stunde abklingt, wird die Besserung auf die Medikamente zurückgeführt. Erst aufgrund der langen Zeitdauer der Clusterperioden und der neurologischen Begleitstörungen suchen die Patienten dann ärztliche Hilfe.

Objektive diagnostische Tests

Um die *neurologischen Begleitstörungen* zu erfassen, empfiehlt es sich, während der Attacke *in den Spiegel* zu schauen.

Eine besonders einfache, aber präzise Möglichkeit, die Merkmale zu dokumentieren und dem behandelnden Arzt zu zeigen, ist, sie zu filmen oder zu fotografieren. Besonders wichtig ist dabei, die Veränderungen am betroffenen Auge in Großaufnahme festzuhalten.

Bestehen trotzdem Zweifel, ob es sich um einen Clusterkopfschmerz handelt, kann während einer Clusterperiode in der Sprechstunde eine Clusterattacke durch Gabe von Nitroglyzerin in Form einer Kautablette ausgelöst werden. Für die erfolgreiche *Provokation* einer solchen willkürlich ausgelösten Attacke ist es erforderlich, daß innerhalb der letzten 8 Stunden keine Attacke spontan aufgetreten war, daß innerhalb der letzten 24 Stunden keine gefäßverengenden Substanzen eingenommen wurden und daß keine medikamentöse Prophylaxe des Clusterkopfschmerzes betrieben wird. Nach Gabe von 1 mg Nitroglyzerin läßt sich in der Regel innerhalb von 30–60 Minuten die Attacke auslösen. Der Test wird als *positiv* angesehen, wenn diese Clusterattacke den spontanen Attacken entspricht. Der Nitroglyzerin-Test läßt sich nicht sinnvoll einsetzen, wenn der Patient sich zwischen zwei Clusterperioden befindet.

Klinische Untersuchungen

Zur Diagnosestellung ist ein *regelrechter neurologischer und allgemeiner körperlicher Untersuchungsbefund* erforderlich. Apparative Zusatzbefunde, wie z. B. Computer- oder Magnetresonanztomogramme können derzeit *keinen* spezifischen Beitrag zur Diagnose bringen. Es gibt jedoch Situationen, in denen Zweifel bestehen, ob es sich um ein primäres Kopfschmerzleiden han-

Tabelle 6. Kopfschmerzen, die ähnliche Merkmale wie Clusterkopfschmerzen aufweisen und ihre Unterscheidungsmöglichkeiten.

Diagnose	Attackendauer	Begleitsymptome	Besonderheiten
Migräne	4–72 Stunden	Übelkeit, Erbrechen, Lärm- und Licht-empfindlichkeit	Keine feste Seitenlokalisation, Ausbreitungstendenz des Schmerzes
Chronische paroxysmale Hemikranie	15–30 Minuten; mittlere Attacken-frequenz 14 pro Tag	Gleiche Begleitstörungen wie beim Clusterkopfschmerz	Sicheres Ansprechen auf Indometacin
Trigeminusneuralgie	Sekundenbruchteile bis max. 2 Minuten	Neurologische Begleitstörungen wie beim Clusterkopfschmerz sind nicht zu beobachten	Auslösung durch externe Reize, wie z. B. Kauen, Sprechen etc., Ansprechen auf Carbamazepin
SUNCT-Syndrom »shortlasting unilateral neuralgiform headache attacks with conjunctiv-al injection, tearing, sweating and rhinorrhoea«	Schmerzepisoden von 15–60 Sekunden; große Attackenhäufig-keit von 5–30 Attacken pro Stunde	Auftreten im Augenbereich, Begleit-symptome wie beim Cluster-kopfschmerz	Triggerung durch Kaumanöver Kein Ansprechen auf Indometacin oder Carbamazepin
Nasennebenhöhlen-prozesse	In aller Regel Dauer-schmerz	Neurologische Begleitstörungen wie beim Clusterkopfschmerz sind nicht zu beobachten	Keine Attacken und keine Provo-kation durch Nitroglyzerin oder Alkohol
Glaukom	Kein typ. zeitliches Schmerzmuster wie beim Clusterkopfschmerz	Augenrötung vorhanden, typische Begleitstörungen wie beim Cluster-kopfschmerz fehlen jedoch	Reduzierte Sehfähigkeit (beim Clusterkopfschmerz normal), keine Pupillenverengung, kein Hängen des Lides
Erkrankungen der Augenhornhaut	Kein typ. zeitliches Schmerzmuster	Augenrötung vorhanden, typische Begleitstörungen wie beim Clusterkopf-schmerz fehlen jedoch	Augenärztlicher Befund, reduzierte Sehfähigkeit (bei Clusterkopfschmerz normal)

delt. Solche *Zweifel* ergeben sich insbesondere dann, wenn der Clusterkopfschmerz erstmalig bei einem *sehr jungen Patienten* (unter 20. Lebensjahr) oder bei *Patienten jenseits des 60. Lebensjahrs* auftritt.

Eine besondere Notwendigkeit zur eingehenden neurologischen Untersuchung mit *zusätzlichen bildgebenden Verfahren* besteht dann, wenn der Kopfschmerz einen *allmählich zunehmenden Verlauf* hat oder zusätzliche uncharakteristische Begleitstörungen auftreten, insbesondere *Konzentrations- und Gedächtnisstörungen, Übelkeit, Erbrechen, Bewußtseinsstörungen, epileptische Anfälle* etc.

In erster Linie wird dann eine *Magnetresonanztomographie* des Gehirns und eine Computertomographie der knöchernen Schädelbasis durchgeführt. Dabei wird besonders auf einen Hypophysentumor oder einen Tumor im Bereich der Schädelbasis (z. B. Metastase) geachtet werden. Nasen- und Nasennebenhöhlenprozesse müssen ebenfalls erfaßt werden.

Die wichtigsten Erkrankungen, die ähnlich wie Clusterkopfschmerzen ablaufen können, sind in Tabelle 6 wiedergegeben.

Verlauf

Ein charakteristischer Verlauf der Clusterkopfschmerzen kann im Einzelfall nicht vorhergesagt werden. Es lassen sich sowohl Übergänge von einem episodischen in einen chronischen Clusterkopfschmerz beobachten als auch umgekehrt. Clusterkopfschmerzen nach dem 75. Lebensjahr sind so gut wie nie zu beobachten. Der Einfluß einer prophylaktischen Medikation auf den Spontanverlauf ist bis heute nicht bekannt.

80% der Patienten mit einem *primär episodischen* Clusterkopfschmerz leiden auch nach 10 Jahren noch an einem episodischen Clusterkopfschmerz, während sich bei 12% ein chronischer Clusterkopfschmerz nach primär episodischem Verlauf entwickelt.

Bei über der Hälfte der von einem *primär chronischen* Clusterkopfschmerz Betroffenen bleibt diese chronische Verlaufsform auch nach 10 Jahren ohne längerdauernde Remissionsphasen bestehen. Nur bei etwa 10% ist eine länger anhaltende beschwerdefreie Phase von mehr als 3 Jahren zu erwarten.

Entstehung von Clusterkopfschmerzen

Untersuchungen der Blutgefäße hinter dem Auge, die bei Clusterkopfschmerzpatienten während aktiver Clusterperioden durchgeführt wurden, ergaben Hinweise auf eine aseptische *Entzündung der venösen Blutgefäße.* Eine Reizung der Nervenfasern ist dabei sowohl unmittelbar durch entzündungsverursachende Neuropeptide denkbar als auch als Folge einer mechanischen Kompression durch entzündlich erweiterte und aufgequollene Blutgefäße.

Mit dieser Theorie lassen sich der Clusterschmerz und die vielfältigen Begleiterscheinungen erklären. Auch die Beobachtung, daß gefäßerweiternde Substanzen Clusterattacken während aktiver Clusterperioden provozieren (Alkohol, Nitroglyzerin, Histamin, Sauerstoffmangel), während gefäßverengende Substanzen (Sauerstoff, Sumatriptan, Ergotamin) diese schnell beenden, ist mit der Theorie zu vereinbaren. Die Zunahme der Schmerzen im Liegen wird ebenfalls verständlich, da in dieser Lage der venöse Abfluß schlechter ist als im Sitzen oder im Stehen.

Es wird angenommen, daß während aktiver Clusterperioden eine entzündliche Grundreaktion vorliegt, die attackenweise ausbricht. Beim chronischen Clusterkopfschmerz ist diese entzündliche Grundreaktion kontinuierlich vorhanden, bei der episodischen Form nur periodisch. Die zuverlässige Wirksamkeit entzündungshemmend wirkender Kortikosteroide zur Vorbeugung von Clusterkopfschmerzen wird anhand des Modells ebenfalls verständlich.

Verhaltensmedizinische und nichtmedikamentöse Behandlungsmaßnahmen

Im Gegesatz zu anderen primären Kopfschmerzerkrankungen wird der Clusterkopfschmerz nur *minimal* durch psychische Mechanismen beeinflußt. Entspannungsverfahren, Streßbewältigungstechniken und ähnliche Maßnahmen, die eine wichtige Rolle in der Therapie der Migräne und des Kopfschmerzes vom Spannungstyp spielen, können den Verlauf nicht bedeutsam verändern. Der Einsatz alternativer nichtmedikamentöser Therapiemaßnahmen wie Akupunktur, Neuraltherapie, Biofeedback, Massagen, Manualtherapie, transkutane elektrische Nervenstimulation (TENS) etc. ist beim Clusterkopfschmerz *sinnlos* und verzögert die Aufnahme einer effektiven Therapie.

Bis die Diagnose eines Clusterkopfschmerzes gestellt wird, vergehen in der Regel 5 Jahre. Therapieversuche vor Diagnosestellung sind meist zum Scheitern verurteilt, da sich die beim Clusterkopfschmerz wirksamen Substanzen und Verhaltensmaßregeln von denen anderer Kopfschmerzerkrankungen unterscheiden. Während dieser langen Versuch-und-Irrtums-Phase ist der

352

Patient seinen verheerenden Schmerzattacken hilflos ausgeliefert.

Im Hinblick auf die *mögliche Provokation* von Attacken durch Alkohol, gefäßerweiternde Substanzen wie Nitrate oder Histamin sollten *solche Stoffe gemieden werden*. Dazu ist auch eine *genaue Kenntnis der eingenommenen Medikamente* erforderlich. Bei einigen Patienten kann auch *Nikotin* Clusterkopfschmerzattacken provozieren. Tatsächlich raucht ein Großteil der Patienten mit Clusterkopfschmerzen. Ernährungsfaktoren haben keinen großen Einfluß auf den Verlauf, weshalb diätetische Maßnahmen nicht erfolgversprechend sind.

Behandlung der akuten Clusterkopfschmerzattacke

Sauerstoff

Als Therapie der ersten Wahl zur Beendigung einer akuten Clusterattacke gilt die *Inhalation von 100%igem Sauerstoff* (Abb. 94). Die einzige Schwierigkeit besteht darin, daß eine Sauerstoffflasche nicht immer verfügbar ist. Allerdings stellen Sanitätsfachhandlungen tragbare Sauerstoffgeräte zur Verfügung, die der Patient ggf. mit sich führen kann.

Es wird eine Dosierung von 7 l/min für 15 Minuten gewählt. Zur bequemen Applikation des Sauerstoffs wird in der Regel eine *Mundmaske* benutzt. Der Patient atmet mit normaler Geschwindigkeit im Sitzen bei leicht vornübergebeugtem Oberkörper. Die Inhalation muß innerhalb der ersten 15 Minuten nach Attackenbeginn erfolgen. Die Sauerstofftherapie zeichnet sich durch eine

Therapie der Clusterkopfschmerzattacke

Sauerstoff

7 l/min über 15 Minuten
mit Sauerstoffgerät (sitzend
oder stehend einatmen) [A]

+ hohe Effektivität

+ sehr gute Verträglichkeit

+ kein vasoaktives Nebenwirkungs-
potential

+ keine Interferenz mit serotoninergen
Substanzen (Ergotamin, Methysergid)
zur Clusterkopfschmerzprophylaxe

+ keine Tageshöchstdosis, unbegrenzt
wiederholbar

- an (tragbares) Sauerstoffgerät
gebunden

Sumatriptan s.c.

6 mg s.c. mit Autoinjektor
(Imigran s.c.) [A]

+ hohe Effektivität

+ uneingeschränkte Mobilität

- vasoaktives Nebenwirkungs-
potential

- Interferenz mit serotoninergen
Substanzen (Ergotamin, Methysergid)
zur Clusterkopfschmerzprophylaxe

- maximal 2 Applikationen am Tag

Abb. 94. Therapie der Clusterkopfschmerzattacke. Die Vor- und Nachteile der Verfahren sind mit einem Plus- bzw. einem Minuszeichen gekennzeichnet. Die Buchstaben in eckigen Klammern geben den Umfang klinischer Studien an: [A] Anerkannt und durch klinische Studien erwiesen.

besonders gute Verträglichkeit und durch einen *besonders schnellen Wirkeintritt* aus. Bei über zwei Drittel der Attacken kann *innerhalb von 7 Minuten* eine Kopfschmerzbesserung erzielt werden. Bei den übrigen Attakken tritt die Wirkung innerhalb der nächsten 15 Minuten ein. Von besonderer Bedeutung ist, daß die Sauerstofftherapie bei Kontraindikationen gegen Ergotamin und Sumatriptan bedenkenlos eingesetzt werden kann. Insbesondere bestehen keine Kontraindikationen seitens des Herz-Kreislauf-Systems.

Interessanterweise ist das Ansprechen auf die Sauerstofftherapie vom Zeitverlauf der Attacke abhängig. Ein *optimales Ansprechen* findet sich *unmittelbar bei*

Attackenbeginn und im *Attackenmaximum*. Wird der Sauerstoff später als 15 Minuten nach Attackenbeginn zugeführt, läßt sich die Zunahme des Schmerzes in der Anstiegsphase bis zum Erreichen des Attackenmaximums nicht verhindern. Es wird deshalb angenommen, daß der Wirkmechanismus der Sauerstofftherapie auf einem aktiv gefäßverengenden Effekt beruht.

Bei einzelnen Patienten kann die Anwendung von hyperbarem Sauerstoff einen vorbeugenden Effekt gegen Clusterkopfschmerzen haben, auch wenn andere Therapiestrategien erfolglos geblieben sind.

Sumatriptan subkutan

Die *effektivste medikamentöse Maßnahme* zur Kupierung einer akuten Clusterkopfschmerzattacke ist die Gabe von Sumatriptan mit dem Glaxopen (s. Anhang). Durch Gabe von 6 mg Sumatriptan als Fertigspritze unter die Haut werden innerhalb von 15 Minuten über 74% der Attacken beendet. Höhere Dosierungen als 6 mg zeigen keine bessere Wirksamkeit.

Die Patienten können sich die Substanz jederzeit eigenständig mit einem *Autoinjektor* injizieren und sind damit unabhängig von einem unhandlichen Sauerstoffgerät. In Langzeitstudien ergeben sich keine Hinweise dafür, daß die große Effektivität von Sumatriptan zur Kupierung der akuten Clusterattacke im Laufe der Zeit nachläßt oder das Nebenwirkungsprofil sich verändert.

Die Frage, *wie häufig* Sumatriptan eingesetzt werden kann, ist bisher noch nicht abschließend geklärt. Es kann sein, daß während der Einstellungsphase einer vorbeugenden Therapie noch eine große Attackenhäufigkeit von bis zu 8 Attacken täglich besteht. In dieser Situation ist zu bedenken, daß der Clusterkopfschmerz eine außerordentlich große Behinderung für den Patienten bedeutet und in aller Regel mit schwersten Schmerzen einhergeht. In Langzeituntersuchungen wurde von einzelnen Patienten die normalerweise empfohlene *Maximaldosis von 2×6 mg pro Tag* um ein Vielfaches überschritten. Komplikationen sind dabei bisher nicht aufgetreten. Im Einzelfall und bei Bedarf muß also erwogen werden, ob im Hinblick auf mangelnde Therapiealternativen bis zum Eintreten der Wirksamkeit einer prophylaktischen Therapie (in der Regel 5–7 Tage) eine Überschreitung der maximalen Tagesdosis verantwortet werden kann. Dies kann jedoch immer nur im Einzelfall entschieden werden.

Sumatriptan darf *keinesfalls parallel* zu einer prophylaktischen Therapie mit *Ergotamintartrat oder Methysergid* eingesetzt werden. Unproblematisch ist die Gabe von Sumatriptan in Verbindung mit Kortikosteroiden, Lithium und Kalziumantagonisten.

Ergotalkaloide

Bei der Anwendung von Ergotamintartrat als Tablette oder Zäpfchen ist die Zeit bis zum Wirkungseintritt in der Regel unzumutbar lang, nicht selten endet die Attacke vorher spontan. Eine schnelle Applikationsform ist die Injektion von Dihydroergotamin in einen Muskel. Dann können in etwa 60–70% nach 30 Minuten Besserungen einteten.

Andere Akutmaßnahmen

Andere Akutmaßnahmen haben sich als unbefriedigend erwiesen, z. B. die Applikation von Cocain oder Lidocain im Bereich der Nase. Einfache Analgetika (z. B.

356

Acetylsalicylsäure, Paracetamol etc.) oder Opioid-Analgetika (Tramadol, Morphin etc.) sollten nicht eingesetzt werden. Opioid-Analgetika sind ineffektiv, nebenwirkungsreich und können zur Abhängigkeit führen.

Medikamentöse Prophylaxe

Aufgrund der hohen Attackenhäufigkeit während einer aktiven Clusterperiode gilt die Regel, daß eine prophylaktische Therapie generell angezeigt ist.

Die Wahl des Medikamentes richtet sich danach, ob es sich um einen episodischen Clusterkopfschmerz oder um einen chronischen Clusterkopfschmerz handelt.

Eine Übersicht über die heutigen Möglichkeiten gibt Tabelle 7.

Zur Prophylaxe des Clusterkopfschmerzes werden verschiedene Substanzen eingesetzt. Für viele davon und noch mehr für die Dosierungen ist die Wirksamkeit eher durch klinische Erfahrung als durch wissenschaftliche Studien belegt. Neben der Wirksamkeit steht bei der Auswahl der Medikamente ihre Verträglichkeit, die Dauer der Anwendbarkeit, eine einfache Anwendung und auch die Kombinierbarkeit mit der Akutmedikation im Vordergrund. Es werden deshalb zunächst die wirksamen Substanzen mit ihren Vor- und Nachteilen aufgeführt. Eine Einteilung der Substanzen in Medikamente der ersten, zweiten und dritten Wahl gibt Abb. 94 wieder. Klingen die Attacken unter der prophylaktischen Therapie ab, sollte sie noch 14 Tage über die letzte Attacke hinaus fortgeführt werden. Bei mangelnder Wirksamkeit einzelner Substanzen können auch Kombi-

Tabelle 7. Medikamentöse Vorbeugung des Clusterkopfschmerzes. Die Substanzen sind unter Berücksichtigung von Wirksamkeit, Verträglichkeit und Handhabbarkeit in solche der 1., 2. oder 3. Wahl eingeteilt. Beim Einsatz von Substanzen der 2. und 3. Wahl sind Anwendungsbeschränkungen bei der Langzeittherapie zu beachten.

	Episodischer Clusterkopfschmerz	Chronischer Clusterkopfschmerz
1. Wahl	Verapamil oder Ergotamin	Verapamil oder Lithium
2. Wahl	Methysergid, Kortikosteroide oder Lithium	Kortikosteroide
3. Wahl	Valproinsäure	Methysergid oder Valproinsäure

nationen von 2 oder auch 3 Medikamenten eingesetzt werden. Die Einstellung auf diese Kombinationen sollte jedoch in speziellen Kopfschmerzzentren durchgeführt werden.

Prophylaktische Therapie des episodischen Clusterkopfschmerzes

Verapamil

Verapamil ist gut verträglich und kann problemlos mit einer Akuttherapie mit Sauerstoff oder Sumatriptan kombiniert werden. Es gilt deshalb vielfach als Substanz der ersten Wahl. Beim episodischen Clusterkopfschmerz wird es mit gutem Erfolg eingesetzt. Verapamil gehört zur Gruppe der *Kalziumantagonisten* und eignet sich auch zur *Dauertherapie* bei chronischem Clusterkopfschmerz. Oft stellt sich aber unter Verapamil *kein komplettes Abklingen* der aktiven Clusterkopfschmerzphase ein. In einer offenen Studie konnte bei 69% der Patienten eine *Verbesserung von mehr als 75%* der Clusterkopfschmerzparameter beobachtet werden. Die Dosie-

358

rung beginnt mit *3×80 mg pro Tag*. In Abhängigkeit vom Therapieerfolg kann bis auf Dosierungen von *360 mg* erhöht werden. Im Einzelfall können von erfahrenen Spezialisten auch höhere Dosierungen eingesetzt werden. Ein EKG vor Therapiebeginn und regelmäßige Blutdruckkontrollen sollen immer veranlaßt werden.

▬ Ergotamintartrat

Ebenfalls als prophylaktische Behandlung der ersten Wahl bei episodischem Clusterkopfschmerz gilt nach wie vor Ergotamintartrat. Es können damit *Erfolgsraten* der aktiven Clusterperioden *von über 70%* erwartet werden. Wenn die Gegenanzeigen beachtet werden, sind die *Nebenwirkungen* häufig bemerkenswert *gering*. Ein Teil der Patienten kann anfänglich mit Übelkeit oder Erbrechen reagieren. Wenn dies der Fall ist, können in den ersten drei Tagen zusätzlich 3×20 Tropfen Metoclopramid verabreicht werden. Die Dosierung von Ergotamintartrat erfolgt als Tablette oder als Zäpfchen in einer Menge von *3–4 mg pro Tag*, verteilt auf 2 Gaben.

Treten die Clusterattacken ausschließlich nachts auf, kann die Gabe eines Zäpfchens mit 2 mg Ergotamin zur Nacht ausreichend sein. Unter stationären Bedingungen kann bei nächtlichen Attacken die intramuskuläre Injektion von 0,25–0,5 mg Dihydroergotamin beim Schlafengehen das Auftreten der Clusterattacke verhindern.

Der Behandlungszeitraum sollte auf *maximal 4 Wochen* festgesetzt werden. Tritt nach Abbruch der Ergotamingabe erneut eine aktive Clusterperiode auf, kann die Behandlung weitergeführt werden. Möglich ist auch eine Therapieeinleitung mit Ergotamin über 5 Tage und die simultane Aufdosierung von Verapamil. Tritt die prophylaktische Wirkung ein, kann dann Ergotamin wieder abgesetzt und Verapamil weitergeführt werden.

Da bei episodischem Clusterkopfschmerz die Therapie *zeitlich begrenzt* ist, müssen Langzeitwirkungen der Ergotamineinnahme, insbesondere ein Ergotismus, nicht befürchtet werden. Allerdings ist es erforderlich, daß die Einnahmedauer und Dosierung *streng limitiert* wird. Als Therapiealternative zu den Ergotalkaloiden wird derzeit auch Naratriptan erprobt (Dosierung 3×2,5 mg).

Wird Ergotamintartrat zur Prophylaxe des Clusterkopfschmerzes eingesetzt, darf Sumatriptan nicht zur Attackentherapie angewandt werden.

Methysergid

Der Serotoninantagonist Methysergid gehört zu den wirksamen prophylaktischen Medikamenten in der Therapie des episodischen Clusterkopfschmerzes. Während Methysergid bei der Migräne häufig sehr zurückhaltend eingesetzt wird, da die Langzeitanwendung mit der Gefahr einer Fibrose verbunden sein kann (Häufigkeit etwa 1:20.000), ist diese Problematik beim episodischen Clusterkopfschmerz wegen des *zeitlich begrenzten* Einsatzes weniger von Bedeutung. Aus diesem Grunde ist die prophylaktische Therapie mit Methysergid in jedem Fall auf *3 bis maximal 6 Monate* zu begrenzen. Erst nach mindestens einer einmonatigen Pause kann bei Bedarf dann eine erneute Therapie mit Methysergid eingeleitet werden. Weitere Nebenwirkungen können sein: Übelkeit, Muskelschmerzen, Mißempfindungen, Kopfdruck und Fußödeme.

Ein Erfolg kann bei ungefähr *70%* der Patienten erwartet werden. Ebenso wie die prophylaktische Therapie mit Ergotamin kann auch der Einsatz von Methysergid bei wiederholten aktiven Clusterperioden *an Wirksamkeit verlieren*.

360

Die Dosierung kann *langsam* aufgebaut werden, bis sich ein ausreichender Erfolg einstellt. Man beginnt zunächst mit 3×1 mg Methysergid pro Tag und steigert bis maximal 3×2 mg pro Tag.

Kortikosteroide

Kortikosteroide werden zur Prophylaxe von Clusterkopfschmerzattacken oft und mit sehr zuverlässigem Erfolg eingesetzt, obwohl kontrollierte Studien zu dieser Therapieform fehlen. Im Hinblick auf die Modellvorstellung zur Enstehung des Clusterkopfschmerzes durch entzündliche Veränderungen ist der Einsatz von Kortikosteroiden begründet.

Hinsichtlich der *Dosierung* und der *zeitlichen Ausgestaltung* kann nur auf *Erfahrungswerte*, nicht jedoch auf kontrollierte Studien zurückgegriffen werden. Die wenigen Studien deuten daraufhin, daß beim episodischen Clusterkopfschmerz die Wirksamkeit zwischen 50 und 70%, beim chronischen Clusterkopfschmerz nur etwa 40% beträgt. Zuverlässige Vergleichsstudien mit anderen prophylaktischen Medikamenten liegen nicht vor.

Eine in verschiedenen Kopfschmerzzentren übliche Vorgehensweise besteht in der anfänglichen Gabe von 100 mg Prednison oder Prednisolon in zwei über den Tag verteilten Dosen. Dies wird über 3 Tage aufrechterhalten. Am 4. Tag wird die am Abend eingenommene Dosis um 10 mg reduziert. Oft ist bereits nach dem 1. bis 5. Tag eine deutliche Reduktion der Anfälle oder sogar eine komplette Anfallsfreiheit zu beobachten. Jeden weiteren 4. Tag wird dann die Dosis um weitere 10 mg reduziert, bis man bei 0 mg angekommen ist. Prinzipiell sollte die Prednisongabe nach den Mahlzeiten, vornehmlich nach dem Frühstück erfolgen. Aufgrund von Langzeitnebenwirkungen müssen Kortikosteroide bei chronischen Clusterkopfschmerzen zurückhaltend eingesetzt werden. Kortikosteroide sind Substanzen der 2. Wahl.

Lithium

Die klinische Wirkung wurde in einer Reihe offener, unkontrollierter Studien gezeigt. Es können Besserungen bei *bis zu 70%* der behandelten Patienten erwartet werden. Es wird angenommen, daß bei chronischem Clusterkopfschmerz eine bessere Wirksamkeit als bei episodischem Clusterkopfschmerz erzielt werden kann. Dabei ist von Interesse, daß nach einer Lithiumbehandlung eine chronische Verlaufsform wieder in eine episodische Verlaufsform mit freien Intervallen zurückgeführt werden kann.

Die Wirkungsweise von Lithium in der Therapie des Clusterkopfschmerzes ist nicht geklärt. In Vergleichstudien zwischen Lithium und Verapamil zeigt sich, daß beide Substanzen eine weitgehend ähnlich gute Wirksamkeit aufweisen. Verapamil ist jedoch hinsichtlich der Nebenwirkungen dem Lithium überlegen. Darüber hinaus ist der Wirkungseintritt nach Verapamilgabe schneller. Auch Lithium ist als Therapeutikum der 2. Wahl anzusehen. Eine Kombination mit Verapamil ist möglich.

Eine Lithiumtherapie muß durch einen damit erfahrenen Neurologen eingeleitet werden. Während der Therapie müssen *Serumspiegelkontrollen* vorgenommen werden, wobei der therapeutische Bereich bei einem Serumspiegel zwischen 0,4 und 1,2 mmol/l liegt. Normalerweise wird eine Dosis von 2×400 mg retardiertes Lithium benötigt; das entspricht einer Menge von 2×10,8 mmol Lithium. Die Therapieeinleitung erfolgt vom 1. bis zum 3. Tag mit täglich einer Tablette zu 400 mg am Morgen. Ab dem 4. Tag erhöht man dann auf täglich 2 Tabletten zu 400 mg retard.

Valproinsäure

In Studien ergaben sich Hinweise darauf, daß auch *Valproinsäure* zur Prophylaxe des Clusterkopfschmerzes eingesetzt werden kann. Hinweise für einen besonderen Vorteil oder eine Überlegenheit dieser Therapie gegenüber den oben genannten Substanzgruppen, gibt es jedoch nicht. Bei Wirkungslosigkeit anderer Therapiemethoden kann der Einsatz von Valproinsäure im Einzelfall versuchsweise erwogen werden.

Es empfiehlt sich eine *einschleichende Dosierung* mit stufenweisem Aufbau der optimal wirksamen Dosis. Die Anfangsdosis beträgt dabei in der Regel 5–10 mg/kg Körpergewicht; alle 4–7 Tage sollte um etwa 5 mg/kg erhöht werden. Die mittlere Tagesdosis beträgt für Erwachsene im allgemeinen 20 mg/kg Körpergewicht. Eine Wirkung kann teilweise *erst nach 2–4 Wochen* beobachtet werden. Aus diesem Grunde sollte eine langsame Dosisanpassung erfolgen und der Therapieerfolg im Einzelfall abgewartet werden. Bei Erwachsenen werden in der Regel Tagesdosen von 1.200 mg, verteilt auf 3 Einzelgaben, verabreicht. Der Einsatz erfordert die regelmäßige Kontrolle von Laborparametern sowie klinisch-neurologische Kontrolluntersuchungen durch einen erfahrenen Neurologen.

Prophylaktische Therapie des chronischen Clusterkopfschmerzes

Medikamente der ersten Wahl zur prophylaktischen Therapie des chronischen Clusterkopfschmerz sind

- Verapamil und
- Lithium.

Für den Einsatz von Verapamil spricht die geringere Nebenwirkungsrate und die bessere Steuerbarkeit der Therapie. Der Vorteil von Lithium besteht in der etwas besseren Wirkung. In einzelnen Fällen kann auch eine Kombination dieser beiden Therapiestrategien erwogen werden.

Substanzen der 2. und 3. Wahl sind Kortikosteroide, Valproinsäure, die Serotoninantagonisten und Methysergid. Auf Anwendungsbeschränkungen einer Dauertherapie ist hier unbedingt zu achten (s. oben). Die Einteilung der Substanzen in Medikamente der 1., 2. und 3. Wahl gibt Tabelle 7 wieder. Ergotamin darf aufgrund der problematischen Langzeitverträglichkeit nicht angewendet werden.

Unwirksame Therapieverfahren

Übliche Analgetika, seien es Opioide oder einfache Analgetika, sind in der Therapie der akuten Clusterattacke wirkungslos. Da Clusterattacken nach 30–60 Minuten spontan abklingen können, wird von vielen Patienten irrtümlicherweise angenommen, dies sei durch die Anwendung eines Analgetikums erzielt worden. Die Folge ist, daß über Jahre oder Jahrzehnte unnötigerweise ineffektive und nebenwirkungträchtige Medikamente eingenommen werden. Ohne Wirksamkeit sind auch Carbamazepin, Phenytoin, β-Rezeptorblocker, Antidepressiva, MAO-Hemmer, Histaminantagonisten, Biofeedback, Akupunktur, Neuraltherapie, Lokalanästhetika, physikalische Therapie, operative Maßnahmen und jegliche Form der Psychotherapie.

9 Unkonventionelle Behandlungsverfahren

Was man unter unkonventionellen Behandlungsverfahren versteht

Bevor Therapieverfahren in der Wissenschaft guten Gewissens empfohlen werden können, müssen die Methoden ihre Wirksamkeit und ihre Verträglichkeit in strengen Prüfungen unter Beweis gestellt haben. Dafür gibt es mehrere Gründe:

Patienten haben von unwirksamen Methoden keinen Nutzen.

Patienten können durch eventuelle Nebenwirkungen Schaden nehmen.

Die Versichertengemeinschaft muß für nutzlose Therapieverfahren zahlen.

Unkonventionelle medizinische Richtungen beinhalten diagnostische und therapeutische Methoden, deren Wirksamkeit und Verträglichkeit oft nicht mit der erforderlichen Sorgfalt und Qualität untersucht worden sind.

Dies bedeutet nicht, daß diese Methoden zwangsweise unwirksam sein müssen. Viele der heute etablierten konventionellen Therapieverfahren waren einmal unkonventionell. Der Saft der Saalweide, in dem der Wirkstoff von Aspirin enthalten ist, ist dafür ein gutes Beispiel. Allerdings kann man den Therapieeffekt von unkonventionellen Verfahren nicht kalkulieren, weil adäquate wissenschaftliche Studien fehlen. Zweifelsfrei wäre für die unkonventionellen Methoden überhaupt kein Platz, wenn die konventionellen Verfahren ausreichend für alle Menschen wirksam wären. Man sollte sich dem Thema also relativ vorurteilsfrei stellen.

Kältetherapie

Die Anwendung von Kälte bei Kopfschmerzen, die sog. Cryotherapie, ist ein altes Verfahren. Man legt kalte Umschläge um die Schläfen, Eisbeutel oder heute auch spezielle Kühlgels. Die Vorstellung zur Wirkung ist, daß die Blutgefäße sich durch den Kälteeffekt zusammenziehen. Einige Studien zeigen, daß diese Methoden bei leichten Kopfschmerzen einen angenehmen Effekt haben können, aber als eigenständiges Therapieverfahren nicht ausreichen.

Nackenmassagen

Nackenmassagen sollen die Nackenmuskulatur lockern. Es gibt bis heute keine kontrollierte wissenschaftliche Untersuchung, ob Massagen bei Migräne hilfreich sein können. Im Gegenteil berichten manche Patienten, daß durch Massagen sogar Migräneattacken ausgelöst werden können.

Chiropraktik

Chiropraktische Methoden versuchen u.a., die Beziehung der Wirbelgelenke der Halswirbelsäule gegeneinander zu korrigieren. Obwohl es sehr viele Untersuchungen zur Wirksamkeit von chiropraktischen Methoden in der Behandlung von Kopfschmerzerkrankungen gibt, werden diese fast ausnahmslos wegen erheblicher methodischer Mängel nicht anerkannt.

In einer methodisch gut kontrollierten Studie fand sich kein Unterschied zwischen einer chiropraktischen Behandlung, leichten Halswirbelsäulenbewegungsübungen und einer Massagebehandlung. In seltenen Fällen kann zudem durch chiropraktische Manipulation ein Schlaganfall ausgelöst werden. Es scheint also kein Grund zu bestehen, dieses Risiko bei mangelnder Wirksamkeit einzugehen.

Elektrostimulation

Stimulation des Nackens oder anderer Körperteile mit elektrischem Strom wird bei Kopfschmerzen schon seit über 100 Jahren eingesetzt. Heute werden Strombehandlungen in Form von »transkutaner elektrischer Nervenstimulation (TENS)« oder »Punktueller transkutaner elektrischer Nervenstimulation (PuTENS)« angeboten. Beide Verfahren verwenden Hautelektroden, über die der Strom durch die Haut (=transkutan) Nerven stimulieren kann.

Die beiden Methoden unterscheiden sich in der Art der Elektroden, es werden entweder großflächige Elektroden oder punktuelle Elektroden eingesetzt. Die Verfahren werden zur Vorbeugung von Migräneattakken von Geräteanbietern empfohlen. Wissenschaftliche

Studienergebnisse können derzeit so interpretiert werden, daß nur bei einigen Patienten zeitweise Besserung erzielt wird.

▒ Zahnbehandlungen

Obwohl zweifelsfrei Kopf- und Gesichtsschmerz durch Störungen des Kausystems verursacht werden können, gibt es bis heute keine gesicherten Hinweise dafür, daß die Migräne durch solche Anomalien verursacht wird. Manchmal werden Zahnspangen oder Aufbißschienen bei Migräne angeraten. Studien, die die Wirksamkeit solcher Therapien belegen, liegen jedoch nicht vor.

▒ Akupunktur

Akupunktur ist ein etwa 4000 Jahre altes chinesisches Verfahren, das bei allen möglichen Krankheiten und Beschwerden wirksam sein soll. Das Image der Akupunktur in der sog. Regenbogenpresse ist außerordentlich gut, und wohl jeder Patient, der an hartnäckigen Kopfschmerzen leidet, wünscht sich, daß er mit diesem »Wunderverfahren« seine Kopfschmerzen los wird.

Die »Akupunktur« an sich gibt es nicht. Es werden eine Reihe unterschiedlicher Verfahren eingesetzt, die Körperakupunktur, die Ohrakupunktur, die Auriculotherapie, Moxibustion, Akupunkturinjektionen, Nadelakupunktur mit elektrischer Stimulation, Elektroakupunktur, Laserakupunktur etc.

Bei der *klassischen chinesischen* Akupunktur werden in bestimmte Hautpunkte Nadeln aus Stahl, Gold oder Silber eingestochen. Die Punkte werden auf bestimmten Linien lokalisiert, welche den gesamten Körper überziehen und von den Chinesen »Jing luo« genannt wurden, übersetzt etwa »netzartig verbindende Gefäß-Nervensysteme«. Westliche Ärzte nennen diese Linien in Anlehnung an das Meridiansystem der Erde »Meridiane«. Nach der traditionellen Lehre soll in diesen Linien die Lebensenergie fließen. Durch das Einstechen der Akupunkturnadeln soll der gestörte Energiefluß reguliert und normalisiert werden.

Das Gedankengebäude findet sich auch in westlichen historischen Migränetheorien, die davon ausgingen, daß »Dämpfe« oder »Geister« im Schädelinneren stören. Durch Einbohren von Löchern in den Schädel versuchte man diese Dämpfe um- und abzuleiten.

Heute wird die Wirkung der Akupunktur mit modernen Konzepten zur Schmerzwahrnehmung zu erklären versucht. Es wird vermutet, daß durch die Akupunktur endogene Opioidsysteme stimuliert werden. Das Einstechen von Nadeln soll die körpereigenen Schmerzabwehrsysteme aktivieren.

Das methodische Vorgehen bei der Akupunktur ist an sich sehr einfach: Man sticht senkrecht, schräg oder tangential Nadeln in die Haut. Anschließend kann man die Nadel drehen, heben, senken oder anderweitig stimulieren. Akupunktur ist vom Prinzip her leicht erlernbar, und wenn man von dem Honorar der Akupunkteure absieht, spottbillig, da die Einmalnadeln für Pfennigbeträge zu erhalten sind.

Studien zur Bewertung der Akupunktur sind durch große methodische Probleme belastet. Oft wurden enthusiastische, freiwillige Patienten untersucht, da Zweifler sich für eine Therapie erst gar nicht bereiterklärt haben. Eine Plazebokontrolle ist nicht möglich (s. S. 198), und die Behandlung kann nicht vorurteilsfrei ausgewertet werden, weil ein sog. doppelblindes Vorgehen nicht möglich ist. Weitere Probleme an vielen Akupunkturstudien sind unangemessene Wirksamkeitsparameter und mangelnde statistische Auswertungen. Trotzdem gibt es einige wenige Studien, die heutigen wissenschaftlichen Kriterien entsprechen. Leider ist das Ergebnis dieser Studien sehr widersprüchlich. Ein bedeutsamer Therapieeffekt kann in diesen Studien nicht nachgewiesen werden.

Zweifelsfrei nimmt die Migränehäufigkeit in der ersten Zeit einer Akupunkturbehandlung ab. Diese Abnahme unterscheidet sich jedoch nicht von einer Plazebobehandlung. Berücksichtigt man diese Studienergebnisse, muß man leider feststellen, daß nach derzeitigem Wissen die verschiedenen Akupunkturbehandlungen allenfalls kurzfristige und mäßige Therapieeffekte zeigen. Akupunktur schadet, wenn sie anstatt nachgewiesenen wirksamen Therapieverfahren eingesetzt wird und somit Zeit für eine effektive Behandlung verlorengeht. Da Akupunktur eine simple Methode ist, sollte sie möglichst bald entmystifiziert und entideologisiert werden. Eine vorurteilsfreie Bewertung der Verfahren in wissenschaftlichen Untersuchungen könnte dann den Stellenwert nachvollziehbar machen.

Akupressur

Bei dieser Methode können die Patienten selbst mit dem Daumen oder dem Zeigefinger bestimmte Punkte drücken oder massieren. Zudem muß Entspannung und Ruhe eingehalten werden. Wissenschaftliche kontrollierte Studien zur Wirksamkeit bei Migräne sind nicht bekannt, die Wirksamkeit ist also nicht belegt.

Hypnose

Die Hypnose ist eine besondere, vertiefte Entspannungsmethode; für einige Anwendungsgebiete ist ihre Wirksamkeit zweifelsfrei belegt. Bis heute gibt es jedoch keine Studie, die belegt, daß diese Methode bei Kopfschmerzen effektiv ist.

Kneipp-Therapie

Wassertreten, Wechselbäder, Knie-, Schenkel-, Arm- und Gesichtsgüsse werden bei Kopfschmerzen empfohlen. Kontrollierte Studien zur Wirksamkeit, die wissenschaftlichen Kriterien genügen, stehen aus.

Sauna

Saunabesuche können maßgeblich die Befindlichkeit verbessern. Bei einigen Menschen sind sie jedoch auch Auslöser von Migräneattacken. Kontrollierte Studien zur Wirksamkeit bei Kopfschmerzen sind nicht bekannt.

Stellatum-Blockaden

Dabei werden Lokalanästhetika in das Ganglion stellatum, eine Nervenumschaltstelle am Hals, gespritzt. Man glaubt damit Durchblutungsstörungen zu beheben. Ein Effekt in der Therapie von Kopfschmerzen ist bisher nicht nachgewiesen worden.

Neuraltherapie

Die Neuraltherapie versucht u.a., Störfelder durch Injektionen von Lokalanästhetika zu beheben. Diese Therapieform wird für verschiedenste Erkrankungen eingesetzt. Ein Effekt in der Therapie von Kopfschmerzen durch kontrollierte wissenschaftliche Studien ist ungeklärt.

Schlafkuren

Während der Schlafkur werden Patienten in einen leichten Dämmerschlaf über mehrere Tage versetzt. Die Schlaftiefe erlaubt jedoch noch den Gang zur Toilette.

Eine Wirkung in der Therapie von Kopfschmerzen ist durch kontrollierte wissenschaftliche Studien bisher nicht nachgewiesen.

Fokalsanierung

Chronische Infekte, insbesondere im Bereich der Zähne, sollen zur Entstehung von chronischen Erkrankungen führen. Durch eine Beseitigung des Krankheitsherdes (= Fokus) soll eine Genesung resultieren. Therapeutisch werden deshalb kranke Zähne saniert, ggf. auch das gesamte Gebiß entfernt. Eine Wirksamkeit in der Therapie von Kopfschmerzen durch kontrollierte wissenschaftliche Studien ist bisher ungeklärt.

Magnetfeldtherapie

Magnetfelder verschiedener Stärke wurden gegen Kopfschmerzen eingesetzt. Studien, die eine Wirksamkeit bei Kopfschmerzen belegen, sind nicht bekannt.

Diäten

Eine naturgemäße Ernährung ist zweifelsfrei gesünder als denaturierte Industrienahrung. Die Abstinenz von Genußgiften ist ebenfalls ein wichtiger Aspekt einer gesunden Lebensweise. Es wurden spezielle Diätprogramme entwickelt, wie z. B. die Evers-Diät und andere Verfahren. Ausgeglichene gesunde Ernährung hat zweifelsfrei viele Vorteile. Sieht man von der Vermeidung von speziellen Auslösefaktoren ab, ist ein spezifischer Effekt von speziellen Diäten in der Therapie von Kopfschmerzen durch kontrollierte wissenschaftliche Studien bisher jedoch nicht nachgewiesen.

Schlangen-, Spinnen- und Skorpiongifte

Die Einspritzung von Giften stammt aus dem chinesischen Kulturkreis und wird heute noch von Heilpraktikern eingesetzt. Die Gifte sollen auf das Nerven- und Immunsystem wirken. Eine nachvollziehbare Erklärung für diese Therapiemethode existiert nicht.

Anhang 1:
Adressen und Informationen

Selbsthilfegruppen

Selbsthilfegruppen sind ein sehr wichtiger Bestandteil einer effektiven Behandlung von Kopfschmerzen. Über das Bestehen von Selbsthilfegruppen können Sie sich entweder bei Ihrer Krankenkasse oder bei folgenden Adressen informieren:

Überregional

AOK-Selbsthilfeservice
Schmerzklinik Kiel
Heikendorfer Weg 9–27
24149 Kiel
Tel: 0431–2 00 99 39
Fax: 0431–2 00 99 99

Deutsche Schmerzliga
Roßmarkt 23
60311 Frankfurt am Main
Tel: 069–29 98 80 75
Fax: 069–29 98 80 33

Migräne Liga e.V.
Westerwaldstraße 1
65462 Ginsheim-Gustavsburg

NAKOS
Nationale Kontakt und Informationsstelle zur Anregung
und Unterstützung von Selbsthilfegruppen der Deut-
schen Arbeitsgemeinschaft Selbsthilfegruppen e.V.
Albrecht-Achilles-Straße 65
10709 Berlin
Tel: 030–8 91 40 19
Fax: 030–8 93 40 14

Aktive Schmerzhilfe e.V.
Gemeinnütziger Selbsthilfeverein
Postfach 206
47702 Krefeld
Tel: 0251/76 17 97

██ **Regional**

Baden-Württemberg
Landesarbeitsgemeinschaft der Kontakt und Informa-
tionsstellen für Selbsthilfegruppen Baden-Württemberg
c/o KISS Stuttgart
Waltraud Trukses
Marienstraße 9
70178 Stuttgart
Tel: 0711–6 40 61 17
Fax: 0711–6 07 45 61

Bayern
Landesarbeitsgemeinschaft der Selbsthilfekontaktstellen
in Bayern
c/o Die MITARBEIT e.V.
Hannes Lachenmair
Einsteinstraße 111, 2. OG
81675 München
Tel: 089–4 70 65 03
Fax: 089–6 88 53 05

Berlin
SELKO e.V. Verein zur Förderung von Selbsthilfekon-
taktstellen in Berlin
Karin Stötzner
Albrecht Achilles Straße 65
10709 Berlin
Tel: 030–8 92 66 02
Fax: 030–8 93 54 94

Bremen
Selbsthilfeunterstützerstellen (Sehunt)
c/o Bremer Gesundheitsladen e.V.
Jobst Pagel
Braunschweiger Straße 53 b
28205 Bremen
Tel: 0421–4 98 86 34
Fax: 0421–4 98 42 52

Hamburg
c/o KISS Altona
Astrid Estorffklee
Gaußstraße 21
22765 Hamburg
Tel: 040–39 57 67
Fax: 040–39 60 98

Hessen
Hessische Arbeitsgemeinschaft der Kontaktstellen
für Selbsthilfegruppen
c/o Kontaktstelle für Selbsthilfegruppen
Jürgen Matzat
Friedrichstraße 33
35392 Gießen
Tel: 0641–7 02 24 78

Mecklenburg-Vorpommern
c/o KISS Schwerin
Uta Schwarz
Anne Frank Straße 31
19061 Schwerin
Tel: 0385–3 92 43 33
Fax: 0385–3 92 43 33

Niedersachsen
Arbeitskreis Niedersächsischer Kontakt
und Beratungsstellen im Selbsthilfebereich
c/o BeKoS Monika Klumpe
Lindenstraße 12a
26123 Oldenburg
Tel: 0441–88 48 48
Fax: 0441–88 34 44

Nordrhein-Westfalen
Arbeitsgemeinschaft Kontakt und Informationsstellen
für Selbsthilfe und Selbsthilfegruppen in Nordrhein-
Westfalen AG KISS NW
c/o Wiese e.V. Dr. Karl Deiritz
Pferdemarkt 7
45127 Essen
Tel: 0201–20 76 76
Fax: 0201–20 74 08

Rheinland-Pfalz
Selbsthilfebüro am Ministerium für Arbeit, Soziales
und Gesundheit
Christiane Gerhardt
Bahnhofstraße 9
55021 Mainz
Tel: 06131–16 20 07
Fax: 06131–16 43 75

Saarland
KISS Kontakt und Informationsstelle
für Selbsthilfegruppen im Saarland
Beate Ufer
Hafenstraße 4
66111 Saarbrücken
Tel: 0681–3 75 73 89
Fax: 0681–37 57 48

Sachsen
Landesarbeitsgemeinschaft der Selbsthilfekontaktstellen
Sachsens (LAG SKS)
c/o KISS Meißen – Dresden Land
Jana Graedtke, Regina Riedel
Dr.Wilhelm-Külz-Straße 4
01445 Radebeul
Tel: 0351–8 38 71 60

Sachsen-Anhalt
Landesarbeitsgemeinschaft der Selbsthilfekontaktstellen
Sachsen Anhalt
c/o Kontaktstelle für Selbsthilfegruppen in der Altmark
Frau Roßberg
Nicolaistraße 21
34576 Stendal
Tel: 03931–71 28 55
Fax: 03931–71 28 55

Schleswig-Holstein
c/o KISS Lübeck
Irene Machmar
Schmiedestraße 7
23539 Lübeck
Tel: 0451–1 22 53 77
Fax: 0451–1 22 53 90

Thüringen
Thüringer Selbsthilfeplenum e.v.
Kerstin Strähmel
Rathenaustraße 10
07745 Jena
Tel: 03641–61 53 60
Fax: 03641–61 53 60

Gestaltung von Gruppentreffen

(Quelle: SEIN e.V., Kontaktstelle für Selbsthilfe und Initiative in Berlin-Mitte, Rungestr. 36, 10179 Berlin)

Blitzlichtrunde

Am Anfang der Sitzung kommt jeder Teilnehmer kurz zu Wort: »Wie geht es mir, wie fühle ich mich selbst und im Verhältnis zur Gruppe und was erwarte ich vom heutigen Treffen?«

Auch am Ende jeder Sitzung erweist sich eine Blitzlichtrunde als sehr nützlich: »Wie ist es mir ergangen und wie fühle ich mich jetzt, was steht bis zum nächsten Mal für mich noch an zu klären?« Es ist auch möglich eine Blitzlichtrunde einzulegen, wenn sich Störungen in der Gruppe zeigen.

380

Wechselnde Gruppenleitung

Eine oder zwei Teilnehmer übernehmen jeweils für ein Treffen die Moderation. Alle sollen nacheinander drankommen, damit die gemeinsame Verantwortung für die Gruppe wächst. Moderation heißt, darauf zu achten, daß pünktlich begonnen und beendet wird, Vereinbarungen eingehalten werden, jeder ausreden kann, niemand an den Rand gedrängt oder bedrängt wird, sich niemand den Raum allein nimmt, nicht gegenseitig interpretiert, analysiert oder wegdiskutiert wird, sondern jeder seine konkreten Erfahrungen einbringen kann.

Moderation kann auch heißen, der Gruppe ein Thema oder eine Übung vorzuschlagen.

Selbstverantwortung

Jeder Teilnehmer ist selbst dafür verantwortlich, was er in der Gruppe macht oder sagt. Das bedeutet auch, daß er seinen Beitrag wie und wann einbringt, so wie er es will und braucht. Jeder Teilnehmer geht nur soweit, wie es ihm gut tut, auch dann, wenn alle anderen meinen, er würde sich drücken oder ablenken.

Störungen haben Vorrang

Wenn jemand nicht mehr zuhören kann, beunruhigt, traurig oder wütend ist, dann wird dies zuerst besprochen, bis alle wieder einverstanden mit dem Fortfahren sind. Jeder Teilnehmer hat die Verantwortung, Unstimmigkeiten zwischen den Gruppenteilnehmern (Mißtrauen, Konkurrenz, Dominanz) möglichst bald auszusprechen.

381

Eingrenzen auf ein Thema

Um zu vermeiden, daß manche mit einem frustrierten Gefühl wieder gehen, kann es sinnvoll sein, sich für jedes Treffen ein Thema zu suchen. War ein Thema ausgemacht, sorgt die Gruppenleitung dafür, daß es auch angegangen wird. Allerdings haben auch hier Störungen Vorrang.

Sicherheit und Vertrauen

Der Aufbau von Vertrauen und Sicherheit ist ein Prozeß, der sich erst nach und nach entwickeln kann. Neue Mitglieder, gegenseitige Verletzungen, mangelnde Bereitschaft sich einzubringen usw. können das Vertrauensverhältnis in der Gruppe stören. Es erfordert immer wieder Geduld, Zeit, gegenseitige Akzeptanz und Verständnis, um das Vertrauen in der Gruppe erneut herzustellen.

Übungen

Übungen zu zweit, zu dritt oder in der Runde bieten Struktur und damit auch Hilfe, sich selbst und dem Thema näherzukommen. Ein Austausch darüber ist wichtig.

Hinweise zum Umgang mit Interaktionsübungen und Entspannungsverfahren können in der Kontaktstelle erfragt werden.

Anleitung

Falls Sie noch mehr Handwerkszeug für den Umgang miteinander benötigen oder die Gruppe in einer Krise ist und nicht mehr alleine damit zurechtkommt (Anzeichen sind z.B. allgemeine Unzufriedenheit, zu viele Laberstunden, zu häufiges Aussteigen Einzelner, fruchtlose Streitereien usw.), dann melden Sie sich bitte in der Kontaktstelle.

Kopfschmerzspezialisten

Kopfschmerzbehandlung muß in der Regel langfristig geplant und immer wieder an die Gegebenheiten angepaßt werden. Deshalb sollte möglichst eine wohnortnahe Behandlung erfolgen. Von einem weit entfernten Kopfschmerzspezialisten kann auch beim besten Willen eine Langzeitbetreuung nicht erwartet und realisiert werden.

Leider ist in der ärztlichen Praxis nicht immer genügend Zeit und Raum, Kopfschmerzprobleme individuell zu lösen. Während des sechsjährigen Medizinstudiums wurde in der Vergangenheit zudem das Problem Kopfschmerz nahezu völlig übergangen, so daß eine spezifische Ausbildung zur Kopfschmerzbehandlung nicht erfolgte. Immerhin wird an manchen Universitäten jetzt eine Stunde (!) während des sechsjährigen Studiums der Kopfschmerztherapie gewidmet. Auch in Kursen für die Zusatzausbildung »Spezielle Schmerztherapie« werden nur bis zu 6 Stunden für das Thema aufgebracht. Das alles ist nur ein Tropfen auf den heißen Stein.

Ärzte oder Psychologen zu finden, die sich spezifisch mit Kopfschmerzen beschäftigt haben, ist deshalb sehr schwierig. Banale, alltägliche Kopfschmerzen kann selbstverständlich jeder Arzt behandeln. Gerade aber bei Problemkopfschmerzen stellt sich oft die Frage, wie ein Spezialist für Kopfschmerzen gefunden werden kann. Allgemeine Schmerzambulanzen sind oftmals keine Lösung, da eine Spezialisierung auf die vielfältigen Kopfschmerzformen in den meisten Schmerzambulanzen nicht besteht. Aus diesem Grund wird auch auf die Auflistung solcher Adressen verzichtet. In erster Linie sollte man bei seiner Krankenkasse nachfragen, die eine Liste mit Ärzten vorliegen hat, die sich einer Ausbildung in spezieller Schmerztherapie unterzogen haben. Auch die Selbsthilfeinstitutionen können mit Adressen und Ratschlägen weiterhelfen. Eine aktuelle Liste von speziell weitergebildeten Kopfschmerzexperten ist im Internet unter der Adresse *www.schmerzklinik.de* abrufbar. Unter dieser Adresse finden sich auch weitere aktuelle Informationen zum Thema Kopfschmerzen und Migräne, es lassen sich Kopfschmerzkalender ausdrucken und interaktive Anfragen stellen.

Die Deutsche Migräne- und Kopfschmerzgesellschaft versendet auf Anfrage eine Liste der Mitglieder.

Stationäre Kopfschmerztherapie

Eine Kopfschmerzklinik ist eine Einrichtung zur Diagnostik und Behandlung von Kopfschmerzerkrankungen. Typischerweise werden Kopfschmerzkliniken von einem multidisziplinären Team aus Neurologen, Psychiatern, Psychologen und anderen medizinischen Berufsgruppen geführt. Kopfschmerzkliniken sind auf die Diagnostik und die Behandlung von schweren und immer wiederkehrenden Kopfschmerzen spezialisiert.

Die Behandlung in einer Kopfschmerzklinik kann aus folgenden Gründen notwendig sein:

- Die gestellte *Kopfschmerzdiagnose* bleibt nach einer entsprechenden Bewertung durch einen nichtspezialisierten Arzt zweifelhaft.
- Die *Behandlung* der Kopfschmerzerkrankung ist unbefriedigend oder von deutlichen Nebenwirkungen begleitet.
- Die kopfschmerzinduzierte *Behinderung* ist trotz Behandlungsbemühungen von Nichtspezialisten weiterhin ausgeprägt.
- Es besteht ein täglicher Dauerkopfschmerz bei *falscher Medikation,* insbesondere durch Medikamentenmißbrauch.
- Zusätzliche *Erkrankungen* komplizieren die Behandlung.
- Zusätzliche *psychische und soziale Belastungen* erschweren die Behandlung wesentlich.

Bei der spezialisierten stationären Kopfschmerztherapie besteht im deutschsprachigen Raum ein extremer Engpaß. Es gibt in der Regel Wartezeiten von vielen Monaten bis zur Klinikaufnahme. Bisher werden eine Reihe von gesetzlichen Krankenkassen ihrem Versorgungsauftrag bei der speziellen stationären Kopfschmerztherapie nicht gerecht, Gesundheitspolitik und Wissenschaft sind ebenfalls nicht ausreichend tätig. Erfreulicherweise gibt es jedoch neue Entwicklungen, die der Bedeutung von Schmerzerkrankungen Rechnung tragen. Am Beispiel der *Schmerzklinik Kiel* kann dies deutlich gemacht werden: Die neurologisch-verhaltensmedizinische Schmerzklinik Kiel macht als Modellprojekt die Erkenntnisse der internationalen Schmerzforschung für die Bevölkerung verfügbar. Dies geschieht auf Grundlage der neu geschaffenen Bestimmungen des Sozialgesetzbuches (§ 63ff SGB V) in Zusammenarbeit mit der AOK Schleswig-Holstein und in Kooperation mit dem Klinikum der Christian-Albrechts-Universität zu Kiel. Kriterien des Sozialgesetzbuches für die Anerkennung als Modellprojekt sind neben der innovativen, medizinischen Konzeption die kostengünstige Leistungserbringung. Die Ziele der neurologisch-verhaltensmedizinischen Schmerzklinik Kiel sind:

- die Reduktion von Schmerzen, die Wiederherstellung von Lebensqualität und der Abbau von sozialer Isolation,
- der Aufbau einer aktiven, eigenen Lebensführung,
- die Erhaltung und Wiederherstellung der Arbeitsfähigkeit und
- die Kostenreduktion durch Beendigung einer kontinuierlichen Inanspruchnahme von Gesundheitsdiensten aufgrund fehlender Klarheit über die Schmerzursache und deren Behandlungsmöglichkeit.

Das Besondere der neurologisch-verhaltensmedizinischen Schmerzklinik Kiel ist, daß erstmalig die Möglichkeit geschaffen wurde, in einer stationären und interdisziplinär arbeitenden Einrichtung ausschließlich Menschen mit entsprechenden chronischen Schmerzerkrankungen zu behandeln. Im Vordergrund der Maßnahmen steht der Einsatz aktueller diagnostischer Verfahren nach neuesten internationalen Standards und die interdisziplinäre Analyse der neurologischen und verhaltensmedizinischen Ursachen chronischer Schmerzen. Aufwendige diagnostische Fragen werden in Kooperation mit den schmerztherapeutischen Einrichtungen der Universität Kiel gelöst. Realisiert wird ein multidimensionales stationäres Behandlungskonzept, das nichtmedikamentöse und medikamentöse Strategien im Sinne eines ganzheitlichen Ansatzes verbindet. Darüber hinaus

386

stellt die neurologisch-verhaltensmedizinische Schmerzklinik Kiel auch eine Weiterbildungsstätte zur Verbesserung der ambulanten Versorgung von chronischen
Schmerzpatienten dar. Die Weiterentwicklung der wissenschaftlichen Standards auf dem Gebiet der Schmerztherapie ist ein weiteres Charakteristikum der Schmerzklinik Kiel, wobei Forschung und Lehre im Bereich der
Migräne und der Kopfschmerzerkrankungen in Kooperation mit dem Klinikum der Universität Kiel ebenfalls
ein Schwerpunkt dieser Tätigkeiten darstellt.

Weitere Informationen sind über die Adresse

Neurologisch-Verhaltensmedizinische
Schmerzklinik Kiel
in Kooperation mit der Universität Kiel
Heikendorfer-Weg 9–27
24149 Kiel
Tel 0431–20 09 9-0
Fax 0431–2 00 99 99

abrufbar.

Adressen regionaler stationärer schmerztherapeuti-
scher Einrichtungen sind bei den lokalen Krankenkassen
erhältlich.

Psychotherapie bei Kopfschmerzen

Bei der Auslösung und Aufrechterhaltung von
Kopfschmerzen können auch psychische Mechanismen
eine wichtige Rolle spielen. In solchen Fällen ist eine
Psychotherapie wirksam. Allerdings gibt es sehr unterschiedliche Formen der Psychotherapie. Besonders bekannt sind die sog. aufdeckenden Verfahren und die
Verhaltenstherapie, die als wirksamste Form bei

Schmerzen angesehen wird. Sie kann von speziell ausgebildeten Ärzten und Diplom-Psychologen durchgeführt werden. Die Krankenkassen übernehmen die Behandlungskosten auf Antrag.

Psychoanalyse (aufdeckende Verfahren)

Diese Therapieformen gehen von der Annahme aus, daß Schmerzen Ausdruck eines Konfliktes zwischen der Erfüllung verbotener Wünsche und ihrer Bestrafung sein können. Dieser Konflikt soll in der Therapie aufgedeckt werden. Psychoanalytische Verfahren sind in der Regel langwierig und bei Kopfschmerzen wenig erfolgreich.

Verhaltenstherapie

Die Verhaltenstherapie sieht die psychischen Bedingungen von Schmerzen nicht in bestimmten Persönlichkeitseigenschaften oder in zurückliegenden Konflikten bzw. anderen psychischen Prozessen, sondern nimmt als eine Bedingung von hartnäckigen Schmerzproblemen Lernvorgänge an. Dazu gehören u. a. positive Verstärkung (z. B. Zuwendung durch den Partner), negative Verstärkung (z. B. Verschonung von bestimmten Arbeiten) oder Ausbleiben der Verstärkung von gesundem Verhalten (z. B. kein Erfolg bei sportlicher Tätigkeit). Beobachtungslernen, z. B. in der Familie, kann ebenfalls bei chronischen Schmerzen beteiligt sein. Neben äußerem kann auch inneres Verhalten, wie z. B. Gedanken oder körperliche Reaktionen, Schmerzen mitbedingen. In der Verhaltenstherapie wird versucht, das erlernte Problemverhalten durch Gegenmaßnahmen wieder zu

388

verlernen und positives, gesundes Verhalten zum Ausgleich aufzubauen. Verhaltenstherapie zeigt bei Schmerzen von allen Psychotherapieformen den schnellsten und zuverlässigsten Effekt.

Kopfschmerzmedikamente

Eine Auflistung der mehreren Hundert Schmerz- und Migränemittel würde verwirren. Aus diesem Grund sollen nachfolgend nur die wichtigsten Substanzgruppen und einige Markennamen aufgelistet werden, mit denen der Autor eigene Erfahrungen hat und die er aus der täglichen Praxis persönlich kennt (Tabellen 1–4). Die Reihenfolge der Präparate ist dabei ohne Wertung der Qualität.

Allgemeingültige Angaben zur Dosierung sind nicht möglich, Hinweise dazu befinden sich in den Beipackzetteln. Die nachfolgenden Merkblätter geben nur die wichtigsten Informationen zu den einzelnen Medikamentengruppen wieder. Im Einzelfall befragen Sie bitte Ihren Arzt bzw. Apotheker.

Tabelle 1. Medikamente gegen Übelkeit, Erbrechen und zur Normalisierung der Magenbeweglichkeit.

Substanz	Handelsname	Rezept erforderlich?	Darreichungsform
Metoclopramid	Paspertin	Ja	Tropfen oder Zäpfchen
	Gastrosil	Ja	Tropfen oder Zäpfchen
Domperidon	Motilium	Ja	Tropfen oder Zäpfchen

Tabelle 2. Medikamente gegen Kopfschmerzen.

Substanz	Handelsname	Rezept erforderlich?	Darreichungsform
Acetylsalicylsäure	Aspirin+C	Nein	Brausetabletten
	Aspirin direkt	Nein	Kautabletten
	ASS-ratiopharm	Nein	Tabletten
	Spalt	Nein	Tabletten
Paracetamol	Benuron	Nein	Tabletten oder Zäpfchen
	Paracetamol-ratiopharm	Nein	Tabletten oder Zäpfchen
	Sinpro-N	Nein	Brausegranulat oder Tabletten
Pfefferminzöl	Euminz	Nein	10%iges Öl in alkoholischer Lösung zum äußerlichen Auftragen auf schmerzhafte Stellen des Kopfes
Ibuprofen	Aktren	Nein	Dragees
	Ibu-Vivimed	Nein	Filmtabletten
	Ibuprofen 200	Nein	Filmtabletten
Naproxen	Proxen	Nein	Tabletten

Tabelle 3. Medikamente gegen mittelschwere und schwere Migräneattacken.

Substanz	Handelsname	Rezept erforderlich?	Darreichungsform
Eletriptan		Ja	Filmtabletten zu 40 mg
Naratriptan	Naramig	Ja	Filmtabletten zu 2,5 mg
Rizatriptan	Maxalt	Ja	Filmtabletten zu 10 mg
Sumatriptan nasal	Imigran nasal	Ja	Dosier-Nasenspray zu 20 und 10 mg
Sumatriptan oral	Imigran 50	Ja	Filmtabletten zu 50 mg
	Imigran 100		Filmtabletten zu 100 mg
Sumatriptan s.c.	Imigran s.c.	Ja	Fertigkartuschen zu 6 mg zur selbständigen Injektion mit dem Glaxopen
Sumatriptan Suppositorien	Imigran Supp	Ja	Zäpfchen zu 25 mg
Zolmitriptan	AscoTop	Ja	Filmtabletten zu 2,5 mg

Tabelle 4. Medikamente zur vorbeugenden Behandlung von Migräneattacken.

Substanz	Handelsname	Rezept erforderlich?	Darreichungsform
Amitriptylin	Saroten	Ja	Dragees
	Saroten retard	Ja	Kapseln
Cyclandelat	Natil	Nein	Kapseln
Flunarizin	Sibelium	Ja	Tabletten
Metoprolol	Beloc mite	Ja	Tabletten
	Beloc		
Propranolol	Dociton	Ja	Tabletten

Metoclopramid, Domperidon

(In Apotheken nur mit Rezept erhältlich)
Appetitlosigkeit, Übelkeit und Erbrechen können Begleitsymptome von Migräneattacken sein. Zusätzlich ist oft die Muskulatur des Magens in ihrer Fortbewegungsfunktion gestört. Sogenannte Antiemetika (lat. emesis = Erbrechen) sollen diese Funktionsstörungen bei Migräne beheben. Die herabgesetzte Magenbeweglichkeit während der Migräne führt außerdem dazu, daß die üblichen, als Tablette eingenommenen Migränemittel nur schwer in den Darm weitertransportiert werden. Die gewünschte Wirkung bleibt dann aus. Aus diesem Grunde sollte man bei Migräne 15 Minuten vor Einnahme des Migränemittels ein Antiemetikum einnehmen. Innerhalb dieses Zeitraumes wird die Steuerung der Magenbeweglichkeit wieder normalisiert und das Migränemittel kann dann seine Wirksamkeit entfalten.

Wirkungsbild
Normalisierung der Magen-Darm-Beweglichkeit, Linderung von Übelkeit und Erbrechen.

Anwendung
Metoclopramid: 20 Tropfen. Bei frühem Erbrechen ein Zäpfchen mit 20 mg. Ersatzweise Domperidon: 30 Tropfen.

Vorsichtsmaßnahmen
Ein vorsichtiger Einsatz sollte bei Nierenerkrankungen und bei Kindern unter 14 Jahren erfolgen. Die Medikamente dürfen bei Darmverschluß und Blutungen, Epilepsie, Bewegungsstörungen, bestimmten hormonbildenden Tumoren und in Kombination mit MAO-Hemmern nicht eingesetzt werden.

Mögliche unerwünschte Wirkungen

Selten treten Müdigkeit, Schwindel oder Durchfall auf. Sehr selten können kurz nach der Einnahme Bewegungsstörungen in Form von unwillkürlichen Mundbewegungen, Schlund- und Zungenkrämpfen, Kopfdrehungen, Schluckstörungen oder Augendrehungen auftreten.

In diesem Fall liegt eine Überdosierung vor und ein Arzt sollte gerufen werden. Durch Gabe eines Gegenmittels können diese Erscheinungen schnell behoben werden.

Pfefferminzöl

(In Apotheken mit oder ohne Rezept erhältlich)

Pfefferminzöl in alkoholischer Lösung ist ein äußerlich anzuwendendes pflanzliches Schmerzmittel. Der Wirkstoff ist ein standardisiertes ätherisches Öl (Menthae piperitae aetheroleum) aus den blühenden, oberirdischen Teilen der Pfefferminze (Mentha piperita L.). Die therapeutische Wirksamkeit von Pfefferminzöl in alkoholischer Lösung wurde in kontrollierten klinischen Studien geprüft. Bereits 15–30 Minuten nach dem Auftragen auf die Stirn- und Schläfenhaut konnte im Vergleich zu Placebo eine signifikante Reduktion der Kopfschmerzintensität nachgewiesen werden. Die äußerliche Therapie mit Pfefferminzöl in alkoholischer Lösung weist im Vergleich zu einer oralen Standardmedikation mit 1 g Paracetamol oder 1 g Acetylsalicylsäure hinsichtlich der Wirksamkeit keinen signifikanten Unterschied auf. Pfefferminzöl in alkoholischer Lösung wirkt lokal, schont Magen, Leber sowie Nieren und ist sehr gut verträglich.

Anwendung

Zur äußerlichen Anwendung bei neuralgieähnlichen Beschwerden (leichte Nervenschmerzen), insbesondere Kopfschmerzen vom Spannungstyp. Soweit nicht anders verordnet, Pfefferminzöl in alkoholischer Lösung mit Hilfe des Applikators auf die betroffene Hautpartie auftragen. Dieser Vorgang kann bei Bedarf im 15-Minuten-Abstand wiederholt werden.

Vorsichtsmaßnahmen
Zur Anwendung dieses Arzneimittels bei Kindern liegen keine ausreichenden Untersuchungen vor. Es soll deshalb bei Kindern unter 7 Jahren nicht angewendet werden. Nicht auf Schleimhäute oder verletzte Haut auftragen. Nicht in die Augen bringen.

Nebenwirkungen
Keine bekannt.

Acetylsalicylsäure (ASS)

(In Apotheken mit oder ohne Rezept erhältlich)
Acetylsalicylsäure gilt als das Medikament der ersten Wahl für die Behandlung der leichten Migräneattacke und des Kopfschmerzes vom Spannungstyp. Die Substanz ist als Brausetablette, Tablette (zum Schlucken) und als Kautablette (zum Zerkauen, ohne Wassereinnahme) erhältlich. In Pulverform kann der Arzt die Substanz nach Auflösen auch direkt in eine Vene spritzen.

Wirkungsbild
Schmerzlindernd, fiebersenkend, entzündungshemmend.

Anwendung
Acetylsalicylsäure sollte als Brauselösung in 250 ml Wasser gelöst eingenommen werden. Das Medi-

kament wird erst im Dünndarm in den Körper aufgenommen. Durch die Brauselösung passiert es schnell den Magen und kann so am besten seine Wirksamkeit erlangen. Bei Migräneattacken sollte 15 Minuten vor der Einnahme Metoclopramid genommen werden, um die Aufnahme und Wirkung zu optimieren. Die Beifügung von Vitamin C (d. h. Ascorbinsäure) in Brausetabletten dient zur Bildung der sprudelnden Kohlensäure. Die erforderliche Dosis bei Erwachsenen beträgt ca. 1000–1500 mg. Es müssen also 2–3 Tabletten aufgelöst werden.

Vorsichtsmaßnahmen

Acetylsalicylsäure darf nicht bei Magen- und Darmgeschwüren, Verengung der Atemwege, Asthma, Nesselausschlag (Urtikaria) und Störung der Blutgerinnung eingenommen werden.

Mögliche unerwünschte Wirkungen

Acetylsalicylsäure ist normalerweise gut verträglich. Selten treten Magenbeschwerden auf. Überempfindlichkeitsreaktionen, wie Hautausschläge oder Atemnot, Magen-Darm-Blutungen oder Verminderung der Blutplättchen können sehr selten auftreten.

Paracetamol

(In Apotheken mit oder ohne Rezept erhältlich)
Paracetamol kann sowohl für die Behandlung der leichten Migräneattacke als auch des Kopfschmerzes vom Spannungstyp eingesetzt werden. Die Substanz ist als Tablette, Brausegranulat zum Auflösen in Wasser, Kautablette, Kapsel, Zäpfchen, Saft und Tropfen erhältlich.

Wirkungsbild
Schmerzlindernd, fiebersenkend

Anwendung
Paracetamol sollte als Tablette oder Zäpfchen eingenommen werden. Bei Migräneattacken sollte 15 Minuten vor Einnahme Metoclopramid genommen werden, um die Aufnahme und Wirkung zu optimieren. Die
erforderliche Dosis bei Erwachsenen beträgt ca.
1000–1500 mg.

Vorsichtsmaßnahmen
Bei Leber- und Nierenerkrankungen muß vorsichtig dosiert werden (Arzt befragen). Bei Glucose-6-Phos-
phat-Dehydrogenase-Mangel darf Paracetamol nicht
verwendet werden.

Mögliche unerwünschte Wirkungen
Paracetamol ist normalerweise gut verträglich.
Sehr selten treten Überempfindlichkeitsreaktionen auf,
wie Hautausschläge oder Atemnot, Blutbildveränderun-
gen und Blutdruckabfall bis zum Schock.

Ibuprofen, Naproxen

(In Apotheken mit oder ohne Rezept erhältlich)
Ibuprofen und Naproxen sind primär entzün-
dungshemmende Substanzen, die zur Behandlung von
Rheuma entwickelt wurden. Die Medikamente können
aber auch bei leichten und mittelschweren Migräneanfällen und Kopfschmerz vom Spannungstyp eingesetzt
werden. Die jeweilige Substanz ist als Tablette,
Brausegranulat, Zäpfchen oder Kapsel erhältlich. Es
wird angenommen, daß Ibuprofen bzw. Naproxen der

Acetylsalicylsäure und dem Paracetamol in seinem schmerzlindernden Effekt nicht überlegen ist.

Wirkungsbild
Schmerzlindernd, entzündungshemmend, fieber-senkend

Anwendung
Die Dosierung beträgt 200 bis 500 mg.

Vorsichtsmaßnahmen und unerwünschte Wirkungen
Die Vorsichtsmaßnahmen und unerwünschten Wirkungen unterscheiden sich nicht wesentlich von denen der Acetylsalicylsäure.

Ergotalkaloide

(In Apotheken nur mit Rezept erhältlich)
Bei schweren Migräneattacken erfolgte früher die Gabe von 1 bis 2 mg Ergotamintartrat als Tablette oder Zäpfchen. Bei unzureichender Wirkung nach 60 Minuten war eine wiederholte Gabe von 1 bis 2 mg Ergotamintartrat möglich. Wegen der Gefahr eines ergotamininduzierten Dauerkopfschmerzes sollte diese Dosis nicht überschritten werden. Eine Dosis von 6 mg Ergotamintartrat pro Woche sollte die Obergrenze sein.

Wirkungsbild
Warum Ergotalkaloide in der Migräneattacke wirksam sind, ist nach wie vor unklar. Zunächst wurde angenommen, daß die hohe Effektivität durch die Verengung der Blutgefäße entsteht. Aufgrund von neueren Untersuchungen wird angenommen, daß Ergotalkaloide

die neurogene Entzündung an den Blutgefäßen des Gehirns blockieren.

Anwendung

Die Gabe in der Migräneattacke sollte so früh wie möglich vorgenommen werden. Die gesamte empfohlene Dosis sollte auf einmal eingenommen und nicht etwa fraktioniert durch mehrere Einzelgaben mit zeitlichem Abstand. Eine Nachdosierung führt nicht zu einem besseren Effekt. Zäpfchen sind vorzuziehen. 15 Minuten vor der Einnahme von Ergotamin sollte Metoclopramid genommen werden, um die Aufnahme und Wirkung zu optimieren.

Vorsichtsmaßnahmen

Anwendungsbeschränkungen sind Gefäßerkrankungen, schwere Leberfunktionsstörungen, Herzerkrankungen, Bluthochdruck und Nierenerkrankungen. In der Schwangerschaft und Stillzeit dürfen Ergotalkaloide nicht eingesetzt werden. Innerhalb 24 Stunden nach der Einnahme von Ergotalkaloiden darf Sumatriptan nicht verabreicht werden.

Mögliche unerwünschte Wirkungen

Bei akuter Anwendung sind Nebenwirkungen in Form von Übelkeit, Erbrechen und Mangeldurchblutung bekannt. Bei langer und regelmäßiger Anwendung kann neben der Migräne ein zusätzlicher Dauerkopfschmerz und eine Verschlimmerung der Migräne entstehen. Seltene schwere Nebenwirkungen sind Durchblutungsstörungen verschiedenen Schweregrades, z. B. Herzschmerzen, Verkrampfungen der Herzkranzgefäße mit Brustengegefühl bis hin zum Herzinfarkt, Bauchkrämpfen und Taubheitsgefühl in den Beinen. Aus diesen Gründen werden Ergotalkaloide heute nur noch sehr zurückhaltend von Migränespezialisten eingesetzt.

▨ Triptane

Seit Februar 1993 ist in Deutschland die Substanz *Sumatriptan* als erstes speziell entwickeltes Migränemittel erhältlich. Mittlerweile gibt es Weiterentwicklungen, die unter dem Oberbegriff der "Triptane" zusammengefaßt werden. Sumatriptan wird daher auch als das Triptan der ersten Generation bezeichnet.

Triptane wirken gezielt nur an den Stellen in Körper, an denen der Migräneschmerz entsteht, das heißt an den entzündeten Blutgefäßen des Gehirns.

▨ Sumatriptan Filmtabletten

(In Apotheken nur mit Rezept erhältich)
Sumatriptan Filmtabletten gibt es in zwei Darreichungsformen mit 50 und 100 mg.

Bei circa 50–70% der behandelten Migräneattacken kann damit eine bedeutsame Besserung oder auch ein vollständiges Verschwinden der Kopfschmerzen hervorgerufen werden. Die Tabletten sollten möglichst frühzeitig bei Beginn der Kopfschmerzphase der Migräne eingenommen werden. Bis zum Beginn der Wirkung vergehen circa 30 Minuten. Die Wirkung erreicht nach circa 1–2 Stunden ihr Maximum.

▨ Anwendung

Sumatriptan in Tablettenform wird bevorzugt eingesetzt, wenn Übelkeit und Erbrechen nur gering ausgeprägt sind und die Attackendauer bei unbehandeltem Verlauf in der Regel 4–6 Stunden beträgt.

Die Anfangsdosis beträgt 50 mg. Ist diese Menge ausreichend wirksam und sind die Nebenwirkungen erträglich, sollte mit dieser Dosierung weiterbehandelt werden. Können allerdings mit 50 mg keine ausreichenden klinischen Effekte erzielt werden, verabreicht man bei der nächsten Attacke 100 mg. Ist mit 50 mg eine gute Wirkung zu erzielen, bestehen jedoch ausgeprägte Nebenwirkungen, kann auch eine halbierte Dosis von 25 mg verabreicht werden.

Bei circa 30% der behandelten Patienten können nach Abklingen der Wirkzeit erneut die Migränesymptome zum Vorschein kommen. Dieser sogenannte *Wiederkehrkopfschmerz* kann mit einer weiteren Dosis erfolgreich behandelt werden. Dies bedeutet nicht, daß eine neue Migräneattacke aufgetreten ist. Vielmehr muß nach dem Abklingen der Wirkung erneut eine Dosis verabreicht werden, um die Wirkung weiter aufrecht zu erhalten. Es gilt die Faustregel, daß die Dosis einmal wiederholt werden kann. Für Sumatriptan oral 100 mg heißt dies, daß die maximale Tagesdosis 200 mg betragen sollte.

Vorsichtsmaßnahmen

Generell gilt sowohl für Sumatriptan in jeder Anwendungsform als auch für die Triptane der zweiten und nachfolgenden Generationen, daß sie erst eingenommen werden sollen, wenn die Kopfschmerzphase beginnt, nicht während der Auraphase.

Auf keinen Fall dürfen Triptane in Verbindung mit Ergotaminen verabreicht werden. Beide Substanzklassen können zu einer Gefäßverengung führen, die sich unter Umständen gefährlich addiert. Da Ergotalkaloiden in der Migränetherapie sowieso der Vergangenheit angehören sollten, dürfte dieses Problem jedoch kaum noch auftreten.

Sumatriptan sollte, wie die anderen Triptane auch, nur bis zu einem Alter von 65 Jahren verordnet werden, da im höheren Alter bisher keine kontrollierten klinischen Studien durchgeführt worden sind. Es liegen mittlerweile auch Studien für den Einsatz von Sumatriptan bei Jugendlichen zwischen dem 12. und 18. Lebensjahr vor. Diese ergaben kein erhöhtes Risiko in dieser Altersgruppe. Bei Kindern unter 12 Jahren sollte allerdings Sumatriptan nicht verabreicht werden.

Mögliche unerwünschte Wirkungen

Typische *Nebenwirkungen* von Sumatriptan und auch der anderen Triptane sind ein leichtes, allgemeines Schwächegefühl und ein ungerichteter Schwindel, Mißempfindungen, Kribbeln, Wärme- oder Hitzegefühl und leichte Übelkeit. Sehr selten können auch ein Engegefühl in der Brust und im Hals auftreten. Als Ursache für diese Symptome wird eine Verkrampfung der Speiseröhre diskutiert. EKG-Veränderungen treten im Zusammenhang mit diesen Beschwerden nicht auf. In aller Regel sind die Nebenwirkungen mild und klingen spontan, d. h. ohne weitere ärztliche Maßnahmen, ab.

Sumatriptan subkutan

(In Apotheken nur mit Rezept erhältlich)
Eine besonders schnelle Wirkung kann durch die Verabreichung von Sumatriptan mit einem sogenannten Autoinjektor oder Glaxo Pen erzielt werden. Dabei wird durch ein kugelschreiberähnliches Gerät via Knopfdruck aus einer Patrone die Wirksubstanz durch eine feine Nadel unter die Haut (=subkutan, s.c.) gespritzt (s. Schemazeichnung auf S. 402).

Der besondere Vorteil dieser Anwendungsform ist, daß der Patient sie selbständig an allen Orten durchführen kann. Damit kann innerhalb von etwa 10 Minuten eine Wirkung erreicht werden, ein besonderer Vorteil

- Jetzt ist der Glaxo Pen gebrauchsfertig und kann an Oberschenkel oder Oberarm fest aufgesetzt werden (Bild 3). Der blaue Teil sollte dabei soweit wie möglich in den grauen hineingedrückt werden.

- Schließlich drückt der Patient fest den blauen Auslöseknopf und löst so die Injektion aus (Bild 4). Viele Patienten hören nur das Auslösen des Glaxo Pens, ohne den Stich der feinen Kanüle selbst wahrzunehmen.

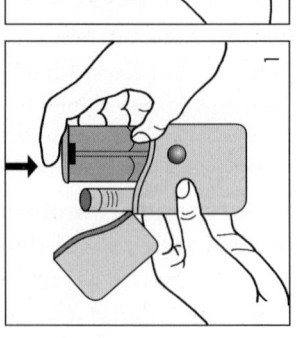

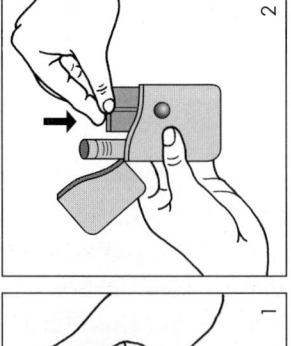

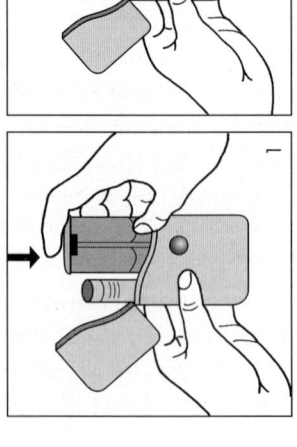

- Etui öffnen und die Nachfüllpackung in das Gerät einschieben, falls die Originalfüllung bereits verbraucht wurde (Bild 1). Die blauen Knöpfe der Nachfüllpackung müssen in den Löchern des Etuis einrasten (Bild 2).

- Von einem der beiden Behälter entfernt der Patient die Versiegelung, klappt die Verschlußklappe auf und zieht den Glaxo Pen aus dem Etui. Anschließend steckt er ihn in den geöffneten Behälter und schraubt ihn im Uhrzeigersinn fest. Dabei darf der Auslöseknopf nicht betätigt werden.

- In dieser Position sollte der Patient den Glaxo Pen noch fünf Sekunden nach der Injektion festhalten.

- Vorsicht beim Abziehen des Pens: Die Kanüle ragt nun heraus (Bild 5). Die benutzte Kartusche ist deshalb gleich wieder im Etui unterzubringen. Durch Drehen entgegen der Uhrzeigerrichtung und anschließendes Ziehen lassen sich Pen und Kartusche wieder leicht trennen.

- Letzter Schritt: den Glaxo Pen wieder in das Etui einführen und kräftig hineindrücken. Dabei rastet der Federmechanismus ein und bereitet so den Glaxo Pen für die nächste Injektion vor.

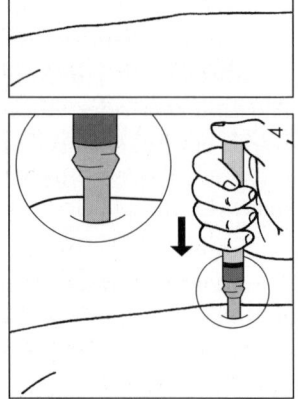

für berufstätige Patienten, die eine schnelle Wirkung erzielen müssen.

Ein weiterer Vorteil dieser Darreichungsform ist auch, daß der Magen-Darm-Trakt vollständig umgangen wird und sich damit auch bei ausgeprägtem und frühzeitigem Erbrechen eine ungehinderte Wirkung des Medikamentes entfaltet.

Sumatriptan-Zäpfchen

(In Apotheken nur mit Rezept erhältlich)
Wird die subkutane Injektion mit dem Glaxo Pen vom Patienten nicht gewünscht, kann bei Übelkeit und Erbrechen Sumatriptan auch als Zäpfchen gegeben werden. Die Dosis beträgt dabei 25 mg. Auch bei dieser Anwendungsform kann eine schnelle und effektive Linderung der Migräneattacken erzielt werden. Beim Wiederauftreten von Kopfschmerzen ist die erneute Anwendung möglich.

Sumatriptan Nasenspray

(In Apotheken nur mit Rezept erhältlich)
Besonders innovativ ist die Verabreichung des Wirkstoffes über ein Nasenspray. Dazu wurde ein Einmaldosisbehälter zum Sprühen des Wirkstoffes in die Nase entwickelt. Es gibt zwei unterschiedliche Dosierungen mit 10 und mit 20 mg Sumatriptan. Die optimale Dosis beträgt bei Erwachsenen 20 mg. Bei einigen Patienten, insbesondere mit geringem Körpergewicht, können auch 10 mg völlig ausreichend sein. Die notwendige Dosis hängt sowohl von der Stärke der Migräneattacke als auch von der Aufnahme von Sumatriptan in der

403

1. Nase putzen
Insbesondere bei Erkältung
sollen die Patienten vor der
Anwendung die Nase reinigen.

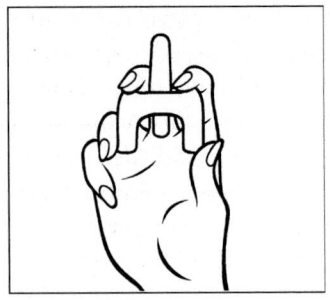

**2. Spray zwischen zwei Finger
und Daumen nehmen.**
Nicht wie bei anderen Sprays
testen – Sie versprühen sonst die
gesamte Dosis.

3. Ein Nasenloch zuhalten.

**4. Das Nasenrohr in das
andere Nasenloch einführen.**

Nase ab. Beim Wiederauftreten des Kopfschmerzes kann die Dosis erneut eingenommen werden, wobei man jedoch einen Abstand von 2 Stunden einhalten sollte.

Sumatriptan in Form des Nasensprays führt ebenfalls zu einer sehr schnellen Linderung der Migräneattacke. Ein weiterer Vorteil ist, daß aufgrund des Umgehens des Magen-Darm-Traktes Begleitsymptome wie Übelkeit und Erbrechen die Aufnahme des Wirkstoffes nicht beeinflussen können.

Naratriptan

(In Apotheken nur mit Rezept erhältlich)

Naratriptan ist ein Triptan der zweiten Generation. Bei der Entwicklung von Naratriptan konzentrierte man sich darauf, einen Wirkstoff zur Verfügung zu stellen, der weniger Nebenwirkungen aufweist als Sumatriptan und gleichzeitig weniger häufig Wiederkehrkopfschmerzen beobachten läßt. Beide Ziele konnten realisiert werden.

Anwendung

Naratriptan in Tablettenform sollte wie auch alle anderen Triptane möglichst früh nach Auftreten des Migränekopfschmerzes eingesetzt werden. Die Wirksamkeit ist bei der Dosis von 2,5 mg etwas niedriger als bei Sumatriptan. Durch eine entsprechende Dosiserhöhung auf 5 mg kann jedoch auch bei Patienten, die auf 2,5 mg nicht ausreichend ansprechen, eine gute Wirkung erzielt werden.

Mögliche unerwünschte Wirkungen

Die Nebenwirkungen sind deutlich geringer und weniger häufig als bei anderen Triptanen. Nur gelegentlich treten leichte Müdigkeit, Mißempfindungen und ein Engegefühl in der Brust und im Hals auf. Schweregefühl in den Armen und Beinen sowie ein leichter Schwindel können ebenfalls vorhanden sein. Die Häufigkeit von Wiederkehrkopfschmerz ist mit 19% die niedrigste aller bekannten Triptane.

Zolmitriptan

(In Apotheken nur mit Rezept erhältlich)

Im Vergleich zu Sumatriptan überschreitet Zolmitriptan die sogenannte Blut-Hirn-Schranke deutlich besser und wird sehr schnell im Magen-Darm-Trakt aufgenommen. Wirksame Blutspiegel werden daher bereits innerhalb einer Stunde erreicht und bleiben über 6 Stunden bestehen, womit auch bei längeren Kopfschmerzattacken eine ausreichend lange Effektivität erreicht werden kann. Es werden nicht nur die Kopfschmerzsymptome reduziert, sondern auch Begleitstörungen wie Übelkeit, Erbrechen, Lärm- und Lichtempfindlichkeit positiv beeinflußt.

In neueren Studien ergeben sich Hinweise darauf, daß bei Verabreichung von Zolmitriptan während der Auraphase die spätere Kopfschmerzphase verhindert werden kann und auch die Auraphase positiv beeinflußt wird. Von besonderem Vorteil ist, daß Patienten, die auf bisherige medikamentöse Therapien nicht erfolgreich ansprachen, nunmehr durch Zolmitriptan eine effektive Migränetherapie erreichen können.

Anwendung

Die mittlere Dosis liegt bei 2,5 mg. Zolmitriptan gibt es derzeit nur als Tablette. Damit ist der Einsatz nicht möglich bei Patienten, die unter starker Übelkeit oder Erbrechen leiden. In Entwicklung sind derzeit jedoch bereits eine Kautablette und ein Nasenspray.

Mögliche unerwünschte Wirkungen

Gelegentlich treten Übelkeit, Mundtrockenheit, Schwächegefühl, Engegefühl im Rachen oder in der Brust, Schwindel, Schläfrigkeit, Wärme- und Mißempfindungen, Muskelschwäche oder -schmerzen auf. Selten sind Herzrasen und leichter Blutdruckanstieg.

Eletriptan

(In Apotheken nur mit Rezept erhältlich)

Eletriptan zählt zu den Triptanen der 3. Generation. Seine Wirksamkeit tritt sehr schnell ein. Die Substanz kann in fetthaltiges Gewebe besser eindringen als Sumatriptan und wird deshalb im Hirngewebe besser aufgenommen. Auch im Magen-Darm-Trakt wird Eletriptan circa 5mal schneller als Sumatriptan aufgenommen. 75% der behandelten Patienten können bereits 2 Stunden nach der Einnahme wieder arbeiten oder anderen Tätigkeiten nachgehen.

Anwendung

Eletriptan sollte dann eingesetzt werden, wenn eine schnelle Wirkung erwünscht ist. Die Dosierung beträgt 80 mg.

Mögliche unerwünschte Wirkungen

Nebenwirkungen ergeben sich bei weniger als 4% der behandelten Patienten. Gelegentlich treten Übelkeit, Mundtrockenheit, Schwächegefühl, Engegefühl in Rachen und Hals, Schwindel, Schläfrigkeit, Wärme- und Mißempfindungen, Muskelschwäche oder -schmerzen auf. Selten sind Herzrasen und leichter Blutdruckanstieg.

Rizatriptan

(In Apotheken nur mit Rezept erhältlich)

Rizatriptan wird schnell im Magen-Darm-Trakt aufgenommen; die Wirkungsspiegel sind innerhalb von einer Stunde bereits maximal aufgebaut. Auch Rizatriptan wirkt verengend im Bereich der Hirnhautgefäße, ohne die Herzkranz- und Lungengefäße oder andere Blutgefäße nennenswert zu beeinflussen. Rizatriptan blockiert die neurogene Entzündung an den Hirnhautgefäßen im Rahmen einer Migräneattacke. Darüber hinaus kann es auch Nervenzentren im zentralen Nervensystem, die die Schmerzimpulse im Rahmen der Migräneattacke vermitteln, in ihrer Hyperaktivität reduzieren.

Bereits innerhalb von 30 Minuten wird eine bedeutsame Linderung der Kopfschmerzen erzielt. Auch Übelkeit und Erbrechen werden durch Rizatriptan bedeutsam gebessert.

Anwendung

Einnahme von Filmtabletten in einer Dosierung von 10 mg.

Mögliche unerwünschte Wirkungen

Die Häufigkeit von Brustschmerzen bei der Behandlung mit 5 oder 10 mg Rizatriptan entspricht der bei der Behandlung mit einem Placebopräparat. Gelegentlich treten Übelkeit, Mundtrockenheit, Schwächegefühl, Engegefühl in Rachen, Hals oder Brust, Schwindel, Schläfrigkeit, Wärme- und Mißempfindungen, Muskelschwäche oder -schmerzen auf. Selten sind Herzrasen und leichter Blutdruckanstieg. Damit weist Rizatriptan ein günstiges Profil in Hinblick auf die klinische Wirkung und die Verträglichkeit auf.

Antidepressiva

(In Apotheken nur mit Rezept erhältlich)
Wie der Name bereits sagt, werden sog. Antidepressiva primär zur Behandlung von Depressionen eingesetzt. Durch wissenschaftliche Untersuchungen hat sich jedoch herausgestellt, daß Medikamente aus dieser Gruppe, insbesondere das Amitriptylin, bei bestimmten Kopfschmerzerkrankungen ebenfalls wirksam sind. Kopfschmerzerkrankungen sind als Anwendungsgebiet nicht im Beipackzettel verzeichnet. In der Regel verordnet der Arzt dem Kopfschmerzpatienten Antidepressiva nicht wegen einer Depression oder anderer psychischer Erkrankungen. Diese Medikamente werden vielmehr eingesetzt, um die körpereigenen Schmerzregulationssysteme in ihrer Funktion zu normalisieren. Antidepressiva werden nicht zur Behandlung der akuten Kopfschmerzepisoden sondern zu deren Vorbeugung verwendet. Aus diesem Grund ist eine regelmäßige Einnahme über einen festgelegten Zeitraum, meist 6 bis 9 Monate, erforderlich.

Wirkungsbild
Reduktion der Schmerzempfindlichkeit, stimmungsaufhellend und angstlösend.

Anwendung
Wichtiges Einsatzgebiet ist der chronische Kopfschmerz vom Spannungstyp. Erfolge stellen sich bei ca. 60 bis 70% der behandelten Patienten ein. Die erwünschte Wirkung wird meist erst nach 2 Wochen verspürt. In der Regel wird das Medikament nur einmal täglich zur Schlafenszeit eingenommen. Grund für den vorbeugenden Einsatz ist, daß Abhängigkeit und Gewöhnung anders als bei häufiger Schmerzmitteleinnahme nicht zu erwarten sind. In der stationären Behand-

lung kann das Medikament auch als Infusion eingesetzt werden.

▨ Vorsichtsmaßnahmen

Müdigkeit und Benommenheit können insbesondere zu Beginn der Behandlung in Einzelfällen ausgeprägt sein. Bei Teilnahme am Straßenverkehr oder anderen möglicherweise gefährlichen Tätigkeiten ist dies zu berücksichtigen. Auf Alkohol muß während der Therapie verzichtet werden, da daraus eine Wirkungsverstärkung resultieren kann. Die gleichzeitige Einnahme von Schlaf- und Beruhigungsmitteln oder anderen Psychopharmaka darf nur nach eingehender Beratung mit dem Arzt erfolgen. Eine Schwangerschaft und das Stillen müssen während der Therapie vermieden werden. Vorsicht ist auch bei Harnblasenentleerungsstörungen, Herzerkrankungen, Magen-Darm-Erkrankungen, Lebererkrankungen und Epilepsie geboten.

▨ Mögliche unerwünschte Wirkungen

Nebenwirkungen sind häufig und treten insbesondere in den ersten Behandlungswochen auf. Aus diesem Grund wird die Behandlung einschleichend begonnen, d. h., man erhöht die Dosis langsam während 3 Wochen bis zur gewünschten Menge. Die Nebenwirkungen sind in der Regel mild. Bei über der Hälfte der Patienten treten Mundtrockenheit (Lutschbonbons verwenden) oder Müdigkeit auf. Eine Vielzahl weiterer, eher seltener Nebenwirkungen, wie z. B. Appetitsteigerung, Übelkeit, Schwitzen, Schwindel oder Verstopfung können auftreten.

Cyclandelat

(In Apotheken mit oder ohne Rezept erhältlich)

Cyclandelat wird zur Behandlung von Durchblutungsstörungen, Schwindel und zur Vorbeugung der Migräne eingesetzt. In neueren Studien zeigte die Substanz eine vergleichbare Effektivität in der Vorbeugung von Migräneattacken wie β-Rezeptorenblocker. Appetitsteigernde und blutdrucksenkende Nebenwirkungen bestehen nicht.

Wirkungsbild

Verminderung der Häufigkeit und Schwere von Migräneattacken. Der genaue Wirkmechanismus bei Migräne ist unklar.

Anwendung

Die mittlere Dosis beträgt dreimal täglich eine Kapsel. Das Medikament sollte kurmäßig über mindestens 6 Monate verabreicht werden.

Vorsichtsmaßnahmen

Das Medikament darf während der Akutphase eines Schlaganfalles, bei einer Schwangerschaft und in der Stillzeit nicht eingesetzt werden.

Mögliche unerwünschte Wirkungen

Nebenwirkungen sind sehr selten und treten meist nur bei sehr hoher Dosierung auf. Es können Mißempfindungen (Kribbeln, Prickeln), Erröten oder leichte Übelkeit vorkommen.

Flunarizin

(In Apotheken nur mit Rezept erhältlich)

Das primäre Anwendungsgebiet von Flunarizin ist die Behandlung von Gleichgewichtsstörungen und Schwindel. Es zeigte sich jedoch, daß die regelmäßige Anwendung der Substanz auch zu einer Verbesserung der Migräne führen kann.

Wirkungsbild

Vorbeugung von Migräneattacken. Der genaue Wirkmechanismus bei Migräne ist unklar.

Anwendung

Die Dosierung von Flunarizin zur Migräneprophylaxe beträgt 5–10 mg am Abend. Das Medikament sollte über mindestens 6 Monate verabreicht werden.

Vorsichtsmaßnahmen

Bei Neigung zu Depressionen, bestimmten Bewegungsstörungen (z. B. Zittern), während der Schwangerschaft und Stillzeit sollte das Medikament nicht eingenommen werden.

Mögliche unerwünschte Wirkungen

Insbesondere bei Therapiebeginn kann vorübergehend Müdigkeit auftreten. Bei Langzeittherapie kann es zu Appetitsteigerung mit Gewichtszunahme kommen. Möglich sind in seltenen Fällen depressive Verstimmungen, bestimmte Bewegungsstörungen mit Zittern und Verlangsamung des Gangbildes (ähnlich einer Parkinson-Krankheit).

β-Rezeptorenblocker

(In Apotheken nur mit Rezept erhältlich)
β-Rezeptorenblocker werden primär zur Behandlung von Herzrhythmusstörungen und hohem Blutdruck verwendet. Zur Vorbeugung von Migräneattacken haben sich am besten Metoprolol und Propranolol bewährt. Eine Besserung der Migräne, d. h. Reduktion der Attackenhäufigkeit und -schwere, kann oft erst nach regelmäßiger zwei- bis dreimonatiger Anwendung erzielt werden.

Wirkungsbild
Vorbeugung von Migräneattacken. Der genaue Wirkmechanismus bei Migräne ist unklar.

Anwendung
Die Behandlung erfolgt in langsam ansteigender Dosierung. Kreislaufstörungen können so vermieden werden. Die Sorge vor einer Senkung des Blutdrucks ist bei einer einschleichenden Dosierung in aller Regel unbegründet. Bei Metoprolol beträgt die Anfangsdosis 50 mg pro Tag. Innerhalb von 4 Wochen wird bis auf 100–200 mg hochdosiert. Bei Propranolol beträgt die Anfangsdosis 40 mg, die Enddosis nach vierwöchiger Aufdosierung sollte maximal 240 mg betragen. Das Medikament sollte über mindestens sechs bis neun Monate eingenommen werden.

Vorsichtsmaßnahmen
Ein vorsichtiger Einsatz ist insbesondere bei Herzerkrankungen (Herzschwäche, Reizleitungsstörungen, Verlangsamung des Herzschlags), Lungenerkrankungen, Durchblutungsstörungen, Diabetes, strengem Fasten, ausgeprägtem niedrigen Blutdruck, Schwangerschaft und Stillzeit erforderlich. Beim Absetzen muß eine

langsame Dosisreduktion erfolgen, um überschießende Reaktionen (Puls, Blutdruck etc.) zu vermeiden.

▰▰ Mögliche unerwünschte Wirkungen

Zu Beginn der Behandlung können Schwindel und Müdigkeit bestehen. Selten treten Potenzstörungen, Muskelkrämpfe, Hautausschläge, Mundtrockenheit, Blutdrucksenkung, Kribbelgefühle, Atemnot und Schlafstörungen, z. T. mit Alpträumen auf.

▰▰ Kombinationspräparate

(In Apotheken mit oder ohne Rezept erhältlich)

In unseren Apotheken sind circa 300 verschiedene Schmerzmittelzubereitungen erhältlich. Mehr als 95% davon bestehen aus Mischungen verschiedener Einzelsubstanzen und werden deshalb als Misch- oder Kombinationspräparate bezeichnet.

Neben der Kombination verschiedener Schmerzmittel befindet sich eine Vielzahl anderer Substanzen in solchen Präparaten, insbesondere Koffein, Codein, Barbiturate, Chinin, Belladona, Butalbital, Camylofin, Carbromal, Dimenhydrinat, Ethaverin, Ethenzamin, Inositolnicotinat, Mecloxamin, Pangamsäure, Papaverin, Pentobarbital, Phenobarbital, Phenyltoloxamin, Thiaminnitrat u. a.

Viele Hersteller wissen selbst nicht genau, warum diese Präparate in der jeweiligen Kombination zusammengestellt wurden. Da früher Kopfschmerzen nicht exakt eingeteilt wurden, hatte man versucht, im Gießkannenprinzip möglichst viele Substanzen mit unterschiedlichem Wirkmechanismus zu mischen, um eine breite Wirkung zu erzielen.

Kopfschmerzen können mit solchen Mischpräparaten jedoch nicht gezielt und ausreichend dosiert behandelt werden. Außerdem führen viele Substanzen zur

Gewöhnung und Abhängigkeit, da ihre belebende Wirkung zu einer Mehreinnahme führen kann. Die Folge können Dauerkopfschmerzen sowie schwere Schäden am Nervensystem, Leber, Niere und anderen Organen sein. Aus diesem Grunde gilt:

- Bei Kopfschmerzen keine Kombinationspräparate einnehmen.
- Schmerz und Migränemittel sollten *immer nur eine Wirksubstanz* beinhalten.
- Lassen Sie sich dies vom Arzt oder Apotheker versichern!

Tonträger für Entspannungstrainings

Im Handel sind Tonbandkassetten oder Compact-Discs mit verschiedenen Entspannungstrainings erhältlich.

Speziell für den Einsatz bei Kopfschmerzen wurden nachfolgende CDs entwickelt:

- **Multimediale Entspannung zur Vorbeugung bei Migräne und Kopfschmerzen.** Diese CD bietet ein gezieltes Entspannungstraining für Migräne und Kopfschmerzen vom Spannungstyp. Über audiovisuelle Suggestionen wird eine Tiefenentspannung erzeugt, die auf eine Rhythmisierung und Regulierung des Tagesablaufes abzielt.
- **Relievision.** Diese CD kann zur Bewältigung akuter Schmerzen eingesetzt werden. Während des akuten Schmerzanfalles können strukturierte Gedanken und Bewältigungsstrategien wahrgenommen und umgesetzt werden. Es stehen spezifische Therapieprogramme für Migräne, Kopfschmerzen

vom Spannungstyp sowie Nacken- und Rükkenschmerzen zur Verfügung.

■■■ **Progressive Muskelrelaxation nach Jacobsen.** Die CD bietet eine für die Kopfschmerzvorbeugung speziell eingerichtete Form des klassischen Entspannungstrainings.

■■■ **Aktivatmung – Tiefenentspannung.** Diese CD kann zur Regenerierung und Kräftesammlung, zum Abschalten und Wohlfühlen eingesetzt werden. Durch rhythmische Atemübungen wird eine angenehme Tiefenentspannung erzeugt.

Die CDs können bestellt werden bei:

NEURONET. Gesellschaft für Therapiemedien
Zum Hegenwohld 15 a
24214 Noer
Fax 04346–36 00 4

Anhang 2: Kieler Fragebogen zur Schmerzgeschichte

Lieber Patient!

Sie werden auf den folgenden Seiten eine Reihe von Fragen finden. Diese sind zur Ursachenerkennung und zur Auswahl der Behandlung Ihres Schmerzproblems von besonderer Wichtigkeit. Bitte versuchen Sie deshalb, alle Fragen sorgfältig zu beantworten.

Name ....
Vorname ....
Geburtsdatum ....
Straße ....
Wohnort ....
Entfernung des Wohnortes von der Klinik: .... km
Telefonnummer (mit Vorwahl): ....
Krankenkasse: ....
Beruf (mit genauer Angabe der ausgeübten Tätigkeit):
....
....
Name und Adresse des überweisenden Arztes:
....
....

A) Lokalisation

1. Wo sind Ihre Schmerzen lokalisiert? Bitte zeichnen Sie im nachstehenden Körperschema ein, an welchen Körperteilen Ihre Schmerzen auftreten. Zur Kennzeichnung verwenden Sie bitte folgende Zeichen (s. nächste Seite):

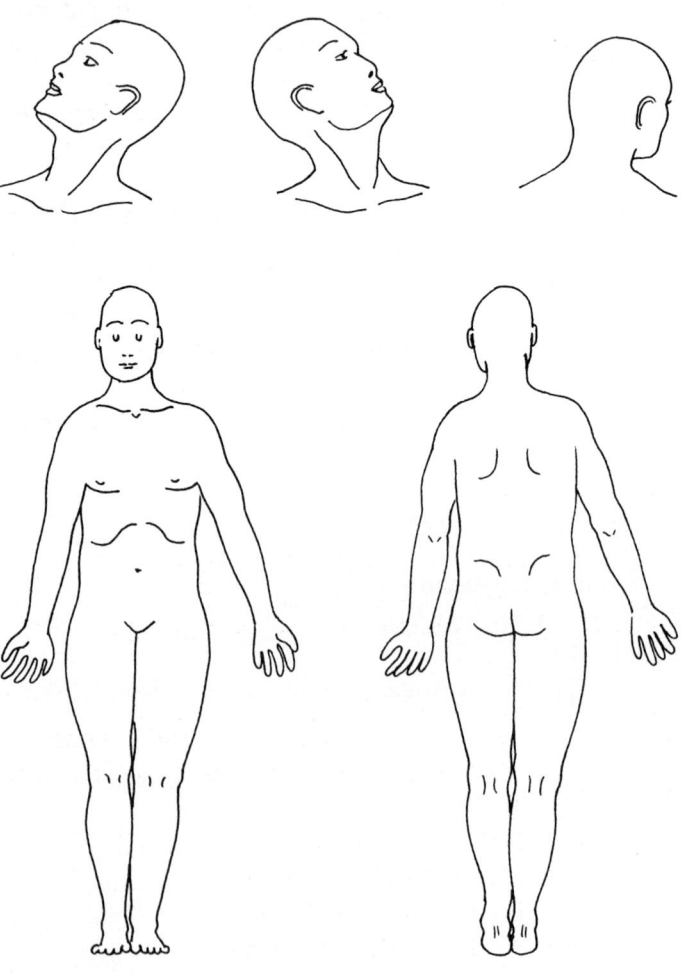

418

- Ein *Kreuz* (x), wenn der Schmerz eng umgrenzt bzw. punktförmig auftritt und Sie diese Körperstelle genau angeben können.
- Umgrenzen Sie den ungefähren Auftretensort mit einer *Linie,* wenn der Schmerz eher unklar lokalisiert ist.
- Falls Sie an mehreren Körperstellen Schmerzen verspüren, kennzeichnen Sie diese Orte entsprechend, und schreiben Sie bitte eine 1 an den Ort, an dem der Schmerz am stärksten ist.
- Falls der Schmerz in andere Körpergebiete ausstrahlt, kennzeichnen Sie dies mit einem *Pfeil.*

2. Befindet sich der Schmerz immer an der gleichen Körperstelle oder wandert er?
   - ○ immer am gleichen Ort
   - ○ wandert meist umher
   - ○ der Schmerz wechselt von einer Körperhälfte zur anderen
   - ○ die Schmerzen können prinzipiell an jeder Körperstelle auftreten

3. Wo tritt der Schmerz auf?
   - ○ eher tiefliegend, im Körperinneren
   - ○ eher oberflächlich, in Hautnähe
   - ○ sowohl tiefliegend als auch in Hautnähe

4. Strahlt der Schmerz aus?
   - ○ vom Kopf in die Nacken- und Schulterregion
   - ○ vom Nacken über den Hinterkopf zu Stirn und Schläfen
   - ○ vom Hals in den rechten Arm
   - ○ vom Hals in den linken Arm
   - ○ vom Rücken in das rechte Bein
   - ○ vom Rücken in das linke Bein

5. Falls Sie an Kopfschmerzen leiden: Welche Aussagen treffen für Sie zu?
   - ○ Ich habe oft einen dumpfen Druck im gesamten Kopf.
   - ○ Ich habe einen *ständigen* dumpfen Druck im gesamten Kopf.
   - ○ Ich habe oft einen dumpfen Druck im gesamten Kopf und zusätzlich einzelne, meist pulsierende Kopfschmerzanfälle.
   - ○ Ich habe immer einen dumpfen Druck im gesamten Kopf und zusätzlich einzelne, meist pulsierende Kopfschmerzanfälle.

B) Intensität

6. Bitte geben Sie mit Hilfe der gegenüberliegenden Skala an, welche Intensität Ihr Schmerz im allgemeinen hat. Stellen Sie dazu zuerst fest, in welchen Bereich der Skala Ihr Schmerz gehört, in den sehr schwachen, schwachen, mittleren, starken oder sehr starken. Innerhalb des Bereiches haben Sie die Möglichkeit feiner einzuteilen; dazu brauchen Sie nur die passende Zahl anzukreuzen.

```
51..................................
50
49
48
47
46    sehr starker Schmerzreiz
45
44
43
42
41..................................
40
39
38
37
36    starker Schmerzreiz
35
34
33
32
31..................................
30
29
28
27
26    mittlerer Schmerzreiz
25
24
23
22
21..................................
20
19
18
17
16    schwacher Schmerzreiz
15
14
13
12
11..................................
10
9
8
7
6     sehr schwacher Schmerzreiz
5
4
3
2
1..................................
0     kein Schmerzreiz
```

C) Zeitlicher Verlauf

7. Seit wann leiden Sie unter Schmerzen?
   ○ seit weniger als 1 Monat
   ○ seit 1 bis 2 Monaten
   ○ seit 2 bis 4 Monaten
   ○ seit 4 bis 6 Monaten
   ○ seit 6 bis 12 Monaten
   ○ seit 1 bis 2 Jahren
   ○ seit 2 bis 5 Jahren
   ○ länger als 5 Jahre, ungefähr...... Jahre

8. Wie häufig leiden Sie unter Schmerzen?
   ○ ständig

   Wie oft pro Tag, falls Schmerzen täglich mehrmals auftreten?
   ○ ○ ○ ○ ○ ○ ○ ○ ○
   1 2 3 4 5 6 7 8 9 ..... mal

   An wie vielen Tagen pro Woche, falls der Schmerz nicht täglich auftritt?
   ○ ○ ○ ○ ○ ○ ○
   1 2 3 4 5 6 7

   An wie vielen Tagen pro Monat, falls der Schmerz nicht jede Woche auftritt?
   ○ ○ ○ ○ ○ ○ ○ ○   ○
   1 2 3 4 5 6 7 8–14   15 und mehr

   An wieviel Tagen pro Jahr, falls der Schmerz nicht jeden Monat auftritt?
   ○ ○ ○ ○ ○ ○ ○ falls mehr Tage, bitte Zahl
   1 2 3 4 5 6 7 hier eintragen ....

9. Wie beginnen Ihre Schmerzen normalerweise?
   ○ plötzlich, blitzartig
   ○ langsam stärker werdend, einschleichend
   ○ sind ständig vorhanden

10. Wie gestaltet sich der Schmerzverlauf normalerweise?
    ○ kurze, blitzartige Schmerzverläufe
    ○ die Schmerzintensität ändert sich ständig in kurzen Abständen, ist eher pulsierend und pochend
    ○ die Schmerzintensität besitzt einen eher gleichmäßigen, dumpfen Verlauf
    ○ ein typischer Verlauf kann nicht angegeben werden

11. Falls die Schmerzen wiederkehrend auftreten, wie lange dauern die Schmerzphasen in der Regel an?

○	○	○	○
bis 10 Min	bis 30 Min	1 Std	2 Std
○	○	○	
3 Std	4 Std	mehr als 4 Std	
		etwa ...... Std	

12. Zu welcher Tageszeit treten Ihre Schmerzen im allgemeinen auf?
    ○ Die Schmerzen treten wechselhaft auf und sind von der Tageszeit unabhängig
    ○ Die Schmerzen treten eher zu bestimmten Tageszeiten auf.
    Falls dies der Fall sein sollte, tragen Sie bitte zu den entsprechenden Zeiten in das untenstehende Stundenschema Kreuzchen ein:

○	○	○	○	○	○		○	○	○	○	○	○
0	1	2	3	4	5		6	7	8	9	10	11
○	○	○	○	○	○		○	○	○	○	○	○
12	13	14	15	16	17		18	19	20	21	22	23 Uhr

13. Wurden Ihre Schmerzen beim ersten Auftreten durch ein besonderes Ereignis hervorgerufen, wie z. B.:
   ○ Unfall
   ○ Operation
   ○ Amputation
   ○ berufliche Veränderung
   ○ etwas anderes, nämlich . . . .
   ○ ein besonderes Ereignis ist mir nicht bekannt

D) Charakter

14. Welchen Charakter hat Ihr Schmerz am ehesten?
   ○ schneidend
   ○ stechend
   ○ pulsierend
   ○ scharf
   ○ dumpf
   ○ drückend
   ○ reißend
   ○ ziehend
   ○ hämmernd
   ○ bohrend
   ○ klopfend
   ○ blitzartig
   ○ krampfartig
   ○ brennend
   ○ der Schmerzcharakter kann nicht klar beschrieben werden

15. Hat sich der Auftretensort oder der Charakter des Schmerzes in letzter Zeit geändert?
   ○ Nein
   ○ Ja; wenn ja, wie? . . . .

E) Begleitereignisse

16. Wird der Schmerz von bestimmten Ereignissen begleitet?
   - ○ Hautrötung
   - ○ Hautblässe
   - ○ Schwellung
   - ○ Berührungsempfindlichkeit
   - ○ vermehrte Schweißbildung
   - ○ verringerte Schweißbildung
   - ○ Mißempfindungen. Wenn ja, wo? . . . .
   - ○ Gefühlsstörungen. Wenn ja, wo? . . . .
   - ○ Tränenfluß
   - ○ Augenrötung
   - ○ Änderung der Pupillenweite
   - ○ Doppeltsehen
   - ○ vorübergehende Sehstörungen
   - ○ Schielen
   - ○ Augenmuskellähmungen
   - ○ Erblindung eines Auges
   - ○ Lichtüberempfindlichkeit
   - ○ Zick-Zack-Linien im Gesichtsfeld
   - ○ Geräuschüberempfindlichkeit
   - ○ Sprachstörungen
   - ○ behinderte Nasenatmung
   - ○ Unsicherheit beim Gehen
   - ○ Bewegungseinschränkungen
   - ○ Muskelschwäche; wenn ja, wo? . . . .
   - ○ Muskellähmungen; wenn ja, wo? . . . .
   - ○ Durchfall
   - ○ Harndrang
   - ○ Erbrechen
   - ○ Müdigkeit
   - ○ Schwindel
   - ○ Bewußtlosigkeit
   - ○ Nein, bestimmte Begleitreaktionen bestehen nicht.

17. Wann treten diese Begleitereignisse auf. Wie lange bestehen sie? Die Begleitereignisse
    - ○ entwickeln sich vollständig innerhalb 4 Minuten bevor die Schmerzen beginnen
    - ○ entwickeln sich in 5–20 Minuten bevor die Schmerzen beginnen und bestehen eine Stunde, dann schließen sich die Schmerzen an
    - ○ entwickeln sich mit den Schmerzen und klingen mit diesen ab
    - ○ entwickeln sich mit den Schmerzen und bleiben länger als diese bestehen
    - ○ treten erst nach Beendigung der Schmerzen auf
    - ○ die Begleitsymptome entwickeln sich vor Schmerzbeginn und dauern länger als eine Stunde bis maximal eine Woche an
    - ○ die Begleitsymptome entwickeln sich vor Schmerzbeginn und dauern länger als eine Woche an
    - ○ wenn anders, wie? . . . .

18. Leidet ein Verwandter 1. Grades an ähnlichen Schmerzen wie Sie und bestehen ähnliche Begleitsymptome
    - ○ nein
    - ○ ja; wer? (z. B. Mutter, Tochter usw.)? . . . . .
      welche Schmerzen? . . . .
      welche Begleitsymptome? . . . .

19. Hatten Sie in **Ihrer** Kindheit häufiger folgende Beschwerden?
    - ○ Unwohlsein
    - ○ Erbrechen
    - ○ Bauchweh
    - ○ Kopfweh
    - ○ Schwindel
    - ○ Angstgefühl

426

○ Atemnot
○ Augenflimmern
○ leichtes Schwitzen, Schweißausbrüche
○ Reisekrankheit
○ wenn andere, welche?....................
○ nein, keine häufigeren Beschwerden in der Kindheit

20. Wenn Sie Kinder haben, leiden diese häufiger unter folgenden Beschwerden?
○ Unwohlsein
○ Erbrechen
○ Bauchweh
○ Kopfweh
○ Schwindel
○ Angstgefühl
○ Atemnot
○ Augenflimmern
○ leichtes Schwitzen, Schweißausbrüche
○ Reisekrankheit
○ wenn andere, welche?....................
○ nein, die Kinder haben keine häufigen Beschwerden

21. Welche Ereignisse können Ihre Schmerzen **verschlimmern**?
○ körperliche Betätigung; wenn ja, welche?.....
○ Ruhe
○ bestimmte Jahreszeiten; wenn ja, welche?.....
○ Wetterlage; wenn ja, welche? ....
○ bestimmte Nahrungsmittel; wenn ja, welche?..
   ....
○ bestimmte Genußmittel; wenn ja, welche? ....
   ....
○ bestimmte Medikamente; wenn ja, welche? ...
   ....

○ Monatsblutung

○ unbequeme Kopf- oder Körperhaltung

○ seelische Belastungen; wenn ja, welche? . . . . . .
. . . .

○ anderes; und zwar . . . .

○ keine, die Schmerzen sind von äußeren Einflüssen unabhängig

22. Beobachten Sie einen Zusammenhang zwischen dem Auftreten der Schmerzen und

○ zu langem Schlaf

○ zu kurzem Schlaf

○ Feierabend

○ Wochenende

○ Urlaub

○ Verzehr von Molkereiprodukten

○ Verzehr von Schokolade

○ Verzehr von Zitrusfrüchten

○ Hunger

○ Übersättigung

○ Verzehr stark gewürzter Speisen

○ Hektik und Streß

○ Ärger im Beruf

○ Ärger in der Familie

○ anderem, nämlich . . . .

23. Welche Bedingungen können Ihre Schmerzen **lindern?**

○ körperliche Betätigung; wenn ja, welche? . . . . .
. . . .

○ Arbeit; wenn ja, welche? . . . .
. . . .

○ Urlaub

○ Wochenende

○ körperliche Ruhe

428

○ gesellige Veranstaltungen, Besuch von Bekannten usw.

○ anderes und zwar . . . .

○ keine, die Schmerzen sind von äußeren Einflüssen unabhängig

24. DIESE FRAGE IST NUR VON FRAUEN AUSZU-
FÜLLEN:
Wann war Ihre erste Monatsblutung? . . . .
Haben Sie noch eine regelmäßige Monatsblutung
○ ja
○ nein
○ Wann war Ihre letzte Regelblutung? . . . .

Sind Ihre Schmerzen
○ vor der Monatsblutung häufiger
○ vor der Monatsblutung seltener
○ während der Monatsblutung häufiger
○ während der Monatsblutung seltener
○ nach der Monatsblutung häufiger
○ nach der Monatsblutung seltener
○ unabhängig von der Monatsblutung

Falls Sie schwanger waren, waren Ihre Schmerzen
in dieser Zeit
○ häufiger
○ seltener
○ stärker
○ schwächer
○ unabhängig von der Schwangerschaft

Falls Sie die Pille nehmen: Haben Sie eine Änderung
Ihrer Schmerzen dadurch bemerkt?
○ nein
○ ja; wenn ja, welche? . . . .

429

Haben Sie eine Unterleibsoperation hinter sich?

○ nein

○ ja; wenn ja, welche?.....................

25. Beeinträchtigen die Schmerzen Ihre gesellschaftlichen bzw. beruflichen Betätigungen?

○ nein

○ teilweise

○ sehr, besonders ....

26. Bitte beschreiben Sie möglichst genau die Situation und den Ablauf der letzten Schmerzattacke (wann, wo, was geschah, was haben Sie gemacht, wie haben andere reagiert?).

....

....

....

....

....

....

....

....

27. Sind Sie Rechts- oder Linkshänder?

○ Rechtshänder

○ Linkshänder

○ ein deutlich bevorzugter Gebrauch einer Hand besteht bei mir nicht

28. Welche Genußmittel gebrauchen Sie?

○ Alkohol; wenn ja, was und wieviel? ....

○ Nikotin; wenn ja, was und wieviel?..........

○ Kaffee ....

○ sonstige Drogen; wenn ja, was und wieviel? ...

....

29. Leiden Sie unter einer der folgenden Krankheiten?
   O Herzerkrankungen
   O Nerven- oder Gemütsleiden
   O Unfall mit Kopfverletzung
   O Kreislauf- oder Gefäßerkrankungen
   O Lungen- oder Atemwegserkrankungen
   O Lebererkrankungen
   O Magen-Darm-Erkrankungen
   O Nierenerkrankungen
   O Stoffwechsel- oder Hormonerkrankungen
   O Erkrankungen des Skelettsystems

30. Bei welchen Berufsgruppen haben Sie sich bereits wegen der Schmerzen behandeln lassen und wie oft?

O Akupunkteur	. . .mal	m Krankenschwester	. .mal
O Allergologe	. . .mal	O Lungenarzt	. . .mal
O Allgemeinarzt	. . .mal	O Masseur	. . .mal
O Anästhesiologe	. . .mal	O Mund-Kiefer-	
O Apotheker	. . .mal	Gesichtschirurg	. . .mal
O Augenarzt	. . .mal	O Naturheilkundler	. . .mal
O Bademeister	. . .mal	O Nervenarzt	. . .mal
O Chiropraktiker	. . .mal	O Neurologe	. . .mal
O Chirurg	. . .mal	O Neurochirurg	. . .mal
O Endokrinologe	. . .mal	O Onkologe	. . .mal
O Frauenarzt	. . .mal	O Orthopäde	. . .mal
O Geistheiler	. . .mal	O Proktologe	. . .mal
O Hals-Nasen-Ohren-		O Priester	. . .mal
arzt	. . .mal	O Psychiater	. . .mal
O Hautarzt	. . .mal	O Psychologe	. . .mal
O Heilpraktiker	. . .mal	O Psychotherapeut	. . .mal
O Hypnotiseur	. . .mal	O Radiologe	. . .mal
O Internist	. . .mal	O Rheumatologe	. . .mal
O Kardiologe	. . .mal	O Sozialarbeiter	. . .mal
O Kinderarzt	. . .mal	O Urologe	. . .mal
O Kranken-		O Zahnarzt	. . .mal
gymnast	. . .mal		

31. Wo und wie wurden Ihre Schmerzen bereits behandelt?
Bitte geben Sie den Namen des Arztes (evtl. auch des Heilpraktikers usw.), die Behandlungsart (z. B. Medikament, Massage, usw.) sowie die Behandlungszeit (Jahr, Dauer) an:

1) ....
....
2) ....
....
3) ....
....
4) ....
....
5) ....
....
6) ....
....

(sollten Sie mehr Platz brauchen, verwenden Sie bitte ein Extra-Blatt)

32. Mußten Sie wegen der Schmerzen in einem Krankenhaus stationär behandelt werden?
❍ nein
❍ ja; wenn ja, wo, wann, was wurde unternommen? ....
....
....

33. Erhalten Sie finanzielle Hilfen wegen der Schmerzen?
❍ nein
❍ Krankengeld:
seit wann? .... Wie lange noch? ......
❍ Rente bzw. Pension:
seit wann? .... Wie lange noch? ......

○ Arbeitslosengeld:
seit wann? . . . . Wie lange noch? . . . . .
○ andere Versicherungsleistungen:
Welche . . . .
seit wann? . . . . Wie lange noch? . . . . .
○ bis jetzt noch nicht, ich beabsichtige aber Hilfen
zu beantragen oder habe solche bereits beantragt

34. Haben Sie bereits Medikamente gegen die Schmerzen eingenommen?
○ nein
○ ja, und zwar:
   Name   Dosis   seit wann oder
                                    wie lange
1). . . . .
2). . . . .
3). . . . .
4). . . . .
5). . . . .
(bitte Extra-Blatt benutzen, falls der Platz nicht aus-
reicht)

35. Haben diese Medikamente geholfen?
○ nein, überhaupt nicht
○ nur kurzfristig
○ ja

36. Erfordern Ihre Schmerzen, daß Sie immer häufiger
Schmerzmittel einnehmen müssen?
○ ja
○ nein

37. Beobachten Sie unerwünschte Nebenwirkungen dieser Medikamente?
○ nein
○ ja; wenn ja, welche? . . . .

38. Welche anderen Medikamente nehmen Sie ein?

Name   Dosis   seit wann oder
                                             wie lange

1) . . . .

2) . . . .

3) . . . .

4) . . . .

5) . . . .

6) . . . .

7) . . . .

8) . . . .

Falls etwas Wesentliches über Ihre Schmerzen bisher nicht gefragt wurde, beschreiben Sie dies bitte nachfolgend:

. . . .

. . . .

. . . .

. . . .

. . . .

. . . .

. . . .

. . . .

. . . .

. . . .

. . . .

. . . .

. . . .

. . . .

. . . .

. . . .

. . . .

. . . .

. . . .

. . . .

39. Bitte beantworten Sie nun folgende Fragen zu Ihrem Allgemeinbefinden:

Gewicht . . . . . kg   Körpergröße . . . . . cm

Haben Sie in letzter Zeit zu- oder abgenommen?

○ Zunahme . . . . . kg

○ Abnahme . . . . . kg

○ Gewicht blieb konstant

Kreuzen Sie nun jeweils an, wie stark die folgenden Beschwerden bei Ihnen gegeben sind:

	stark	mäßig	kaum	gar nicht
1. Kreuz- oder Rückenschmerzen	○	○	○	○
2. Überempfindlickeit gegen Wärme	○	○	○	○
3. Überempfindlichkeit gegen Kälte	○	○	○	○
4. Kurzatmigkeit	○	○	○	○
5. Stiche, Schmerzen oder Ziehen in der Brust	○	○	○	○
6. Kloßgefühl, Engigkeit oder Würgen im Hals	○	○	○	○
7. Starkes Schwitzen	○	○	○	○
8. Schweregefühl in den Beinen	○	○	○	○
9. Unruhe in den Beinen	○	○	○	○
10. Nacken- oder Schulterschmerzen	○	○	○	○
11. Schwindelgefühl	○	○	○	○
12. Übermäßiges Schlafbedürfnis	○	○	○	○
13. Schlaflosigkeit	○	○	○	○

	stark	mäßig	kaum	gar nicht
14. Kopfschmerzen, bzw. Druck im Kopf oder Gesichts- schmerzen	O	O	O	O
15. Erstickungsgefühl	O	O	O	O
16. Appetitlosigkeit	O	O	O	O
17. Herzklopfen, Herzjagen oder Herzstolpern	O	O	O	O
18. Verstopfung	O	O	O	O
19. Mangel an geschlechtlicher Erregbarkeit	O	O	O	O
20. Taubheitsgefühl (Einschlafen, Brennen oder Kribbeln)	O	O	O	O
21. Störungen beim Wasserlassen	O	O	O	O
22. Geschwollene Beine	O	O	O	O
23. Blut im Stuhl	O	O	O	O
24. Anfallsweise Atemnot	O	O	O	O
25. Neigung zum Weinen	O	O	O	O
26. Gelenk- oder Gliederschmerzen	O	O	O	O
27. Mattigkeit	O	O	O	O
28. Übelkeit	O	O	O	O
29. Grübelei	O	O	O	O
30. Innere Unruhe	O	O	O	O
31. Schwächegefühl	O	O	O	O

436

	stark	mäßig	kaum	gar nicht
32. Schluck- beschwerden	◯	◯	◯	◯
33. Leibschmerzen (einschließlich Magen- oder Unter- leibsschmerzen)	◯	◯	◯	◯
34. Kalte Füße	◯	◯	◯	◯
35. Frieren	◯	◯	◯	◯
36. Trübe Gedanken	◯	◯	◯	◯
37. Chronischer Husten	◯	◯	◯	◯
38. Durchfall	◯	◯	◯	◯
39. Juckreiz	◯	◯	◯	◯
40. Reizbarkeit	◯	◯	◯	◯
41. Zittern	◯	◯	◯	◯
42. Druck-oder Völle- gefühl im Leib	◯	◯	◯	◯
43. Gleichgewichts- störungen	◯	◯	◯	◯
44. Angstgefühl	◯	◯	◯	◯
45. Konzentrations- schwäche	◯	◯	◯	◯
46. Innere Gespannt- heit	◯	◯	◯	◯
47. Müdigkeit	◯	◯	◯	◯
48. Schluckauf	◯	◯	◯	◯
49. Aufsteigende Hitze, Hitzewallungen	◯	◯	◯	◯
50. Energielosigkeit	◯	◯	◯	◯
51. Rasche Erschöpf- barkeit	◯	◯	◯	◯
52. Heißhunger	◯	◯	◯	◯
53. Vergeßlichkeit	◯	◯	◯	◯

	stark	mäßig	kaum	gar nicht
54. Ohnmachtsanfälle oder andere Anfälle von Bewußtlosigkeit	O	O	O	O
55. Berufliche oder private Sorgen	O	O	O	O
56. Unverträglichkeit bestimmter Speisen	O	O	O	O
57. Bei Frauen: Regelbeschwerden	O	O	O	O
58. Sodbrennen oder saures Aufstoßen	O	O	O	O
59. Leichtes Erröten	O	O	O	O
60. Gewichtsabnahme	O	O	O	O
61. Starker Durst	O	O	O	O
62. Sehstörungen	O	O	O	O
63. Lebensmüdigkeit	O	O	O	O
64. Erbrechen	O	O	O	O
65. Hautveränderungen	O	O	O	O

Sachverzeichnis

439

440

441

443

Kieler Kopfschmerzkalender

Kopfschmerzanfall	1	2	3	4	5	6	7	8	9	10
Datum										
Schmerzstärke 1=schwach; 2=mittel; 3=stark; 4=sehr stark										
Einseitiger Kopfschmerz	☐	☐	☐	☐	☐	☐	☐	☐	☐	☐
Beidseitiger Kopfschmerz	☐	☐	☐	☐	☐	☐	☐	☐	☐	☐
Pulsierend oder pochend	☐	☐	☐	☐	☐	☐	☐	☐	☐	☐
Drückend, dumpf bis ziehend	☐	☐	☐	☐	☐	☐	☐	☐	☐	☐
Erheblich hinderlich bei üblicher Tätigkeit	☐	☐	☐	☐	☐	☐	☐	☐	☐	☐
Verstärkung bei körperlicher Aktivität	☐	☐	☐	☐	☐	☐	☐	☐	☐	☐
Übelkeit	☐	☐	☐	☐	☐	☐	☐	☐	☐	☐
Erbrechen	☐	☐	☐	☐	☐	☐	☐	☐	☐	☐
Lichtscheu	☐	☐	☐	☐	☐	☐	☐	☐	☐	☐
Lärmscheu	☐	☐	☐	☐	☐	☐	☐	☐	☐	☐
Anfallsdauer (Stunden)										
Arbeits-/Schulausfall (Stunden)										
Reduzierung der Leistungsfähigkeit (Stunden)										
Medikamente oder andere Behandlung (bitte eintragen, ggfs. zusätzliches Blatt verwenden)										

bitte wenden

Wirkung:	gut	☐	☐	☐	☐	☐	☐	☐	☐	☐	☐
	mäßig	☐	☐	☐	☐	☐	☐	☐	☐	☐	☐
	schlecht	☐	☐	☐	☐	☐	☐	☐	☐	☐	☐

Kieler Kopfschmerzkalender

Kopfschmerzanfall	1	2	3	4	5	6	7	8	9	10
Datum										
Schmerzstärke 1=schwach; 2=mittel; 3=stark; 4=sehr stark										
Einseitiger Kopfschmerz	☐	☐	☐	☐	☐	☐	☐	☐	☐	☐
Beidseitiger Kopfschmerz	☐	☐	☐	☐	☐	☐	☐	☐	☐	☐
Pulsierend oder pochend	☐	☐	☐	☐	☐	☐	☐	☐	☐	☐
Drückend, dumpf bis ziehend	☐	☐	☐	☐	☐	☐	☐	☐	☐	☐
Erheblich hinderlich bei üblicher Tätigkeit	☐	☐	☐	☐	☐	☐	☐	☐	☐	☐
Verstärkung bei körperlicher Aktivität	☐	☐	☐	☐	☐	☐	☐	☐	☐	☐
Übelkeit	☐	☐	☐	☐	☐	☐	☐	☐	☐	☐
Erbrechen	☐	☐	☐	☐	☐	☐	☐	☐	☐	☐
Lichtscheu	☐	☐	☐	☐	☐	☐	☐	☐	☐	☐
Lärmscheu	☐	☐	☐	☐	☐	☐	☐	☐	☐	☐
Anfallsdauer (Stunden)										
Arbeits-/Schulausfall (Stunden)										
Reduzierung der Leistungsfähigkeit (Stunden)										
Medikamente oder andere Behandlung (bitte eintragen, ggfs. zusätzliches Blatt verwenden)										
										bitte wenden
Wirkung: gut	☐	☐	☐	☐	☐	☐	☐	☐	☐	☐
mäßig	☐	☐	☐	☐	☐	☐	☐	☐	☐	☐
schlecht	☐	☐	☐	☐	☐	☐	☐	☐	☐	☐

Kieler Kopfschmerzkalender

Kopfschmerzanfall	1	2	3	4	5	6	7	8	9	10
Datum										
Schmerzstärke 1=schwach; 2=mittel; 3=stark; 4=sehr stark										
Einseitiger Kopfschmerz	☐	☐	☐	☐	☐	☐	☐	☐	☐	☐
Beidseitiger Kopfschmerz	☐	☐	☐	☐	☐	☐	☐	☐	☐	☐
Pulsierend oder pochend	☐	☐	☐	☐	☐	☐	☐	☐	☐	☐
Drückend, dumpf bis ziehend	☐	☐	☐	☐	☐	☐	☐	☐	☐	☐
Erheblich hinderlich bei üblicher Tätigkeit	☐	☐	☐	☐	☐	☐	☐	☐	☐	☐
Verstärkung bei körperlicher Aktivität	☐	☐	☐	☐	☐	☐	☐	☐	☐	☐
Übelkeit	☐	☐	☐	☐	☐	☐	☐	☐	☐	☐
Erbrechen	☐	☐	☐	☐	☐	☐	☐	☐	☐	☐
Lichtscheu	☐	☐	☐	☐	☐	☐	☐	☐	☐	☐
Lärmscheu	☐	☐	☐	☐	☐	☐	☐	☐	☐	☐
Anfallsdauer (Stunden)										
Arbeits-/Schulausfall (Stunden)										
Reduzierung der Leistungsfähigkeit (Stunden)										
Medikamente oder andere Behandlung (bitte eintragen, ggfs. zusätzliches Blatt verwenden)										

bitte wenden

Wirkung:	gut	☐	☐	☐	☐	☐	☐	☐	☐	☐	☐
	mäßig	☐	☐	☐	☐	☐	☐	☐	☐	☐	☐
	schlecht	☐	☐	☐	☐	☐	☐	☐	☐	☐	☐

Kopfschmerzen können in sehr unterschiedlicher Weise auftreten. Eine möglichst genaue Kenntnis der Erscheinungsweise der Kopfschmerzen ist für die richtige Diagnose und insbesondere optimale Behandlung unbedingt erforderlich.
Dieser Kopfschmerzkalender dient dazu, eine genaue Beschreibung Ihrer Kopfschmerzanfälle zu ermöglichen.
Bitte tragen Sie bei jedem Kopfschmerzanfall zunächst das Datum ein. Beschreiben Sie dann mit Hilfe der Kästchen, (je Kopfschmerzanfall von oben nach unten) wie Ihr Kopfschmerz aussieht. Wenn eine Aussage zutrifft, schreiben Sie bitte ein Kreuz in das entsprechende Kästchen.

MIGRÄNE OHNE AURA

Attackenzahl: wenigstens fünf vorangegangene Attacken

Einseitiger Kopfschmerz	✗	
Beidseitiger Kopfschmerz	☐	
Pulsierend oder pochend	✗	mindestens zwei dieser Kriterien müssen erfüllt sein
Drückend, dumpf bis ziehend	☐	
Erheblich hinderlich bei üblicher Tätigkeit	✗	
Verstärkung bei körperlicher Aktivität	✗	
Übelkeit	✗	mindestens 1 Kriterium muß erfüllt sein
Erbrechen	✗	
Lichtscheu	✗	
Lärmscheu	✗	
Anfallsdauer (unbehandelt oder erfolglos behandelt)	☐	Die Dauer muß im Bereich 4–72 Stunden liegen.

Der Ausschluß symptomatischer Kopfschmerzen muß durch klinische Untersuchung und ggf. weiterführende Diagnostik erfolgen!

In die übrigen Felder tragen Sie bitte die erfragte Zeitdauer in Stunden ein. Wenn Sie Medikamente zur Behandlung Ihrer Kopfschmerzen eingenommen haben, vermerken Sie bitte die Namen und die Menge der Medikamente auf dem senkrechten Strich.

Notieren Sie auch, welche Aktivitäten Sie im Zusammenhang mit den Kopfschmerzen durchgeführt haben und ob Sie bestimmte Kopfschmerzauslöser erkennen können.

Der Kopfschmerzkalender sollte regelmäßig ausgefüllt werden, um ein umfassendes Bild Ihrer Kopfschmerzen zu erhalten. Bringen Sie bitte den Kalender zur nächsten Sprechstunde mit.

EPISODISCHER KOPFSCHMERZ VOM SPANNUNGSTYP

Attackenzahl: wenigstens zehn vorangegangene Attacken weniger als 15 Kopfschmerztage pro Monat

Einseitiger Kopfschmerz	☐	
Beidseitiger Kopfschmerz	☒	angekreuzt
Pulsierend oder pochend	☐	
Drückend, dumpf bis ziehend	☒	angekreuzt
Erheblich hinderlich bei üblicher Tätigkeit	☐	nicht angekreuzt
Verstärkung bei körperlicher Aktivität	☐	nicht angekreuzt

mindestens zwei dieser vier Aussagen müssen zutreffen

Übelkeit	☐	dürfen nicht erfüllt sein
Erbrechen	☐	

Lichtscheu	☐	maximal eines der beiden Kriterien darf erfüllt sein
Lärmscheu	☐	

Anfallsdauer (unbehandelt oder erfolglos behandelt)	☐	Die Dauer muß im Bereich 30 Minuten–7 Tage liegen.

Der Ausschluß symptomatischer Kopfschmerzen muß durch klinische Untersuchung und ggf. weiterführende Diagnostik erfolgen!

Springer
und
Umwelt

Als internationaler wissenschaftlicher
Verlag sind wir uns unserer besonderen
Verpflichtung der Umwelt gegenüber
bewußt und beziehen umweltorientierte
Grundsätze in Unternehmens-
entscheidungen mit ein. Von unseren
Geschäftspartnern (Druckereien,
Papierfabriken, Verpackungsherstellern
usw.) verlangen wir, daß sie sowohl
beim Herstellungsprozess selbst als
auch beim Einsatz der zur Verwendung
kommenden Materialien ökologische
Gesichtspunkte berücksichtigen.
Das für dieses Buch verwendete Papier
ist aus chlorfrei bzw. chlorarm
hergestelltem Zellstoff gefertigt und im
pH-Wert neutral.

 Springer